실전 기계환기법

Mechanical Ventilation
in Practice

KB156504

실전 기계환기법

첫째판 1쇄 인쇄 | 2021년 09월 30일
첫째판 1쇄 발행 | 2021년 10월 12일
첫째판 2쇄 발행 | 2023년 1월 31일

지 은 이 서울아산병원 중환자진료팀 고윤석 외
발 행 인 장주연
출 판 기 획 김도성
편집디자인 양은정
표지디자인 김재욱
일 러 스 트 김명곤
발 행 처 군자출판사(주)
　　　　 등록 제4-139호(1991. 6. 24)
　　　　 본사 (10881) 파주출판단지 경기도 파주시 회동길 338(서패동 474-1)
　　　　 전화 (031) 943-1888　　팩스 (031) 955-9545
　　　　 홈페이지 | www.koonja.co.kr

ISBN 979-11-5955-767-5

정가 30,000원

[집필진]

고윤석 울산의대 서울아산병원 호흡기내과

김민석 울산의대 서울아산병원 순환내과

김원영 중앙의대 중앙대병원 호흡기내과

김은영 서울아산병원 호흡치료실

남경훈 성남시의료원 호흡기내과

서가진 서울아산병원 호흡치료실

서희정 서울아산병원 호흡치료실

안지환 울산의대 서울아산병원 호흡기내과

오동규 울산의대 서울아산병원 호흡기내과

이승주 울산의대 서울아산병원 신경외과

임채만 울산의대 서울아산병원 호흡기내과

장민경 서울아산병원 호흡치료실

허진원 울산의대 서울아산병원 호흡기내과

홍상범 울산의대 서울아산병원 호흡기내과

홍석경 울산의대 서울아산병원 외과

[서 문]

인공호흡기로 더 잘 알려진 기계환기기는 환자의 부족한 호흡기능을 전신 상태가 호전될 때까지 환자의 생명을 유지시켜주는 필수 장비이다. 2020년이 시작되면서 전 세계에 대 역병을 초래한 COVID-19바이러스는 모든 이들에게 기계환기기 치료의 중요성을 다시 한번 일깨워 주었다. 의약품이나 의료장비를 사용하여 환자, 특히 중환자들에서 그 치료 효과를 높이려면 올바른 시기에 바르게 처방하고 그 효과와 부작용을 감시하여야 한다. 기계환기기 치료도 마찬가지로 소진된 환자의 호흡근육이 회복될 수 있는 휴식을 제공하는 반면, 기계환기 보조시간이 길어지면 호흡근육의 약화를 가져온다. 더구나 과도한 기계환기는 환자의 폐 조직을 손상시켜 오히려 폐손상을 초래한다. 즉 잘못 설정하거나 이탈이 지연된 기계환기기 치료는 심각한 처방 오류나 투약의 실수와 마찬가지인 것이다.

지금까지 중환자 진료 의료인들은 해외에서 영문으로 출판된 기계환기기 관련 서적이나 이를 우리말로 번역한 책들이나 관련 논문들로써 기계환기기 치료에 대한 학습을 하여 왔다. 서울아산병원의 중환자진료팀은 1993년부터 매년 국내 의료인들의 기계환기기 치료 성적의 개선을 위하여 'Asan Ventilator Workshop'을 개최하여 왔다. 이 책은 그동안 행해진 강의 내용을 정리하여 묶은 것이다. 호기말양압 등과 같은 몇 가지 중요한 개념은 이 책의 여러 부분에서 중복되어 나타난다. 저자들은 기계환기기 책의 용도 특성상 독자들이 특정 부분만 참고로 읽는 경우가 많아 그 해당 참고 내용의 흐름을 고려하여 중복 부분을 삭제하지 않았다. 또한 이 책은 기계환기기와 그리고 연관된 호흡보조 장치들의 실전 임상에 중점을 두어 구성하였기에 각 장비들의 기계적 장치들에 대한 내용은 기술하지 않았다.

강의실에서 일회성 강의를 할 때보다 인쇄된 책으로 독자들에게 다가서는 것은 여러 가지 점에서 두렵다. 여러 차례 저자들이 책의 내용을 검토하였음에도 내용이나 구성에서 오류나 부족함이 드러날 것이 예상되어, 미리 독자들의 양해를 구한다. 잘못을 발견하면 저자들에게 일깨워 주시기를 부탁드린다. 이 책이 출판되기까지 책 전체의 내용을 꼼꼼히 검토한 임채만 교수와 편집에 수고를 아끼지 않으신 군자출판사의 김도성 차장님께 이 자리를 빌어서 감사를 드린다.

저자들을 대표하여 **고윤석** 씀

[목 차]

01. 기계환기, 언제 왜 시작하나?

1. 기계환기기는 언제 시작하나?

기계환기기는 호흡부전을 보조하는 중요한 기계 장치이다. 호흡부전이란 적절한 환기 상태를 유지하지 못하여 체내 이산화탄소 및 산소의 항상성(homeostasis)의 불균형이 초래된 상태를 말하며 넓게는 각 장기로 적절한 산소 공급이 이루어지지 않는 상태도 포함된다. 호흡부전으로 정의할 수 있는 동맥혈가스의 산소 및 이산화탄소 분압의 절대치는 없으나 일반적으로 안정 상태에서 방안 공기를 흡입하는 경우 PaO_2가 60 mmHg 이하이거나 $PaCO_2$가 45 mmHg 이상인 경우를 포괄적인 의미의 호흡부전으로 정의한다. 단, 저산소증의 원인이 심장내 혈류의 우−좌 단락(right−to−left shunt)에 의한 것이거나 이산화탄소의 증가가 대사성 알칼리증(alkalosis)의 보상반응에 의한 경우는 호흡부전으로 간주하지 않는다.

1) 호흡부전의 분류
(1) 병태 생리에 따른 분류
① 저산소성 호흡부전(hypoxemic respiratory failure, Type Ⅰ)
저산소성 호흡부전은 산소를 투여하여도 PaO_2가 60 mmHg 이하인 경우로 정의되며 만성 호흡부전을 가진 환자인 경우는 평소 PaO_2 보다 10−15 mmHg 이하 더 감소되면 저산소성 호흡부전으로 간주한다. 저산소성 호흡부전의 초기 상태에서 보상반응으로 나타나는 호흡수의 증가로 $PaCO_2$는 흔히 40 mmHg 이하이다. 저산소증은 흡입 산소의 농도가 낮거나 저환기(hypoventilation), 폐내 우−좌 단락, 환기−관류비(ventilation−perfusion)의 부조화 및 폐포와 폐포 혈

관 사이의 가스 확산(diffusion)의 장애 등으로 발생한다. 폐부종이나 폐렴 혹은 흉부 손상 등에서 흔히 관찰된다.

② 저산소성-고탄산 호흡부전(hypoxemic-hypercapnic respiratory failure, Type II)
$PaCO_2$가 50 mmHg 이상이면서 pH가 7.30 이하로 감소된 경우를 흔히 환기부전으로 정의한다. 이는 저환기나 혹은 사강호흡(dead-space ventilation)의 증가 등으로 초래되며 PaO_2는 55-60 mmHg 이하이다. 환기 펌프의 장애, 체내 이산화탄소 생성의 증가, 우-좌 단락 및 사강환기의 증가 등에 의해 초래된다. 호흡중추 기능 장애, 호흡근육을 침범하는 신경계 혹은 근육질환 및 만성 폐쇄성폐질환의 악화 등에서 관찰된다.

③ 수술 후 발생한 호흡부전(perioperative respiratory failure, Type III)
수술 후 발생한 무기폐 등에 의해 초래된 호흡부전이다.

④ 쇼크에 의한 호흡부전(shock-associated respiratory failure, Type IV)
이는 쇼크 상태에서 호흡근육에 필요한 만큼의 산소와 영양분의 공급이 되지 않아 발생한 호흡부전을 말한다. 쇼크 상태에서는 호흡일(work of breathing)이 늘어나 호흡근육의 산소소모량은 증가되는 데 비하여 순환부전으로 인하여 충분한 산소나 영양분이 공급되지 않아 호흡근육의 피로가 초래되어 호흡부전이 발생한다.

(2) 발생 기간에 따른 분류
① 급성
수 분 내지 수 일에 걸쳐 발생한 경우로 저산소증이 동반되며 호흡산증(acidosis) 혹은 알칼리증이 동반될 수도 있다. 즉각적 치료가 이루어지지 않으면 치명적일 수 있다.

② 만성
수 개월에서 수 년에 걸쳐 발생된 경우로 저산소증과 함께 고탄산증이 동반될 수 있으며 이러한 상태가 유지가 되어도 기저 폐기능의 여력이 거의 없는 상태이다.

③ 만성 호흡부전 환자의 급성 악화(acute-on-chronic respiratory failure)
만성 호흡부전 환자에서 급성 악화가 초래된 상태로 응급 상황이다.

2) 기계환기 치료의 시작 시점

증가된 호흡일이나 필요한 산소화 상태를 환자의 호흡 역량으로 감당할 수 없는 호흡부전이 발생하면 기계환기 치료가 시작되어야 한다. 환자가 호흡곤란을 호소하거나 호흡 및 맥박 수의 증가, 청색증, 호흡보조근 사용, 의식 변동 등의 소견을 보이면 필요한 조치를 시작하면서 즉시 동맥혈가스분석검사를 시행하여야 한다. 급성 저산소혈증 호흡부전의 경우 맥박산소측정기(pulse oximeter)의 산소포화도로서도 확인할 수 있다. 또한 급성 천식인 환자의 경우는 $PaCO_2$ 45 mmHg 정도도 심각한 환기부전이 동반된 상태이다. 호흡부전 환자의 경우 특히 환자의 의식이 저하되거나 쇼크가 동반되거나 고유량 산소흡입 등에도 산소화부전이 심한 경우 등에서는 즉각 기계환기 치료를 시작하여야 한다. 만성 호흡부전의 급성 악화(acute-on-chronic respiratory failure) 시는 동맥혈내의 $PaCO_2$의 절대치보다 pH가 급성 변동의 정도를 반영하는 데 있어 더 중요한 지표이다.

2. 기계환기 치료는 왜 하나?

급성 호흡부전이나 쇼크가 발생한 환자는 중환자실에서 즉각적인 기도관리, 환기보조 및 순환보조가 이루어져야 한다. 또한 발병 기전에 근거한 치료 과정이 지속되어야 한다. 이 과정에서 기계환기기는 환자의 호흡부전 상태가 호전될 때까지 환자의 폐 기능을 보조하여 동맥혈내 산소와 이산화탄소 상태를 개선시켜 생명을 유지시켜 준다. 또한 전신으로의 산소의 공급이 제한되어 있는 환자의 호흡일을 감소시켜 타 장기의 산소화 상태에 도움을 주며 지나친 호흡일에 의해 소진된 호흡근육이 회복될 수 있는 기회를 제공한다. 그러나 기계환기 보조시간이 길어질수록 호흡근육은 오히려 약화된다. 기계환기 치료 중에는 동맥혈가스 내 산소분압이나 이산화탄소분압 등의 개선뿐만 아니라 장기로 전달되는 산소전달량에도 유의하여야 한다. 산소운반양은 심박출량과 동맥혈 내 산소함유량의 곱으로 정해지는데 제대로 산소운반양을 확보하기 위해서는 기계환기기 적용에 따른 심-폐 상호작용(15쪽 2장 참조)을 잘 이해하여야 한다.

참고문헌

1. Kress JP, Hall JB. Approach to the patient with critical illness. In: Kasper DL, Hause SL, Jameson JL, Fauci AS, Longo DL, Loscalzo J, eds. Harrison's Principles of Internal Medicine. 19th ed. USA: McGraw Hill;2015. p.1731-2.

02. 기계환기 치료 중 알아야 하는 생리학

1. 심폐상호작용

1) 양압환기와 심혈관계의 관계

폐와 심장은 흉곽 내에 함께 위치하며 혈관으로 연결되어 있는 인접 장기로서 심장이라는 pressure chamber가 흉곽이라는 또 하나의 pressure chamber 안에 놓여 있어 심폐상호작용(heart-lung interaction)이 발생한다. 또한 우측 심장과 좌측 심장은 하나의 심낭막에 싸여 있어 서로 영향을 주고받는다. 특히 기계호흡을 통한 양압환기는 흉곽내압 변동 및 폐용적 변동을 초래하여 심장기능에 많은 변화를 가져온다. 기계환기 시작 시 생기는 심혈관계의 허탈은 매우 흔한 현상으로 원인은 (1) 기관내 삽관 시 투여한 안정제의 혈관 확장 작용, (2) 양압환기로 인한 흉곽내압 상승, (3) 폐과팽창에 의한 자가호기말양압(auto-positive end-expiratory pressure, auto-PEEP) 증가, (4) 정맥환류 감소와 좌심박출량의 감소 등이다. 이러한 현상은 PEEP 적용 시 더 악화된다. 한편, 기저에 심부전이 있는 환자에서는 이러한 심폐상호작용으로 기계환기 적용 후 오히려 심박출량이 호전되는 경우도 있다.

(1) 기계환기는 다음 심혈관계의 기능에 영향을 미친다:
- 우심실 충만(filling of right heart)
- 우심실 박출량(ejection of blood from right ventricle into pulmonary vessels)
- 좌심실 충만(filling of left heart)
- 좌심실 박출량(ejection of blood from the left heart)

– 심실상호작용(ventricular interdependence)

(2) 정맥환류에 미치는 영향

자발호흡 상태에서 기계환기법으로 바뀌면 흉곽내압이 음압에서 양압으로 바뀌게 된다. 이 흉곽내압 변화가 심장에 미치는 가장 주요한 영향은 정맥 환류의 감소이다. 양압이 가해지면서 생기는 흉곽내압 증가는 일률적인 것이 아니며 폐탄성(compliance)이 크면 심하고 폐탄성이 낮으면 적다. 정맥환류량은 평균정맥압과 우심방압 사이의 압력차에 의해 결정되며 대정맥의 내경, collapsibility, 순환 혈액량 등의 영향을 받는다. 기계환기 시 흉곽내압 증가로 우심방압 증가 외에도 대정맥 압박이 생기며 이는 우심방으로 유입되는 최대 혈류량의 감소와 혈류의 조기감소를 일으킬 수 있다. 한편 흡기 시 횡격막의 하강으로 복부내 장정맥(visceral vein)이 압박되는데 이는 정맥압과 정맥 혈류를 증가시키는 효과가 있다.

대정맥 압박으로 인한 정맥환류 및 우심방 충만 저하는 수액 투여를 하여 부분적으로 회복할 수 있다(그림 2-1).

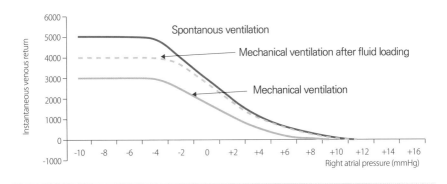

그림 2-1. Fluid loading은 기계환기 적용에 따른 venous return 감소를 줄여준다.

(3) 우심실에 대한 영향

기계환기 시는 정맥환류량 저하 및 우심실 충만(right ventricle filling)의 제한으로 우심 박출량이 떨어진다. 우심실의 박출율(right ventricle ejection)은 흡기 초기에는 폐혈관압의 감소와 폐용적이 늘어나면서 생기는 우심실 압박효과에 의해 증가될 수 있다. 그러나 흡기량이 너무 많은 경우 폐포주위의 혈관이 압박되고 폐혈관압이 상승하여 우심 박출량이 오히려 떨어진다(그림 2-2). 호기 시에는 이러한 효과가 반대로 일어난다. 기계환기 시 호흡에 따른 이러한 혈관내압과 혈류의 주기적인 변화는 좌심실 충만에도 주기적인 변화를 일으킨다.

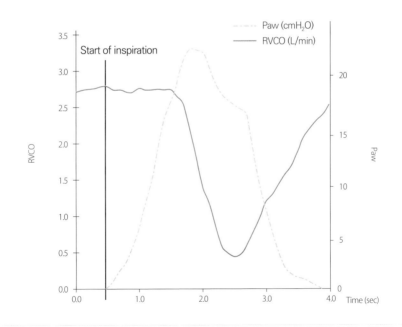

그림 2-2. 기계환기 시 기도압(Paw, airway pressure)에 따른
우심 박출량(RVCO, right ventricular cardiac output)의 주기적 변동

(4) PEEP의 영향

PEEP을 적용하면 늘어난 폐용적에 의해 우심방과 우심실의 크기가 줄어든다. 또한 PEEP은 복강내 장정맥을 압박하여 평균정맥압을 증가시켜 정맥환류를 위한 우심방압과의 압력차를 유지시키는 데 기여한다(그림 2-3). 전체적으로 PEEP은 우심 박출량의 감소를 초래한다. PEEP 적용 시 정맥환류와 우심 박출량은 감소되나 호흡에 따른 주기적인 혈역학적 변화는 PEEP을 적용하지 않는 기계환기 때와 같다.

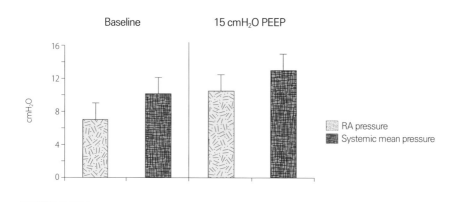

그림 2-3. PEEP 적용에 따른 우심방압(RA pressure)과 평균정맥압(Systemic mean pressure)의 변화

(5) 좌심실에 대한 영향

기계환기 시 우심실 확장기 충만의 저하는 좌심실 확장기 충만 저하로 이어지며 따라서 심박출양이 감소한다. 그러나 흉곽내압 증가로 인한 좌심실의 압박 및 대동맥의 압박의 결과, 후부하(afterload)를 감소시키는 현상도 있다. 이 현상은 좌심실 부전이 있었던 환자에서는 좌심실 박출율(ejection fraction)이 개선되고 일회박출량(stroke volume)을 증가시켜 심박출양이 증가되는 효과가 있다. 따라서 심부전이나 수액 과다 상태의 환자에서 기계환기 치료는 정맥환류를 감소시키고 좌심실 후부하의 감소로 심박출양을 증가시켜 폐부종을 개선시킨다.

2) 기계환기 시 좌심실의 충만압(Filling Pressure) 평가

PEEP을 적용받는 환자에서는 폐 상태에 따라 흉강내압에 미치는 PEEP의 영향이 가변적이기 때문에 정확한 좌심실 충만압을 알기 어렵다. 좌심실 충만의 적절성을 평가하기 위해 폐동맥쐐기압(pulmonary artery wedge pressure)을 측정하고자 할 경우 기도압의 영향을 최소화하기 위해 호기말에 측정해야 한다.

3) 기계환기 시 심실상호 의존성

좌심과 우심은 심낭이라는 한 공간에 싸여있어 한쪽 심실의 모양이나 크기의 변화는 다른 쪽 심실에 영향을 준다. 특히 우심의 용적이 과다해지면 심실중격이 좌측으로 전위되어 다음과 같은 현상이 생긴다.

(1) 좌심실의 용적이 적어지며 심박출량이 줄어든다
(2) 구형인 좌심의 모양이 변형됨으로써 수축력이 떨어진다

4) 기계환기 시 동맥압의 변화

기계환기에 의한 심폐상호작용은 영향을 받는 구조물이 많고 환자 기저 심폐상태, 채택한 기계환기 방식 및 설정 정도에 따라 복잡한 양상을 보인다. 가장 단순한 시나리오는 기계환기기에 의한 호흡에 따라 흉곽내압이 주기적으로 변하고 이에 따라 심박출량 역시 주기적으로 변화된다. 이러한 심박출량의 변화는 호흡에 따른 동맥압의 변화로 나타난다. 즉, 기계환기 치료 중인 환자에서 동맥압 변화를 관찰하는 것은 환자의 기저 심혈관계 상태를 파악하고, 수액요법 및 혈압상승제 사용의 적절성에 대한 정보를 주고, 심혈관계에 대한 기계호흡의 영향을 평가하는 데 유용하다.

　기계환기 시 수축기 동맥압의 변화가 생기는데 이를 systolic pressure variation (SPV)이라 하며 정상은 상하(delta up, delta down) 각각 5 mmHg로 총 10 mmHg 이내이다. Hypovolemia 시에는 delta up은 정상 수준으로 유지되나 delta down 폭이 커져 총 수축기압의 변이(SPV)가 커진다. 급성 심부전 시에는 delta down은 거의 없어지고 delta up이 커지며 총 SPV는 줄어든다.

　Delta down과 SPV의 변화량은 기계환기 시 정맥환류의 감소 정도를 반영

하는 지표이며 혈압이 유지되는 occult hypovolemia 환자에서 수액투여반응도 (preload responsiveness)를 예측할 수 있는 지표로서 유용하다. 그러나 다음과 같은 점을 감안해서 해석해야 한다.

(1) 기계환기가 심박출량에 미치는 효과는 복합적이며 수액요법만으로 심박출량과 SPV을 완전히 회복시키기 어렵다
(2) 기계환기 시 자발호흡이 있거나 정상 혈압을 보이는 경우 유용성이 낮다
(3) 일회호흡량, 폐탄성, 호흡양상, 심박동수 및 rhythm, 자율신경흥분 정도, 투여 약물 등 다른 요소가 SPV과 delta down의 변화량에 영향을 줄 수 있다

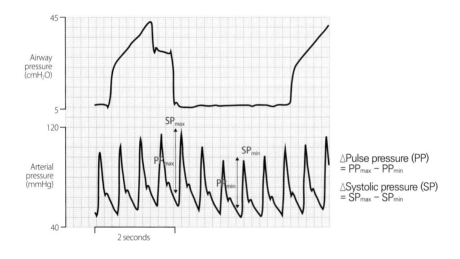

그림 2-4. 기계환기 시 호흡에 따른 요골 동맥압의 변화
PP_{max}: maximum pulse pressure, PP_{min}: minimum pulse pressure, SP_{max}: maximum systolic pressure, SP_{min}: minimum systolic pressure

말초 동맥압 지표 중에 수액 치료의 반응성을 예측하는데 있어서는 Δ pulse pressure (pulse pressure variation)가 가장 우수하다.

5) 심폐상호작용의 임상적 활용

폐는 심장의 주변 장기로서 혈관을 통해 서로 연결되어 있고 심기능의 4대 요소인 heart rate, preload, contractility, afterload 모두에 영향을 미친다. 기계환기 시작 시에는 기관내 삽관, 양압환기, 진정제 투여 등으로 환자의 혈역학적 불안정이 자주 발생하며 이러한 혈역학적 불안정은 장기의 허혈성 손상을 일으키므로 신속한 진단 및 적절한 처치가 이루어져야 한다. 이를 최소화하기 위해서는 ① 진정제 투여 최소화, ② 하지거상, ③ 수액 투여, ④ 혈압상승제 (vasopressors), 수축촉진제(inotropics) 등을 사용할 수 있다. 심폐상호작용을 최소화하기 위해서는 기계환기의 설정은 일회환기량을 적게 하고, PEEP을 적정화하는 것이 바람직하다.

참고문헌

1.   Murphy BA, et al. Using ventilator and cardiovascular graphics in the patient who is hemodynamically unstable. Respir Care 2005;50:262-73.

2.   Kellum JA, et al. Use of vasopressor agents in critically ill patients. Curr Opin Crit Care 2002;8:236-41.

3.   Hollenberg SM, et al. Practical parameters for hemodynamic support of sepsis in adult patients-2004 update. Crit Care Med 2004;32:1928.

4.   Pinsky MR. Hemodynamic monitoring in the intensive care unit. Clin Chest Med 2003;24:549-60.

2. 산소운반(Oxygen delivery)

1) 산소운반량의 정의

Global oxygen delivery (DO_2, mL/min), 즉 전신 산소운반량은 폐로부터 전신 조직에 공급되는 산소량으로서 심박출량(cardiac output, CO)과 동맥혈 산소함유량 (oxygen content of arterial blood, CaO_2)의 곱으로 정의한다.

$$DO_2 = CO \times CaO_2$$

동맥혈 산소함유량 $CaO_2 = (k1 \times Hb \times SaO_2) + (k2 \times PaO_2)$로 계산된다(Hb: hemoglobin concentration, g/dℓ, SaO_2: arterial Hb oxygen saturation, PaO_2: arterial oxygen partial pressure).

전신 산소운반량에 대한 이해는 중환자치료, 수술, 소생술(resuscitation) 등의 상황에서 중요하다.

k1은 헤모글로빈의 산소 결합력 상수로 이론적으로 1.39 mL/gram이나 혈액내 carboxyhaemoglobin이나 methaemoglobin 등의 존재로 1.31로 계산한다. 동맥혈 산소함유량의 두 번째 항은 혈장내 용존산소량으로 k2, 즉 체온하에서의 산소의 solubility coefficient는 0.03 mL/mmHg이며 전체 산소운반량에서 차지하는 양은 매우 적다.

2) 기계환기가 산소운반양에 미치는 영향

기계환기법은 일차적으로 동맥혈 산소함유량을 증가시키는 데 기여한다. 그러나 심박출량을 저하시키는 경우가 많으므로 전신 산소운반량의 관점에서는 역설적인 결과를 초래할 수 있다.

기계환기 중, 특히 PEEP을 사용하는 경우 산소전달량의 관점에서 최적의 수준에 해당하는 수준의 PEEP을 소위 Optimal PEEP이라고 한다(그림 2-5). 정확한 측정을 위해 폐동맥카테타나 심박출량 측정 기계를 필요로 하나 임상적으로는 PEEP을 증가시키면서 폐탄성이 호전되다가 감소하기 직전의 PEEP 수준 정도인 것으로 알려져 있다.

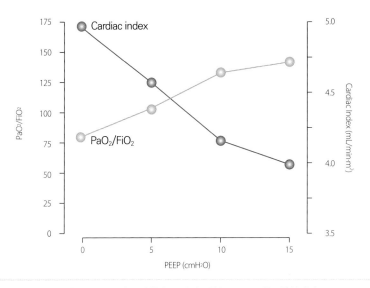

그림 2-5. PEEP이 증가할수록 폐산소화(PaO_2/FiO_2)는 향상되나
심박출량(cardiac index)은 떨어진다

참고문헌

1. Barry A, Robert M, Roy D, et al. CPAP/PEEP therapy. In Shapiro BA, et al. Clinical application of respiratory care. 4th ed. USA: Mosby Year Book; 1991.

3. 호기말양압(Positive end-expiratory pressure, PEEP)

1) PEEP의 원리와 생리학적 효과

양압 기계환기법은 흡기 시에는 기계환기기 회로내 압력이 양의 값이 되었다가 호기 시에는 대기압과 같아진다. PEEP은 호기 말에 회로 기도압을 대기압보다 높게 만드는 기법이다. 기계환기기 회로의 압력만 높이고 호흡 구동은 환자의 자발호흡으로 이루어지는 것을 지속적기도양압(continuous positive airway pressure, CPAP/79쪽 6장 참조)이라 한다.

(1) PEEP이 가스교환에 미치는 효과

① 저산소성 호흡부전 환자에서의 효과

심장성 폐부종, 급성 호흡곤란증후군(acute respiratory distress syndrome, ARDS), 폐렴 등에서 발생하는 대부분의 저산소성 호흡부전에서는 특징적으로 무기폐, 간질 및 폐포 부종, 소기도 폐쇄에 의해 폐용적이 감소된다. 이러한 질환에서 관찰되는 저산소혈증의 주요한 기전은 폐내 단락이다. 그리고 치료를 위하여 고농도의 산소를 투여하면서 생긴 무기폐(denitrogen absorption atelectasis)에 의해 단락이 악화되기도 한다. ARDS에서는 질환의 광범위한 폐혈관 침범 때문에 발생하는 혈류 분포 장애와 저산소성 혈관수축 장애 또한 가스 교환을 악화시킨다.

심장성 폐부종에서 CPAP은 환기되는 폐용적을 증가시키고 심박출량과 환기−관류 비 분포를 개선시켜서 가스 교환을 향상시킨다. 혈관외 폐수분(extravascular lung water)을 줄이는 것도 PEEP이 폐내 단락을 감소시키는 기전이 된다. 그러나 PEEP이 폐부종 전체량을 감소시키기보다는 과도한 폐포액을 더 탄성이 높은 혈관주위 공간으로 이동시킴으로써 허탈 상태였던 폐포가 재팽창되는 것이 더 중요한 기전으로 생각된다.

CT 검사에서 주로 눌리는 폐 부분에서 관찰되는 폐 음영의 범위와 동맥혈 가스검사 상의 악화 정도가 상관관계가 있다. 실제로 폐부종은 폐의 전체 무게를 정상의 두 배 이상으로 증가시킬 수 있으며, 늘어난 무게 때문에 눌리는 부분은 점차적으로 허탈이 생기고 환기되는 폐 부분이 줄어든다. 또한 심장 및 복강에 의한 압박도 무기폐 발생에 기여한다. 이 외에도 표면활성제 이상, 기도 저항 증가, 염증성 단백질과 염증 세포의 폐포내 침착, 유리질막, 간질 부종 및 폐포 중격에의 결합조직 침착 등도 ARDS에서의 가스 교환 장애에 관련이 있다.

1967년에 Ashbaugh 등이 ARDS에서 PEEP을 사용함으로써 가스 교환 장애를 교정할 수 있음을 보고한 이후로 PEEP은 ARDS 환자에서의 기계환기법의 핵심적인 요소가 되어 왔다. PEEP은 기존에 허탈되어 있던 폐포를 모집하고 기도 폐쇄를 방지하여 일회호흡량이 상대적으로 균일하게 분포하도록 함으로써 단락이나 환기-관류 불균형을 줄인다. PEEP에 의해 늘어나는 폐용적과 동맥혈 산소화 정도는 양의 상관관계를 보인다. PEEP은 고농도 산소 흡입에 의해 이차적으로 발생하는 흡수 무기폐를 예방하여 산소화 유지에 도움이 된다. PEEP에 의한 심박출량 감소도 폐부종을 줄이는 데 부분적으로 기여한다.

폐포 모집을 통해 폐포 환기가 증가하면 이론적으로는 혈중 이산화탄소 분압이 감소하여야 한다. 그러나 PEEP과 혈중 이산화탄소 분압은 뚜렷한 관련성이 없다. 이는 PEEP이 기도를 확장시키고 일부 폐포를 과팽창시켜 사강이 증가되기 때문이다. 편측성 폐렴 및 국소 폐손상의 경우 폐탄성이 정상인 부분, 감소된 부분, 매우 낮은 부분 등이 혼재되어 있어 높은 PEEP을 적용하면 정상적으로 환기되던 부분은 과팽창이 될 수 있다. 따라서 가스 교환 측면에서 PEEP의 총체적 효과는 정상적으로 환기되던 폐포의 과팽창과 허탈되었던 폐포의 모집 사이의 균형에 따라 결정된다. 편측성 폐질환의 경우 PEEP은 정상 폐를 과팽창시키고 폐포모세혈관을 눌러 병든 폐로 가는 혈류를 증가시켜 오히려 폐내 단락이 증가될 수도 있다.

② 폐쇄성 폐질환 환자에서의 효과

폐쇄성 폐질환에서의 가스 교환 장애는 주로 폐포 저환기에 의한 환기-관류 불균형 때문에 발생한다. 만성 폐쇄성폐질환(COPD)의 급성 악화 시, 주로 폐기종이 많은 환자에서는 폐포벽 파괴로 인한 혈류 감소 때문에 환기-관류 비가 높은 영역이 두드러진다. 반대로 기류 폐쇄가 심한 환자에서는 환기-관류 비가 낮은 영역이 두드러진다. 일반적으로 폐쇄성 폐질환에서는 PEEP이 가스

교환에 큰 영향을 미치지 않는다.

(2) PEEP의 호흡 역학에 대한 효과

① ARDS 환자에서 폐용적에 대한 효과

Auto-PEEP이 없는 상황이라면 호기말 폐용적(end-expiratory lung volume, EELV)의 증가량(ΔEELV)은 적용된 PEEP의 정도 및 호흡계의 탄성에 의해 결정된다. PEEP을 적용하였을 때와 호흡기계가 탄력 평형에 있을 때 각각의 호기량을 측정하면 PEEP에 의한 ΔEELV를 측정할 수 있다. 기계환기기가 일회호흡량을 불어넣고 있을 때 적용하고 있던 PEEP을 빠르게 0으로 낮추고 5-10초간 호기를 유지해주면 탄력 평형에 도달하게 된다. 이 충분한 호기 동안의 호기량에서 직전 흡기량을 뺀 값이 바로 PEEP에 의한 ΔEELV이다. Auto-PEEP이 있을 경우 PEEP에 의한 ΔEELV가 증가된다.

모집된 폐 단위는 환기될 수 있고(해부학적 모집), 관류가 유지되어 있다면 가스 교환에 참여할 수 있다(기능적 모집). PEEP을 적용한 호기말폐용적의 증가는 금방 일어나지 않으며 시간 의존성이 있다. 첫 호흡에 전체 증가량의 66%만큼, 약 다섯 호흡에 90%, 그리고 수 분 후에 100%가 된다.

PEEP을 적용하면 폐포의 모집과 과팽창이 서로 다른 폐 부분에서 동시에 일어난다. 이 두 현상은 폐와 흉벽의 역학, ARDS의 진행 정도, 폐 형태, 그리고 PEEP 정도 등의 다양한 요소에 의하여 결정된다. 환자 개개인에 최적화된 PEEP을 설정하기 위해서 폐 모집도(recruitability)에 대한 평가가 도움이 될 수 있다. 폐모집도가 낮은 환자에서 높은 PEEP을 적용하면 이득은 적고 과팽창을 유발하여 해로울 수 있다.

폐 모집도는 PEEP이 폐포 긴장(alveolar strain: 일회호흡으로 늘어나는 폐용적의 환기 가능한 전체 폐용적에 대한 비)에 미치는 효과와 폐포의 개방 및 폐쇄에 영향을 미치기도 한다. 모집가능한 폐 부분이 많을수록 PEEP에 의한 과팽창 위험이 낮다. 폐포의 반복적 개방 및 폐쇄는 기계환기기 치료 환자에서 사망의 독립적인 위험인자로 알려져 있으나 폐포 긴장은 그렇지 않다. 따라서 폐 모집도가 높은 환자에서는 PEEP에 의해 폐의 개방 및 폐쇄를 줄이는 효과가 폐포 긴장을 증가시키는 효과보다 더 중요하다. 흉부방사선 사진이나 CT 검사에서 관찰되는 폐 형태가 폐 모집도를 평가하는 데 도움이 될 수 있다. 일반적으로 폐렴 양상의 경화를 가진 환자는 폐 모집도가 낮고, 미만성 폐부종을 보이는 환자는 폐 모집도가 높다.

② ARDS 환자에서 호흡 역학에 대한 효과

건강한 사람과는 달리 ARDS 환자에서는 정상적으로 환기되는 폐포 단위가 줄어들어 폐의 압력−용적곡선에서 선형 탄성이 매우 낮아진다. 곡선이 전체적으로 납작해지고 아래쪽으로 이동하며, 정상적으로는 매우 낮은(lower inflection point, LIP) 또는 높은(upper inflection point, UIP) 폐용적에서 관찰되는 곡선의 굴절 지점이 일회호흡의 범위 내에서도 발생할 수 있다. 그 결과 ARDS 상태의 폐에서는 폐포가 호기말에 폐쇄되고, 흡기 시에 개방됨으로써 주기적으로 전단력(shear force)에 노출되게 되며 이 전단력은 기계환기기유발 폐손상의 주 기전 중 하나이다. ARDS 폐의 압력−용적곡선의 여러 특성(선형 탄성 등)은 환기되고 있는 폐와 상관이 있다. ARDS 환자에서 기능적 잔기량(functional residual capacity, FRC)으로 보정한 탄성이 정상 범위 안에 있다는 사실은 환기되는 폐 부분은 정상적인 고유 탄성을 갖는다는 것을 의미한다. 즉, ARDS에서 관찰되는 호흡계의 탄성을 통해 환기되는 폐 정도를 간접적으로 추정할 수 있다.

Zero end−expiratory pressure (ZEEP) 상태에서의 압력−용적곡선의 모양을 통해 PEEP이 폐 모집과 과팽창에 미치는 영향을 예측할 수 있다.

한편, PEEP을 적용하면 호기말 폐용적이 커지며 점도탄력 소실(viscoelastic dissipation)이 늘어나 조직 저항이 증가한다. 폐용적으로 보정하면 이러한 변화는 없어진다. PEEP에 의해 증가하는 조직 저항을 폐와 흉벽 부분으로 나누어 보면 흉벽보다는 주로 폐 조직 저항의 증가 때문이다. 폐성 급성 호흡곤란증후군(pulmonary ARDS)에서는 PEEP에 의한 폐 저항의 증가가 뚜렷한 반면, 폐외성 급성 호흡곤란증후군(extrapulmonary ARDS)에서는 PEEP에 의한 흉벽 저항은 크지만 폐 저항은 감소하여 전체 호흡기 저항에는 큰 변화가 없다.

③ 폐쇄성 폐질환 환자에서 PEEP의 호흡 역학에 대한 효과

COPD 환자에서는 동적 과팽창이 발생하지 않는다면 폐와 흉벽의 정적 탄성은 건강한 사람과 유사하다. PEEP 정도에 따라서 과팽창이 발생할 경우 정적 탄성은 감소하고 폐 단위가 모집될 경우는 증가한다. Auto-PEEP이 있는 경우에는 총 PEEP은 외부에서 설정한 PEEP보다 높아지게 된다. 이 때문에 auto-PEEP을 고려하지 않는다면 정적 탄성이 과소평가된다. 용적 조절환기 시 흡기 유량을 증가시키면 호기 시간이 늘어 auto-PEEP이 감소한다. 호기 시 기류 제한이 있는 환자에서 ZEEP의 압력-용적곡선에서 LIP가 관찰되는 경우는 auto-PEEP 때문일 수 있다.

COPD 환자에서는 기류에 대한 저항이 높다. 호기 시 기류 제한이 있는 경우 PEEP이 auto-PEEP을 초과해야만 호기 유량에 영향을 미칠 수 있다.

(3) PEEP의 심장순환에 대한 효과(15쪽 2-1 심폐상호작용 참조)

① 정맥환류량에 대한 효과: PEEP은 흉강내압 및 우심방압을 증가시키지만 동시에 평균 체동맥압(정맥혈 복귀에 대한 상위 압력)을 상승시키기 때문에 정맥혈 복귀에 대한 PEEP의 압력 경사 감소 영향은 크지 않다.

② 우심실 후부하와 심실 상호의존성에 미치는 효과: PEEP 적용 시에 우심실이 심실중격에 가하는 부하 때문에 심실중격이 좌심실측으로 밀리고 이에 따라 좌심실 충만이 방해받는다.

③ 좌심실 후부하에 미치는 효과: 좌심실 기능이 떨어져 울혈성 심부전이 있는 환자에서는 좌심실 충만압과 이완기 용적이 이미 늘어나 있어 정맥환류량의 감소가 심박출량에 미치는 영향이 적다. 이 경우에는 흉강내압 상승으로 좌심실 경벽압, 즉 좌심실 후부하가 감소되어 오히려 심박출량이 증가될 수 있다.

(4) PEEP의 폐/심장 외 장기에 대한 효과

① 신장 및 호르몬에 대한 효과

PEEP은 소변량을 줄이고 나트륨 배설 및 크레아티닌 청소를 감소시킨다. 이러한 PEEP의 영향은 심박출량 감소, 신혈류 감소, 혈관내 용적 감소, 반사에

의한 교감신경 활성화, 카테콜라민, 레닌−앤지오텐신−알도스테론계, 항이뇨 호르몬, 심방나트륨이뇨펩티드 등의 호르몬 분비의 변화 등에 의한다.

PEEP은 교감신경계 활성도를 증가시킨다. PEEP은 혈장 심방나트륨이뇨펩 티드를 감소시키는데 이는 흉강내압의 상승 때문에 심방의 경벽압이 감소하 기 때문이다. 심방나트륨이뇨펩티드의 감소는 소변량 감소와 나트륨 배설 감 소에 영향을 주는 요인이다.

② 내장순환(splanchnic blood)과 산소화에 대한 효과

PEEP은 내장 혈류를 감소시키고 간 울혈을 유발한다. 내장 혈류의 감소는 심 박출량 감소 때문이며, 따라서 혈장량을 증가시키거나 강심제를 사용하면 그 현상이 완화된다. 10 cmH$_2$O 정도까지의 PEEP은 간정맥 유출로나 문맥 및 간동 맥혈류, 전신 혈역학에 큰 변화가 없다.

③ 두개내압과 대뇌 관류에 대한 효과

신경과 및 신경외과 중환자실 환자, 특히 대뇌 부종이 있는 경우에서 두개 내압은 상승하고 대뇌 관류압(평균 동맥압과 두개내압 간의 차이)이 감소된 다. 이 환자군에서 PEEP을 적용하여야 하는 ARDS의 발생은 심각한 문제이다. PEEP은 우심방압과 상대정맥압을 증가시켜 대뇌로부터의 정맥혈 환류를 감 소시킬 수 있다. PEEP이 두개내압에 미치는 영향은 두개내 압박량에 의해 결 정되며, 대뇌 탄성이 정상일 때는 거의 영향이 없다. 건강한 사람의 경우 12 cmH$_2$O까지의 PEEP은 두개내압 및 대뇌 관류에 유의한 변화를 일으키지 않는 다. 체위 또한 두개내압에 대한 PEEP의 효과에 관여한다. PEEP은 하류의 정맥 압을 증가시켜 두개내압을 올리기 때문에 머리를 흉부보다 높게 올리면 흉강 내압이 정맥동으로 전달되지 않아 PEEP의 영향이 줄어든다.

중증 두부 손상 또는 지주막하출혈 환자에서 12 cmH$_2$O까지의 PEEP은 호흡 계의 정적 탄성이 정상인 군에서는 평균 동맥압과 대뇌 관류압이 감소되나 정적 탄성이 감소된 군에서는 큰 변화가 없다.

2) PEEP의 설정

(1) 건강한 폐 상태일 때

ARDS 발생 위험이 있는 환자군에서 PEEP 사용이 무기폐, 기계환기기관련폐렴, 저산소증, ARDS 등 폐 합병증 발생을 줄이는데 도움이 될 수 있다. 기관 내관 커프 주변으로 액체 유입을 막기 위해 또는 삽관, 앙와위, 근마비에 의한 폐용적 감소를 상쇄하기 위하여 5 cmH₂O 정도의 PEEP이 필요하며 이러한 개념의 PEEP을 예방적 PEEP이라고 한다.

(2) 저산소성 호흡부전일 때

중증도가 높은 ARDS 환자에서는 낮은 PEEP보다 높은 PEEP이 생존에 유리할 수 있다. 그러나 어떤 환자에게 높은 PEEP을 사용할 것인지 그리고 최적의 PEEP은 얼마인지 정하는 것은 어려운 문제이다. 최적의 PEEP은 환기되지 않는 폐를 가능한 한 많이 모집하면서도 폐 과팽창, 혈역학적 장애, 그리고 산소 균형의 장애를 일으키지 않는 수준의 PEEP을 의미한다. 큰 원칙은 일회호흡량을 예측 체중 kg 당 약 6 mL으로 정한 후 고원압(plateau pressure)이 28−30 cmH₂O 이하로 유지되는 최대의 PEEP을 설정하는 것이다.

(3) 고탄산성 호흡부전일 때

COPD 환자에서 PEEP을 알맞게 설정하면 호기 저항을 줄이고 호기를 더 빠르고 균일하게 유도할 수 있다. 유발 환기 시에 PEEP은 흡기 노력과 환기 욕구를 줄이고 흡기 노력과 환기 보조 시작 사이의 시간 간격을 줄여준다. 이로써 기계환기의 유발이 수월해져 환자−기계환기기간 상호작용을 개선시키고 비효과적인 흡기 노력 발생을 줄여준다.

　동적 과팽창과 auto−PEEP의 유발 기전에 따라 외인성 PEEP의 효과는 달라진다. Auto−PEEP이 호기류 제한 때문에 생긴 것이 아닌 경우 외인성 PEEP을 적용하면 압력이 말초 기도까지 그대로 전달되어 적용한 PEEP만큼 폐포압이 더 올라간다. 호기류 제한 및 동적인 기도 압박이 있는 경우는 기도 압박 지점이 받는 압력을 초과하기 전에는 적용한 외인성 PEEP이 말초 기도로 전달되지 않는다. 흡기 유발 역치를 낮추기 위한 목적으로 외인성 PEEP을 쓸 경우

정적 auto-PEEP의 약 85% 이내로 설정해야 한다. 그러나 이는 auto-PEEP이 모든 폐포에서 균질하다는 것이 전제된 것이며 실제로 측정되는 auto-PEEP 은 전체 폐포내의 auto-PEEP의 평균값이기 때문에 85% 미만의 외인성 PEEP 도 폐 과팽창을 유발할 수 있다.

3) PEEP의 부작용

PEEP의 부작용으로는 폐 과팽창에 의한 압력손상, 환기기연관 폐손상, 사강 증가 및 이로 인한 이산화탄소 증가뿐만 아니라 횡격막 기능 장애, 심박출량 및 산소 운반양 감소, 신기능 장애, 내장 혈류 감소, 폐 울혈, 림프 배액 감소 등이 있다. 이러한 부작용은 PEEP의 수준과 직접적인 관계가 있다. PEEP의 절 대적인 금기증으로는 치명적인 저혈량 쇼크와 배기되지 않은 긴장 기흉을 들 수 있다. 이외 상대적인 금기증에는 기관지흉막루, 두개내 고혈압 및 대뇌 탄 성 감소, 흉벽의 만성 제한성 질환, 호기 기류 제한이 없는 동적 과팽창 등이 있다. 상대적인 금기증에서도 5 cmH$_2$O 정도의 낮은 PEEP을 적용하는 것은 대 개 큰 위험이 없다.

참고문헌

1. Navalesi P., Maggiore SM. Positive End-Expiratory Pressure. In: Tobin MJ. eds. Principles and Practice of Mechanical Ventilation. 3rd ed. New York, NY: McGraw-Hill; 2013. 253-302.

2. Gattinoni L, Caironi P, Cressoni M, et al. Lung recruitment in patients with the acute respiratory distress syndrome. N Engl J Med 2006;354:1775-86.

3. Amato MB, Barbas CS, Medeiros DM, et al. Effect of a protective ventilation strategy on mortality in the acute respiratory distress syndrome. N Engl J Med 1998;338:347-54.

4. Mercat A, Richard JC, Vielle B, et al. Positive end-expiratory pressure setting in adults with acute lung injury and acute respiratory distress syndrome: a randomized controlled trial. JAMA 2008;299:646-55.

4. 동맥혈가스분석검사 결과의 해석

동맥혈가스분석(arterial blood gas analysis, ABGA)은 산염기 상태, 폐의 산소화 및 환기능을 알 수 있는 검사법이다. ABGA의 결과는 pH−PCO_2 (mmHg)−PO_2 (mmHg) −HCO_3^- (mEq/L) 순으로 표기한다.

• 단위 표기법: 보통 mmHg로 표기하나 SI 단위(international system of units)에서는 kilopascals (kPa)로 표기하고 있다: mmHg에 환산값 0.133을 곱하면 kPa 값이 된다. 중탄산염은 흔히 mEq/L로 표기하나 SI 단위에서는 mmol/L이며 이때 환산값은 1이다.

표 2-1. 정상 동맥혈 및 정맥혈가스분석치

	ABGA	VBGA
pH	7.35−7.45	7.30−7.40
$PaCO_2$	35−45 mmHg	42−48 mmHg
PaO_2	80−100 mmHg	35−45 mmHg
HCO_3^-	22−28 mEq/L	24−30 mEq/L
SaO_2	98%	75%
CO_2 content	4.8 vol%	5.2 vol%
O_2 content	20 vol%	15 vol%

VBGA = venous blood gas analysis

1) 산증의 생리학적 영향

(1) 심혈관계

세포 내 산이 증가되면 칼슘의 slow inward current가 저하되어 심근 수축력이 약화된다. 이는 호흡산증과 대사산증에서 마찬가지이나 호흡산증에서 그 영향이 더 신속하게 나타난다. 산증에서는 심실세동(ventricular fibrillation)의 역치가 낮아지며 이 현상은 호흡산증보다 대사산증에서 더 두드러진다. 말초혈관에 대한 영향은 산증의 초기에는 교감신경부신축(sympathoadrenal axis)이 활성화되지만 진행된 산증은 말초혈관의 카테콜라민(catecholamine)에 대한 아드레날린성 수용체(adrenergic receptor)의 반응도를 저하시킨다.

(2) 신경근육계

급성 호흡산증은 두통, 경련, 의식소실 등을 초래하며 대사산증이나 만성 호흡산증에서는 횡격막 수축력이 저하된다.

(3) 전해질

고칼륨혈증(hyperkalemia)과 고인산혈증(hyperphosphatemia)이 생긴다. 호흡산증에서는 대사산증에서보다 칼륨의 변동량이 적다.

2) 알카리증의 생리학적 영향

(1) 심혈관계

심근 수축력은 pH 7.7까지 증가하다가 7.7 이상에서는 감소하며 심실세동 발생 역치에는 큰 변동은 생기지 않는다. pH 7.65까지는 혈관확장이 일어나며 호흡알카리증시 전신혈관의 저항은 감소하나 관상동맥은 연축이 유발된다.

(2) 신경근육계

알카리증에 수반되는 이온화 칼슘의 감소보다는 알카리증 자체가 근신경계의 흥분성을 증가시킨다. $PaCO_2$ 20 mmHg 시 뇌혈류량은 기저치의 50%로 감소되고 이 효과는 6시간 정도 지속된다. 호흡성 알카리증시 의식혼탁, 간대성근경련(myoclonus), 자세교정 불능증(asterixis), 의식소실이 나타날 수 있고 경련은 대사성과 호흡성 알카리증 모두에서 생길 수 있다. 호흡근육의 수축력은 미약하게 증가한다.

(3) 전해질

호흡알카리증시 나트륨(Na^+), 칼륨, 인산이 감소되며 적혈구 해당작용(glycolysis)은 증가되어 젖산(lactate)이 증가되며 이온화된 칼슘은 pH 0.1 증가 시마다

0.03−0.09 mmol/L의 비율로 감소된다.

3) 검사에 영향을 미치는 자연적 요소들

(1) 노인

나이가 들수록 환기−관류의 불균형이 증가되어 동맥혈산소분압이 감소된다. 20세가 지나면서부터 60세까지 PaO_2는 매년 0.5 mmHg, 60세에서 90세까지는 매년 약 1.0 mmHg씩 감소한다(나이에 따른 정상 PaO_2 = 103 − 0.4 × 나이). 폐포−동맥혈간 산소분압 차이(alveolar−arterial oxygen tension gradient, A−aDO_2)도 20세까지는 8 mmHg이나 70세가 되면 20 mmHg 이상으로 커진다. 그러나 $PaCO_2$와 pH는 나이의 영향을 받지 않는다.

(2) 임신

임신 시는 PaO_2가 감소되며 $PaCO_2$치 역시 낮아진다.

(3) 수면

수면 시는 분시환기량이 감소되고 PaO_2의 감소에 대한 호흡중추의 반응 및 $PaCO_2$의 증가에 대한 호흡중추의 반응이 모두 떨어진다.

(4) 고도

높은 고도에 만성적으로 노출된 경우 고도가 높아질수록 대기압감소에 비례하여 PaO_2가 감소된다. 분시환기량은 증가로 $PaCO_2$는 감소되나 pH는 대부분 정상이다.

(5) 체온

체온이 37℃보다 떨어지면 PaO_2 및 $PaCO_2$는 감소하고 pH는 증가한다. 동맥혈가스분석 시 체온 보정 여부에 대해서는 논란이 많다. 체온이 35−39℃ 사이이면 37℃로 설정하여 측정한 결과치를 사용해도 임상적으로 큰 문제가 없다.

4) 해석

(1) 해석의 원칙

산-염기 불균형의 해석은 환자의 현 상태는 물론, 기저질환 및 최근의 가스 분석 결과를 모두 고려해야 오류를 피할 수 있다. 같은 결과를 두고 해석이 달라지는 예를 들면 다음과 같다.

> **예) pH 7.25, $PaCO_2$ 70 mmHg, HCO_3^- 31 mEq/L**
>
> 경우 1. COPD, 평소 $PaCO_2$ 70 mmHg인 경우
> 　예상 HCO_3^- = 24 + 0.35 × (70 − 40) = 34.5 mEq/L
> 　해석: 이 환자의 산혈증에는 대사성 산증이 복합되어 있다.
>
> 경우 2. 정상 폐를 가진 젊은이, $PaCO_2$ 40 mmHg인 경우
> 　예상 HCO_3^- = 24 + 0.1 × (70 − 40) = 27 mEq/L
> 　해석: 이 환자의 산혈증에는 대사성 알카리증이 복합되어 있다.
>
> 경우 3. COPD, 평소 $PaCO_2$ 55 mmHg인 경우
> 　예상 HCO_3^- = 24 + 0.35 × (55 − 40) + 0.1 × (70 − 55) = 29 + 1.5 = 31.5 mEq/L
> 　보상: 만성 보상 + 급성 보상
> 　해석: 이 환자의 산혈증에 대사성 요소는 없다.

(2) 해석의 흐름

① PaO_2의 값을 보아 치료를 요하는 저산소증이 있는 지를 판단하고 PaO_2가 60 mmHg (SaO_2<90%)이면 우선 산소 흡입치료부터 시행한다. 저산소증이 있을 경우에 폐포산소분압값과 동맥혈산소분압 값의 차이(A−a DO_2)를 계산한다.

② $PaCO_2$를 보고 환기상태를 판단한다.

③ pH로서 산증인지 알카리증인지 판단하고 CO_2의 증감이 pH의 변동과 같은 방향인지 판단한다. pH와 PCO_2의 변동이 일치하지 않으면 pH와 HCO_3^-의 변동 방향을 본다. pH가 7.35−7.45 이내이면서 PCO_2 및 HCO_3^-가 모두 비정상치이면 호흡성과 대사성이 복합되었을 가능성을 염두에 둔다(그림 2-6).

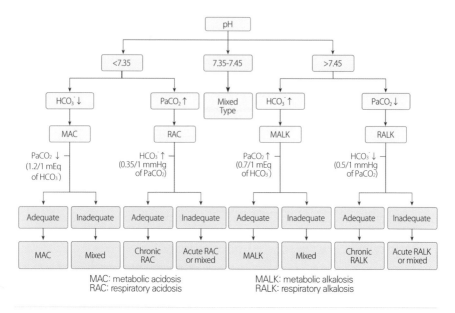

MAC: metabolic acidosis MALK: metabolic alkalosis
RAC: respiratory acidosis RALK: respiratory alkalosis

그림 2-6. ABGA를 통한 산염기 해석 흐름도

예) pH↓, PCO_2↑ 이면 산증의 원인을 호흡산증으로 먼저 추정한다.

　　pH↑, PCO_2↑ 이고 HCO_3^-↑ 이면 대사알카리증을 우선 생각한다.

④ PCO_2 증감에 따른 pH값의 변동을 추정한다. $PaCO_2$의 급성 변화 시는 10 mmHg씩 감소할 때마다 pH는 0.05 (0.05−0.08) unit 증가하고 만성 시는 0.02 unit, 급성으로 10 mmHg 증가하면 0.1 (0.08−0.1) unit씩, 만성 시는 0.04 unit가 감소한다. 만성 PCO_2 증감에 따른 pH값의 변동은 예상치보다 더 많은 변화가 있으면 동반된 대사성 원인이 있는지 살펴보아야 한다.

⑤ 산−염기 불균형시 폐 혹은 신장의 보상 정도를 추정한다. 보상의 범주를 벗어날 경우는 호흡성과 대사성이 복합된 경우이다.

　i) 대사산증: PCO_2↓ = 1.2 × HCO_3^-↓ 혹은 PCO_2 = 1.5 × HCO_3^- + 8 ± 2 대사산증에서 보상기전으로 과호흡 시 $PaCO_2$는 pH의 소수점 이하 두 자리수와 대개 일치한다. 만약 $PaCO_2$가 이보다 높을 때는 호흡산증이 동반된 것을 의심해야 한다. 즉 대사산증으로 pH 7.29라면 $PaCO_2$는 29 mmHg 이상이 되면 안된다.

ii) 대사알카리증: $PCO_2 \uparrow$ = 0.7 × $HCO_3^- \uparrow$ (PCO_2 증가의 최대치는 55 mmHg)

iii) 급성 호흡산증: $HCO_3^- \uparrow$ = 0.1 × $PCO_2 \uparrow$

iv) 만성 호흡산증: $HCO_3^- \uparrow$ = 0.35 × $PCO_2 \uparrow$ (HCO_3^- 증가의 최대치는 45 mEq/L)

v) 급성 호흡알카리증: $HCO_3^- \downarrow$ = 0.2 × $PCO_2 \downarrow$

vi) 만성 호흡알카리증: $HCO_3^- \downarrow$ = 0.5 × $PCO_2 \downarrow$

vii) 만성 호흡산증에 급성 호흡산증이 겹치면 보상정도는 중간값 정도이다.

viii) 대사산증이 있을 때는 음이온 차이(anion gap, AG)을 계산한다.

ix) 혈중 음이온차 증가와 중탄산염 감소의 비($\triangle AG / \triangle HCO_3^-$)를 계산하여 복합장애 여부를 판단한다.

(3) 대사산증의 감별진단

① 음이온 차이(anion gap, AG)

체액내 양이온과 음이온의 농도는 균형을 이루고 있다. 따라서 아래의 관계가 형성된다.

Na^+ + unmeasured cation = Cl^- + HCO_3^- + unmeasured anion

AG = unmeasured anion − unmeasured cation = Na^+ − [Cl^- + HCO_3^-]

정상 음이온 차이는 10−12 mEq/L이며 Cl^-, HCO_3^- 외 음이온(unmeasured anion)으로는 단백질, 인산염, 황산염(sulfate), 유기음이온(organic anion) 등이며 Na^+ 외 양이온(unmeasured cation)으로는 K^+, Ca^{2+}, Mg^{2+} 등이 있다. 음이온차가 증가하는 경우로는 Na^+ 외 양이온의 감소(저칼륨혈증, 저칼슘혈증, 저마그네슘혈증 등)된 경우나 Cl^-, HCO_3^- 외 음이온의 증가(혈중 단백 음이온의 증가, 유기음이온 등 산의 증가)된 경우이다. 음이온 차이가 감소하는 경우는 이와 반대로 Na^+ 외 양이온의 증가(고칼륨혈증, 고칼슘혈증, 고마그네슘혈증, 리튬중독, 양이온성 글로불린을 형성하는 일부 다발성골수종)와 Cl^-, HCO_3^- 외 음이온의 감소(혈중 단백 음이온의 감소)가 초래된 때이다.

② 음이온 차이에 의한 대사산증의 분류

 ⅰ) 정상 음이온차 대사산증(hyperchloremic acidosis)

  HCl이 체내에 들어오면 세포외액의 $NaHCO_3$와 반응하여 $HCl + NaHCO_3$ → $NaCl + H_2CO_3$ → $NaCl + CO_2 + H_2O$로 되어 세포외액의 HCO_3^- 1 mol이 Cl^- 1 mol로 대체된다. 따라서 $[Cl^- + HCO_3^-]$값은 변화되지 않으므로 음이온 차이에 변화가 없다. 또한, $NaHCO_3$의 신장 또는 소화관으로의 소실의 경우에도 세포외액량을 유지하기 위해 신장에서는 $NaCl$을 재흡수하므로 HCO_3^-이 Cl^-로 대체되어 역시 음이온 차이에 변화가 없다. 신장의 집합관에서는 H^+ 배설이 일어나 NH_4Cl의 형태로 산 배설이 일어난다. 제1형 신세뇨관성 산증은 H^+ 배설 장애로 발생한다. 이는 NH_4Cl 형태로 배설되어야 할 HCl이 체내에 축적되는 것과 같은 효과를 나타내어 정상 음이온차 대사산증으로 나타난다. 제2형 신세뇨관성 산증은 신장 사구체에서 여과된 HCO_3^-의 근위세뇨관 재흡수에 있어서의 장애로 생긴다. 설사는 소화관으로의 HCO_3^- 소실로 산증이 발생한다. 이들은 모두 정상 음이온차 대사산증으로 나타난다.

 ⅱ) 고 음이온차 대사산증(high AG metabolic acidosis)

  Cl^-외 다른 음이온(A^-)이 체내 축적이 될 때 세포외액의 HCO_3^-는 측정되지 않는 음이온(unmeasured anion, A^-)으로 대체된다:

  $HA + NaHCO_3$ → $NaA + H_2CO_3$ → $NaA + CO_2 + H_2O$

  A^-가 증가되면 음이온 차이는 커지게 된다.

③ 요 pH (urine pH)

정상 음이온차 대사산증의 감별진단에 이용된다. 제1형 신세뇨관성 산증시는 요pH가 5.3보다 높고 설사에 의한 경우는 요pH가 5 또는 그 이하이다.

---

urine Na^+ + urine K^+ + urine unmeasured cation = urine Cl^- + urine unmeasured anion

요 음이온 차이 = [urine unmeasured anion] – [urine unmeasured cation] = [urine Na^+] + [urine K^+] – [urine Cl^-] = 요중으로 배설되는 NH_4^+ 양의 간접지표

정상인에서 측정되지 않는 음이온은 80 mEq/day이며 측정되지 않는 양이온 (unmeasured cation)들은 Ca^{++}($<$10 mEq/day), Mg^{++}($<$10 mEq/day), NH_4^+(40 mEq/day)으로서 urine AG = Na^+ + K^+ − Cl^-는 30 mEq/day이다. 대사산증의 경우 신장의 산성화(renal acidification)에 장애가 없는 경우 NH_4^+ 배설을 증가시키게 되어[$NH4^+$ excretion$>$70 mEq/day (up to 300)] urine AG은 0보다 작다[−20에서 −50 mEq/L의 음의 값]. 그러나 신장에서 H^+나 $NH4^+$ 배설 장애가 있는 제1형 및 제4형 신세뇨관성 산증, 신부전의 경우 $NH4^+$ 배설$\leq$40 mEq/day로 되어 urine AG이 양의 값을 가진다. 요 음이온차를 적용할 수 없는 경우로는 고음이온차 대사산증(예: 당뇨병성 케톤산증) 혹은 체액 감소 시(urine $Na^+$$<$25 mEq/L) 등이다.

(4) PaO_2 결과와 FIO_2 조정

기계환기 치료 중에는 폐산소화와 동맥혈 pH를 적정하게 유지하기 위해 자주 흡입산소농도와 분시환기량을 조정해야 한다.

PaO_2에 따른 FIO_2 조정에는 ideal alveolar oxygen tension 공식을 활용하며 그것은 아래와 같다.

$$P_AO_2 = (PB - P_{H_2O})\, F_IO_2 - PaCO_2/R$$
PB: barometric pressure (760 mmHg at sea level)
P_{H_2O}: water vapor pressure (47 mmHg)
R: respiratory quotient

P_AO_2에 영향을 미치는 중 R, $PaCO_2$ 두 요소가 단기간에 유의한 변동이 없다고 가정하면 F_IO_2 변동에 따른 새로운 P_AO_2를 계산할 수 있다.

**예) 현재 F_IO_2: 40% 하에서 PaO_2 = 50 mmHg, $PaCO_2$ = 45 mmHg이다.
PaO_2를 65 mmHg로 올리고자 할 때 새로운 F_IO_2는 얼마로 설정해야 할까?**

먼저 현재의 P_AO_2를 계산한다:

현재 P_AO_2 = (760-47) × 0.4 - 48/0.8 = 285.2 - 60 = 225.2 mmHg
P_AO_2: PaO_2의 상관관계가 225.2:50이므로 새로운 P_AO_2 = 225.2 × 65/50 = 292.8
    정도가 되어야 할 것이다.
    P_AO_2가 292.8 mmHg가 되기 위해서 필요한 F_IO_2 = (P_AO_2 + $PaCO_2$/R)/713 =
    (292.8 + 48/0.8)/713 = 0.49

즉 새로운 F_IO_2는 49%로 하면 된다. PaO_2가 너무 높아 F_IO_2를 낮추고자 할 때
도 같은 식을 활용하면 낮추어야 하는 F_IO_2의 값을 어림잡을 수 있다.
  이 예측식은 폐산소화와 관련된 많은 생리학적 변수들을 고려하지 않은
것으로 오차가 있다. 그러나 이 예측식을 활용하면 FiO_2 변경 시 생길 수 있는
hyperoxia, hypoxia를 최소화하고 ABGA 검사 횟수를 줄일 수 있다.

(5) $PaCO_2$ 결과와 tidal volume, 또는 respiratory frequency 조정
$PaCO_2$를 결정하는 변수는 이산화탄소 생성량(VCO_2)과 폐포환기량(alveolar ventilation, V_A)이며 공식은 아래와 같다:

$PaCO_2$ = K × V_{CO2}/V_A
V_{CO2}: CO_2 production/min, V_A: alveolar ventilation (L/min)

분모의 V_A는 V_E - V_D, 즉 분시환기량에서 사강호흡을 뺀 값이다: V_E: minute
ventilation, V_D: dead space

**예) 현재 tidal volume 400 mL, respiratory frequency 20/min 하에서 pH 7.28,
$PaCO_2$ 70 mmHg이다. $PaCO_2$를 60 mmHg로 낮추려고 할 때 어떻게 할 것인가?**

방법 1) 분당호흡수를 24회로 올린다
방법 2) tidal volume을 480 mL로 올린다

환자의 현재의 분시환기량은 8.0리터이고 방법1은 400 mL × 24 = 9.6 L, 방법2는 480 mL × 20 = 9.6 L로 분시환기량은 같다. 그러나 환자의 dead space가 200 mL이라고 가정하여 V_A를 계산해 보면 방법 1은 (400 − 200) mL × 24 = 4.8 L, 방법2는 (480 − 200) × 20 = 5.6 L이다.

즉 외견상 분시환기량이 같아도 V_A가 다르기 때문에 방법2, 즉 tidal volume을 변동시키는 것이 $PaCO_2$에 미치는 영향이 더 크다. 단, 환자의 폐상태가 tidal volume을 올릴 수 있을 상태이어야 한다. 현재의 peak/plateau airway pressure가 한계치에 가까울 때는 호흡수를 조정해서 대처해야 한다.

$PaCO_2$가 너무 낮아 올리고자 할 때도 생리학적 원리는 동일하다. 즉, 같은 분시환기량을 달성한다고 가정할 때 호흡수를 줄이는 것 보다 tidal volume을 줄이는 것이 $PaCO_2$를 더 많이 올릴 수 있다.

(6) 기계환기 치료를 변경하고 나서 ABGA를 언제 시행해야 하는가?

F_iO_2나 분시환기량을 변경하고 나서 새로운 ABGA 값을 알고자 할 때 일반적으로 20−30분 후에 채혈한다. 그러나 임상적 상황에 따라 다른 시간을 적용할 수 있다.

그림 2-7은 PaO_2, $PaCO_2$가 시간에 따라 변하는 속도를 보여준다.

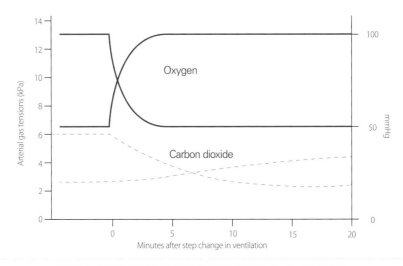

그림 2-7. F_iO_2나 분시환기량 변경 후 시간에 따른 PaO_2, $PaCO_2$의 변화

산소의 경우 체내 reserve가 적기 때문에 평형에 더 빨리 도달하며, 이산화탄소의 경우 체내 reserve가 많아 평형에 도달하는 데 시간이 더 걸린다.

따라서 PaO_2의 변화를 보고자 할 때는 조금 더 일찍 동맥혈 검사를 할 수 있으며(예: 변경 후 5분) 정확한 $PaCO_2$의 변화를 보고자 할 때는 20분 가량 기다렸다가 해야 한다.

참고문헌

1. Shapiro BA, Peruzzi WT, Templin R, editors. Clinical Application of Blood Gases. 5th ed. USA: Mosby-Year Book; 1994.

2. Schwarz WB, Relman AS. A critique of the parameters used in evaluation of acid-base disorders. N Engl J Med 1963;268:1382.

3. Adrogue HJ, Madias NE. Management of life-treatening acid-base dosorders. First of two parts. N Engl J Med 1998;338:26.

4. Adrogue HJ, Madias NE. Management of life-treatening acid-base dosorders. Second of two parts. N Engl J Med 1998;338:107.

03. 기관내 삽관 전에 해볼 수 있는 환기 보조법은 무엇이 있나?

1. 고유량비강캐뉼라(High-flow nasal cannula)

고유량비강캐뉼라는 소아에서 처음 사용되기 시작하였으며 최근 성인에서도 호흡치료의 새로운 방법으로 많이 쓰이고 있다. 고유량비강캐뉼라의 기능적인 특징은 FiO_2 1.0까지의 산소를 체온과 비슷한 온도 및 100%에 가까운 습도로 60 L/min까지 제공할 수 있다는 것이다. 고유량비강캐뉼라는 air-oxygen blender, active heated humidifier, single heated circuit, nasal cannula로 구성되며 제공되는 공기의 온도, 유량, FiO_2의 조절이 가능하다(그림 3-1). 크기가 작고 설치

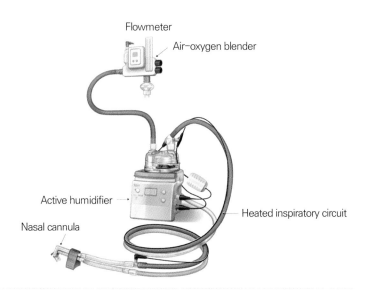

그림 3-1. 고유량비강캐뉼라의 구성

와 적용이 간단하여 일반병실에서도 사용이 가능하고 환자가 치료 중에도 대
화와 식사가 가능한 편의성이 있다.

1) 고유량비강캐뉼라의 생리학적 이점

기존의 산소치료용 장치(nasal prong, face mask, reservoir mask)는 제공할 수 있
는 유량이 보통 15 L/min까지이다. 그러나 호흡부전 환자는 그 이상의 흡기 유
량을 필요로 하는 경우가 많다. 이러한 경우 기존의 산소치료용 장치는 흡
기 시 실내 공기가 함께 유입된다. 따라서 호흡수가 빠르고 높은 흡기 유량을
필요로 하는 환자에서는 산소의 농도가 일정하게 유지되지 않는다. 고유량
비강캐뉼라는 고농도의 산소를 높은 유량으로 제공함으로써 이러한 문제를
극복할 수 있다. 또한 높은 유량 때문에 해부학적사강(anatomical dead space)
의 wash-out 현상이 생겨 이산화탄소의 재호흡이 줄어들며 호흡일(work of
breathing)도 줄어든다.

한편, 기존의 bubble humidifier로는 5 L/min 이상의 산소를 제공할 때 습도
가 불충분하여 환자가 불편함을 느끼고 코와 입마름을 호소할 수 있으며 장
시간 지속될 때 점막의 기능이 약화된다. 온도나 습도가 낮은 공기는 기관지
수축(bronchoconstriction)을 일으키고 마른 점액에 의한 기도 폐쇄의 위험성을
증가 시킨다. 고유량비강캐뉼라는 체온에 가까운 온도 및 100%에 가까운 높

표 3-1. 고유량비강캐뉼라의 생리학적 장점

Improved oxygenation
Decreased anatomic dead space (washout of upper airway)
Decreased metabolic cost of breathing/reduced carbon dioxide generation
Generation of positive nasopharyngeal and tracheal airway pressure
Decreased work of breathing
Preconditioning of inspired gas (heated and humidified)
Better secretion clearance
Superior comfort
Reduced room air entrainment

은 습도의 공기를 제공함으로써 환자들의 불편감을 개선하고, 점액과 이물질의 mucociliary clearance를 향상시켜 무기폐를 방지하는 데 도움이 된다. 또한 고유량비강캐뉼라는 비인강에 양압을 발생시킴으로써 폐에도 약간의 양압을 제공할 수 있다. 이 효과는 입을 벌리고 있는 상태보다 입을 다문 상태에서 더 크다.

2) 고유량비강캐뉼라의 임상적 유용성

(1) 급성 저산소성 호흡부전

P/F ratio 200 mmHg 이하이면서 고이산화탄소 혈증이 없는 급성 저산소성 호흡부전 환자군에서 고유량비강캐뉼라가 face mask나 비침습적 환기법 (noninvasive ventilation, NIV)보다 기도삽관율과 사망률이 낮다. 고유량비강캐뉼라는 급성 저산소성 호흡부전 환자에서 기계환기 치료 전에 우선적으로 사용할 수 있는 방식이다.

(2) 면역저하자에서의 급성 저산소성 호흡부전

기도삽관과 기계환기 치료를 받는 면역저하자는 사망률이 높다. 면역저하자의 급성 저산소성 호흡부전에서 고유량비강캐뉼라는 NIV와 비교하여 기도 삽관율와 사망률을 더 감소시킨다. 따라서 면역저하자의 급성 저산소성 호흡부전에서는 NIV보다 고유량비강캐뉼라를 우선적으로 적용하는 것을 고려해야 한다.

(3) 기도 삽관 시

기도 삽관을 시도하기 전 충분한 산소를 공급하는 것(preoxygenation)은 매우 중요하다. 고농도 산소치료를 필요로 하는 환자에서 고유량비강캐뉼라는 기도 삽관 시 환자가 저산소증에 빠지는 위험을 줄여줄 수 있다. 기존의 마스크 형태의 산소치료(face mask, reservoir mask, NIV)는 기도 삽관 시 사용을 중지해야 하는데 반해 고유량비강캐뉼라는 기도 삽관을 시도하는 중에도 계속 적용할 수 있는 장점이 있다.

(4) 기도내관 발관 후 호흡부전(post-extubation respiratory failure)

기도내관 발관 환자에서 10-20%가 48시간 혹은 72시간 내에 기도 삽관을 다시 필요로 한다. 이러한 발관실패(extubation failure) 환자들은 재삽관을 필요로 하며 사망률이 증가한다. 고유량비강캐뉼라는 기도내관 발관 후 호흡부전 환자에서 기존의 산소치료 장치에 비해 재삽관의 위험을 줄여준다.

(5) 침습 시술 시행 시의 산소투여

고유량비강캐뉼라는 기관지 내시경, 소화기 내시경, 경식도 심장 초음파 등의 시술을 시행받는 환자에게도 적용할 수 있다. 특히 시술 시 안정제 투여로 환자의 호흡이 억제되어 저산소증에 빠질 수 있는 위험을 줄여준다. 특히 산소를 필요로 하는 환자에서 기관지 내시경을 시행할 때 기관 내관 삽관의 위험을 줄인다.

(6) 생애말기 돌봄(end-of-life care)

고유량비강캐뉼라는 기도삽관을 원치 않는 말기질환 환자들에서 산소공급과 증상 완화를 위해서 사용될 수 있다.

(7) 기타

고탄산 혈증을 보이는 일부 환자에서도 고유량비강캐뉼라가 고탄산 혈증을 완화하는 데 유용하다. 고유량비강캐뉼라는 수면 무호흡 환자에서도 도움이 될 수 있다.

표 3-2. 고유량비강캐뉼라의 임상적 유용성

Acute hypoxemic respiratory failure
Preoxygenation before and during intubation
Post-extubation respiratory compromise
Airway instrumentation (bronchoscopy, endoscopy, transesophageal echocardiogram)
End-of-life care

3) 고유량비강캐뉼라의 사용법

(1) 적용의 실제

고유량비강캐뉼라는 전용기기를 사용하거나 고유량비강캐뉼라 기능이 탑재된 인공호흡기를 이용하여 적용할 수 있다. 초기의 기계들은 유량과 산소농도를 수동으로 조절하였으나 최근 제품들은 자동제어방식으로 온도, 유량, 산소농도를 조절할 수 있다.

산소농도는 환자의 SpO_2 혹은 PaO_2를 확인하며 조절하고 공기의 온도는 환자의 체온과 같은 온도로 시작하여 환자의 필요에 따라서 조절한다. 유량은 30-40 L/min에서 시작하여 환자의 흡기 요구도 및 편안함에 맞추어 조절한다.

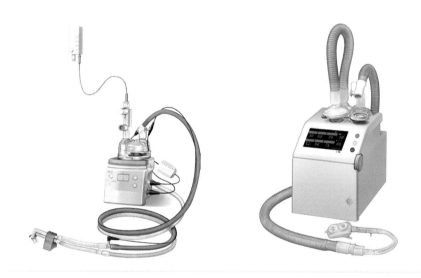

그림 2. 고유량비강캐뉼라 기기: 수동 조절 방식(좌)과 디지털조절 방식(우)

(2) 고유량비강캐뉼라를 사용하지 못하는 경우

고유량비강캐뉼라는 비강과 상기도에 구조적 이상이 있는 경우 사용이 어렵다. 흡인의 위험이 높거나 가래를 뱉지 못하는 환자에서도 사용이 제한된다. 높은 유량으로 인해 압력이 발생할 수 있기 때문에 안면 기형이나 외상 등이 있다면 사용 여부를 신중하게 결정해야 한다. 의식이 없거나, 자발적 호흡이 없거나, 생체증후가 불안정한 환자에서의 사용은 금기이다.

(3) 주의점

고유량비강캐뉼라가 기도 삽관과 인공호흡기가 필요한 환자들에서 이를 대체하는 것은 아니다. 고유량비강캐뉼라를 사용하다가 기관 내관 삽관이 늦어지는 경우 사망 위험이 증가한다. 고유량비강캐뉼라를 적용하면서 호흡부전이 개선되지 않으면 지체하지 말고 기도 삽관을 해야 한다.

참고문헌

1.   Jeffrey J Ward. High-Flow Oxygen Administration by Nasal Cannula for Adult and Perinatal Patients. Pub Med 2013;58(1):98-122.

2.   Masaji Nishimura. High-Flow Nasal Cannula Oxygen Therapy in Adults: Physiological Benefits, Indication, Clinical Benefits, and Adverse Effects Respir care. Respir Care 2016;61:529-41.

3.   Roca O, Hernandez G, Diaz-Lobato S, et al. Current evidence for the effectiveness of heated and humidified high flow nasal cannula supportive therapy in adult patients with respiratory failure. Crit Care 2016;20:109.

4.   Jean-Pierre Frat, Arnaud W. Thille, Alain Mercat et al. High-flow oxygen through nasal cannula in acute hypoxemic respiratory failure. N Engl J Med 2015;372:2185-96.

5.   Gonzalo Hernández, Concepción Vaquero, Paloma González. Effect of Postextubation High-Flow Nasal Cannula vs Conventional Oxygen Therapy on Reintubation in Low-Risk Patients: A Randomized Clinical Trial. JAMA 2016;315:1354-61.

04. 비침습 양압환기법

1. 정의

비침습 환기법(noninvasive ventilation, NIV)은 기관내 삽관술이나 기관절개술을 하지 않고 실시되는 기계환기, 또는 보조 환기법을 통칭한다. 여기에는 body suit나 가슴에 착용하는 갑옷(cuirass)을 이용하는 음압 환기법 및 복압을 이용하는 pneumobelt 등도 있으나 1990년대 이후는 코마스크나 안면마스크를 통해 양압을 제공하는 것(non-invasive positive pressure ventilation, NPPV)을 협의의 비침습 환기법이라고 한다.

NIV는 이론적으로는 여러 종류의 호흡부전 환자에서 적용을 고려해 볼 수 있으나 실제 임상에서는 적응증에 한계가 있다.

2. 침습 기계환기법과 비교한 NIV의 장단점

NIV의 가장 큰 장점은 기관내 삽관이나 기관절개술에 따른 합병증과 불편감을 줄일 수 있다는 것이며, 단점으로는 마스크와 관련된 합병증 발생과 적응증에 제한이 있다는 것이다(표 4-1).

표 4-1. NIV의 장단점

장점
1. 기관내 삽관이나 기관절개술에 따른 합병증을 줄일 수 있다(침습적 시술에 따른 기도의 손상, 흡인의 위험, 기관 내관 삽관 시 발생하는 부정맥이나 저혈압, 기관 내관 유지 기간 동안 발생하는 폐렴이나 부비동염, 인공기도 제거 후의 성대마비, 부종 및 기관 협착 등).
2. 통증이 적고, 먹거나 말할 수 있으며 가래를 뱉을 수 있고 상기도 방어기전이 양호하다.

단점
1. 환자 안면과 마스크의 경계면에서의 공기 누출에 따른 합병증 및 기계환기법 치료 실패
2. 흡기압이 과도하게 높을 때는 복부팽창이나 흡인의 소인이 있다.
3. 산소 혼합기가 없는 portable ventilator로는 고농도의 산소를 제공할 수 없다.
4. 심한 저산소증 환자나 급성 중증질환 환자에서의 사용은 실패율이 높다.

3. 마스크의 종류

환자에게 사용되는 mask는 nasal mask나 oronasal mask (full-face mask)가 가장 많이 사용되며 그 외 콧속에 끼우는 nasal pillow, 입에 무는 형태의 mouthpiece 및 helmet형 등이 있다(그림 4-1). Nasal mask와 oronasal mask의 장단점은 표 4-2와 같다.

　Mask의 장단점은 모든 환자에서 일률적이지 않으며 환자가 더 잘 적응하는 것을 선택하면 된다. 최근에는 여러 가지 크기와 모양의 마스크가 있고 안면에 미치는 압력을 최소화하고 공기 유출을 방지하는 것들이 개발되어 개별 환자에게 적당한 것을 선택할 수 있다. 또한 구토 시 흡인을 방지하기 위한 quick release-strap이나 CO_2 rebreathing을 방지하기 위한 expiration valve가 있는 mask도 있다.

최근에 사용하기 시작한 헬멧(helmet)은 다른 interface의 장점 외에 PEEP을 올리기가 용이하고 COVID-19와 같은 비말주의가 필요한 상황에서 적절하며 피부 괴사, 위장 가스 팽만, 안구 자극 등의 부작용이 적다. 헬멧은 기계환기기와 환자 사이의 가스 reservoir가 되기 때문에 압력을 올리기 위해 고유량 가스 공급이 요구된다. 헬멧의 단점은 환자의 실제 흡기량을 알기가 어려운 점, 헬멧 안의 CO_2 축적, 소음 및 이로 인한 청각 손상, 기계-환자 비동조 발생 가능성, 호흡일 감소가 적은 점 등이다.

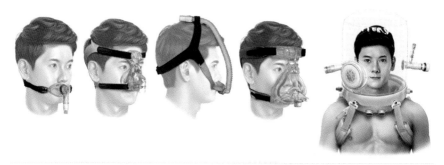

그림 4-1. NIV에서 사용하는 interface
좌측부터 순서대로 mouthpiece, nasal mask, nasal pillow, oronasal mask, 헬멧(helmet)

표 4-2. Nasal mask와 oronasal mask의 비교

Nasal mask
1. Oronasal mask보다 환자의 순응도(tolerance)가 좋으며 급성 적응증 보다는 만성 적응증에 더 적합하다.
2. 식사나 가래 뱉기가 용이하고 흡인의 위험도가 낮다.
3. Dead space가 작아 CO_2 rebreathing이 적다.
4. Claustrophobia가 적다.

Oronasal mask
1. Nasal mask 보다 급성 적용에 유용하다.
2. Nasal mask 시 공기 유출이 심하거나 치아가 없는 경우에 선호된다.
3. 급성 호흡부전 시에는 구강 호흡을 하는 경우가 많아 선호된다.

4. NIV 적용이 가능한 인공호흡기

NIV 중에는 공기 유출이 불가피하기 때문에 이를 보상할 수 있는 기능이 있고
환자와 인공호흡기간의 동조성(synchrony)이 뛰어난 NIV용 인공호흡기를 사용
해야 한다. 일반적인 침습 기계환기기(critical care ventilator)나 portable positive
ventilator는 부적절하다. 최근에는 침습 기계환기기에 NIV mode가 탑재된 제품
들도 많이 있다.

5. NIV를 적용할 수 있는 질환

급성 폐부종 및 만성 폐쇄성폐질환의 급성 악화에 유용하다. 제한성 폐질환
이나 근육신경계질환의 악화 시, 고식적 인공호흡의 이탈 실패 시, 면역억제
상태의 환자에게서 발생한 저산소성호흡부전의 경우에도 고려할 수 있다. 그
러나 급성 저산소증을 특징으로 하는 폐렴, 급성 폐손상(ALI), 급성 호흡곤란
증후군(ARDS) 등의 경우는 실패율이 높다(표 4-3).

표 4-3. NIV의 적용이 가능한 질환

Acute application	Chronic application

1. Acute exacerbation of obstructive disease (COPD, asthma)
2. Acute pulmonary edema
3. Acute exacerbation of restrictive disease
   (chest wall deformity, neuromuscular disease)
4. Parenchymal lung disease (pneumonia, ALI, ARDS)
5. Post-extubation acute states
6. Postoperative acute states
7. Hypoxemic respiratory failure in immunocompromised
   patients
	1. Chest wall deformity
	2. Progressive neuromuscular disorders
	3. Sleep related hypoventilation/Apnea
	4. Chronic stable COPD

1) 폐쇄성 폐질환

(1) 만성 폐쇄성폐질환의 급성 악화

COPD에서의 NIV의 적용은 고식적 치료만 하는 경우에 비해 호흡수, $PaCO_2$ 및
산소화의 호전, 사망률의 감소, 기관삽관율의 감소 등을 기대할 수 있다.

(2) 천식의 급성 악화

천식의 급성 악화 시에 NIV의 적용으로 PCO_2 감소와 기관삽관율의 감소를 얻을 수 있다. 천식 급성 악화는 스테로이드 및 기관지확장제 치료가 우선적이며 NIV는 이러한 약물 효과를 얻을 때까지의 보조적인 수단이다.

2) 급성 폐부종

급성 심인성 폐부종의 치료에서 NIV는 가스교환 호전 및 기관삽관률의 감소를 가져온다. NIV의 두 가지 방식 CPAP과 bilevel positive pressure ventilation 중에서는 후자의 경우 급성 심근경색 발생율이 높아 CPAP이 선호된다.

3) 제한성 질환의 급성 악화

신경 근육계 질환이나 제한성 흉곽질환에서의 급성 호흡부전 시에 NIV 적용으로 가스교환이 호전되고 기관삽관을 피할 수 있다.

4) 수술 후 NIV의 적용

수술 후에 호흡상태가 나빠지는 환자를 대상으로 기관내 재삽관 대신 NIV를 고려해 볼 수 있다.

5) 고식적 방법에 의한 인공호흡기 치료 후 이탈 실패나 조기에 기관내 삽관이 빠진 경우

인공호흡기 이탈을 실패한 경우나, 비의도적으로 기관내 삽관이 빠진 경우, 혹은 인공호흡기 이탈을 조기에 시행하고 NIV를 시도해 볼 수 있다.

6) 면역억제상태에서의 급성 호흡부전

혈액암이나 장기 이식 후에 생긴 급성 호흡부전 환자에서 NIV의 적용은 고식적 치료를 한 군에 비해 기관내 삽관율의 감소와 폐렴, 패혈증 발생 및 사망률이 낮다.

6. 급성 호흡부전 환자의 NIV 적용 대상

급성 호흡부전 환자에게서 NIV의 적용은 첫 단계는 인공호흡기의 보조가 필요한지를 판단하고, 두 번째 단계는 NIV의 적용이 부적절한 환자를 가려내는 것이다(표 4-4). 여기에서 제시한 기준은 만성 폐쇄성폐질환 환자의 급성 악화 시의 적용 기준이며 다른 질환에서도 참조할 수 있다.

NIV 치료법이 성공할 지표들은 표 4-5와 같다. 아직까지는 NIV가 침습 인공환기법을 대치할 수 없으며 NIV의 적용 후에 악화소견을 보이거나 수 시간 내에 호전이 없으면 침습 기계환기법으로 바꾸어야 한다.

표 4-4. Selection guidelines: noninvasive ventiation for patients with COPD and respiratory failure

Step 1. Identify patients in need of ventilatory assistance

A. Symptoms and signs of acute respiratory distress:
  a. Moderate dyspnea
  b. RR > 24, accessory muscle use, paradoxical breathing
B. Gas exchange abnormalities:
  a. $PaCO_2$ > 45 mmHg, pH < 7.35
  b. PaO_2/FiO_2 < 200 mmHg

Step 2. Exclude those at increased risk of noninvasive ventilation failure
A. Respiratory arrest B. Medically unstable (cardiac ischemia, arrhythmia) C. Unable to protect airway (impaired cough, swallowing dysfunction) D. Excessive secretions E. Agitated or uncooperative F. Facial trauma, burns, surgery, anatomic abnormalities interfering with mask fit

표 4-5. Predictors of noninvasive ventilation success

Younger age
Lower APACHE score
Able to cooperate, better neuologic score
Able to coordinate breathing with ventilator
Less air leaking, intact dentition
Hypercarbia, but not too severe ($PaCO_2$ > 45 mmHg, < 92 mmHg)
Acidemia, but not too severe (pH < 7.35, > 7.10)
Improvements in gas exchange and heart and respiratory rates within first 2h

7. NIV의 적용의 실제

NIV는 응급실, 중환자실뿐만 아니라 일반 병동에서도 사용이 가능하다. 그러나 일반 병동에서 시작한 경우는 환자를 중환자실 혹은 호흡치료병동 등으로 이송해야 할 필요가 있는지 결정하여야 한다.

환자에게 NIV를 시작하는 과정은 표 4-6에 요약되어 있으며, 환자에게 충분한 설명과 함께 환자가 mask에 적응하는 과정을 거치는 것이 중요하다.

표 4-6. Protocol for initiation of noninvasive ventilation

1. Patient in bed or chair sitting at > 30 degree angle

2. Select and fit interface

3. Select ventilator

4. Apply headgear, encourage patient to hold mask

5. Connect to ventilator tubing and turn on ventilator

6. Start with low pressure/volumes in spontaneously triggered mode with backup rate: pressure-limited: 8 to 12 cmH$_2$O inspiratory pressure; 3 to 5 cmH$_2$O expiratory pressure; volume-limited: 10 mL/kg

7. Gradually increase inspiratory pressure (10 to 20 cmH$_2$O) or tidal volume (10 to 15 mL/kg) if tolerable

8. Provide O$_2$ supplementation as needed to keep SpO$_2$ > 90%

9. Check for air leaks and readjust straps as needed

10. Add humidifier as indicated

11. Consider mild sedation in agitated patients

12. Encouragement, reassurance, and frequent checks and adjustments

13. Monitor blood gases (within 1 to 2 h and then as needed)

이러한 과정을 거치어 환자가 mask에 익숙해지면 미리 설정된 NIV용 인공호흡기에 연결하고 환자의 적응을 보면서 환자 필요에 따라 점차 압력이나 산소유량을 변동시킨다.

정도의 차이는 있으나 대부분의 경우 공기 유출은 생긴다. 환자가 불편할 정도나 asynchrony가 생기는 등의 과도한 유출은 mask를 바꾸어 보거나 strap을 조정하여 줄일 수 있다. 공기 유출이 생기더라도 가급적 눈쪽으로 새지 않도록 한다. 공기 유출을 줄이기 위해 과도하게 strap을 조이면 오히려 환자의 불편감이 커지고 장시간 지속될 경우 콧등 등 연부조직의 pressure necrosis가 생길 수 있다. 따라서 손가락 1-2개가 들어갈 수 있을 정도로 조여야 한다.

NIV 중에는 호흡상태 및 활력증후 등을 감시해야 하며 반응이 있는 경우 대부분 1-2시간 내에 호흡수의 감소, 심박수의 감소, 보조호흡근 사용 감소 등을 볼 수 있다.

또한 pulse oxymeter로 산소화 상태를 감시해야 하며 상황이 정리되면 동맥 혈가스검사를 통해 pH, $PaCO_2$, PaO_2를 확인한다.

일반적으로 급성 폐부종의 경우는 1일 내 호전이 보이며 만성 폐쇄성폐질환의 급성 악화 시에는 2-3일 이내에 호전을 보인다.

8. NIV의 합병증과 이에 대한 대처법

NIV의 failure는 7-42% 정도로 보고되어 있고 급성 질환 자체의 악화와 더불어 mask 적응실패, 공기 유출 및 asynchrony가 주원인이다.

표 4-7. Side effects and complcation of NIV and possible remedies

	Occurrence (%)	Possible remedy
Mask-related		
Discomfort	30-50	Check fit, adjust strap, new mask type
Claustrophobia	5-10	Smaller mask, sedation
Nasal bridge ulceration	5-10	Loosen straps, artificial skin, change mask type
Air pressure or flow-related		
Nasal congestion	20-50	Nasal steroids decongestant/antihistamines
Nasal/oral dryness	10-20	Nasal saline/emollients, humidifier
Eye irritation	10-20	Check mask fit, readjust strap
Gastric insufflation	5-10	Decrease pressure, L-tube insertion
Air leaks	80-100	Encourage mouth closure Oronasal mask if using nasal mask Reduce pressure slightly
Major complications		
Aspiration pneumonia	<5	Reduce inflation pressure
Hypotension	<5	Stop ventilation if possible
Pneumothorax	<5	Thoracostomy tube if indicated

참고문헌

1.   D. Hess. Noninvasive pressure support ventilation. Minerva Aneth 2002;68:337-40.

2.   T W Evans. International Consensus Conferences in Intensive Care Medicine: Noninvasive Positive Pressure Ventilation in Acute Respiratory Failure. Am J Respir Crit Care Med 2001;163:283-91.

3.   Rochwerg B, Brochard L, Elliott MW, et al. Official ERS/ATS clinical practice guidelines: noninvasive ventilation for acute respiratory failure. Eur Respir J 2017;50:1602426.

4.   Keenan SP, Sinuff T, Cook DJ, et al. Which patients with acute exacerbation of chronic obstructive pulmonary disease benefit from noninvasive positive-pressure ventilation? A systematic review of the literature. Ann Intern Med 2003;138:861.

5.   Osadnik CR, Tee VS, Carson-Chahhoud KV, et al. Non-invasive ventilation for the management of acute hypercapnic respiratory failure due to exacerbation of chronic obstructive pulmonary disease. Cochrane Database Syst Rev 2017;7:CD004104.

05. 기관 내관

1. 삽관 및 관리

1) 어떤 환자에서 기관내 삽관(endotracheal intubation)을 시행하나?

응급 기도 관리의 첫 단계는 기관내 삽관이 필요한지를 결정하는 것이다. 일반적으로 다음의 세 가지 요소를 고려하여 기관내 삽관의 필요성을 결정한다 (표 5-1).

표 5-1. 기관내 삽관 결정 시 고려해야 하는 요소

1. 기도의 개방성 및 적절성
2. 환기 및 산소화
3. 예상되는 임상 경과

(1) 기도의 개방성 및 적절성

의식이 명료한 환자는 기도의 개방 상태를 유지하고 이물질 흡인을 방지하기 위해 상기도근육과 다양한 보호 반사를 사용한다. 그러나 중증 환자는 자발 호흡이 유지되더라도 기도유지와 보호기전이 약화된다. 이러한 경우 기도를 보호하기 위해 기낭(cuff)을 갖춘 기관 내관(endotracheal tube)을 삽입하는 것이 필요하다.

(2) 환기 및 산소화

가스교환은 생명 유지에 필수적인 요건이다. 만약 환자가 스스로 환기할 수 없거나 산소를 공급해도 적절한 산소화를 유지할 수 없으면 즉시 기관내 삽관을 시행하고 기계환기를 시작해야 한다. 만성 폐쇄성폐질환(chronic obstructive pulmonary disease, COPD)의 급성 악화가 발생한 경우 호흡일(work of breathing)이 증가하여 환기 실패와 저산소증이 발생하므로 기도 문제가 없더라도 기관내 삽관을 해야 한다.

(3) 예상되는 임상 경과

처음 평가 시 기도의 개방성과 적절성, 환기 및 산소화 유지에 문제가 없더라도 향후 기도 상황이 악화될 것으로 예상되거나 기저질환의 악화로 호흡일이 증가할 것으로 예상되는 환자에서는 선제적으로 기관내 삽관을 고려해야 한다. 외상으로 인해 목 주변에 혈종(hematoma)이 생긴 환자는 시간이 지나면서 혈종이 커지면 기도 폐쇄가 발생할 수 있다. 더욱이 혈종에 의해 정상적인 상기도 해부학적 구조에 변화가 온 이후에는 기도 확보가 더 어려워지므로 이러한 환자에서는 미리 기관내 삽관을 시행해야 한다.

2) 응급기도관리 알고리즘
(1) 응급기도관리 알고리즘의 개요

기관내 삽관을 시행하기로 결정했다면, 다음의 응급기도관리 알고리즘에 따라 기관내 삽관을 시행한다. 그림 5-1과 그림 5-2는 응급기도관리 알고리즘의 개요이다. 먼저 기관내 삽관이 필요한 환자가 '붕괴된 기도(crash airway)'인지 평가한 후, 이에 해당하면 '붕괴된 기도 알고리즘'에 따라 기도관리를 시행한다. 다음으로 환자가 '어려운 기도(difficult airway)'인지를 평가하고, 이에 해당한다면 '어려운 기도 알고리즘'에 따라 기도관리를 시행한다. 환자가 '붕괴된 기도'나 '어려운 기도'가 아니면, '급속기관내 삽관(rapid sequence intubation, RSI)'을 시행한다. 마지막으로 처음에 사용한 알고리즘에 관계없이 기도확보에 실패하였다면, '실패한 기도(failed airway) 알고리즘'을 따른다. '붕괴된 기도', '어려운 기도', '실패한 기도'의 정의는 표 5-2와 같다. 그림 5-3은 이와 같은 원칙을 바탕으로 하는 기관내 삽관 지침의 예이다.

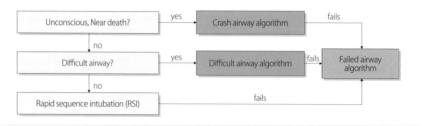

그림 5-1. 일반적 응급기도관리 알고리즘(universal emergency airway management algorithm)

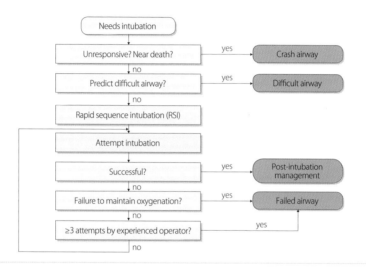

그림 5-2. 주 응급기도관리 알고리즘(main emergency airway management algorithm)

표 5-2. 붕괴된 기도, 어려운 기도, 실패한 기도

붕괴된 기도 (crash airway)	환자가 무반응상태이고, 직접후두경검사에 반응이 없을 것으로 예상되는 환자 (예: 심정지 환자)
어려운 기도 (difficult airway)	기도관리를 어렵게 만드는 해부학적 위험 요인을 가지고 있는 환자 ① 어려운 후두경검사: LEMON* ② 어려운 백밸브마스크환기: ROMAN* ③ 어려운 성문외기도기 삽입: RODS* ④ 어려운 윤상갑상막절개술: SMART*
실패한 기도 (failed airway)	기도 확보에 실패하여 구조술기가 필요한 경우 ① 삽관 시도 횟수에 관계없이 삽관 실패 후 적절한 산소포화도가 유지되지 않는 경우 ② 산소포화도가 유지되더라도 경험 많은 시술자가 3회 이상 삽관에 실패한 경우 ③ 어려운 기도 환자에서 부득이하게 신경근차단제를 사용하여 삽관을 시도(forced to act)하였으나 삽관에 실패한 경우

*68쪽 참조

기관 내 삽관 (Endotracheal Intubation) 지침

적용 대상 기관내 삽관을 시행하는 성인 환자

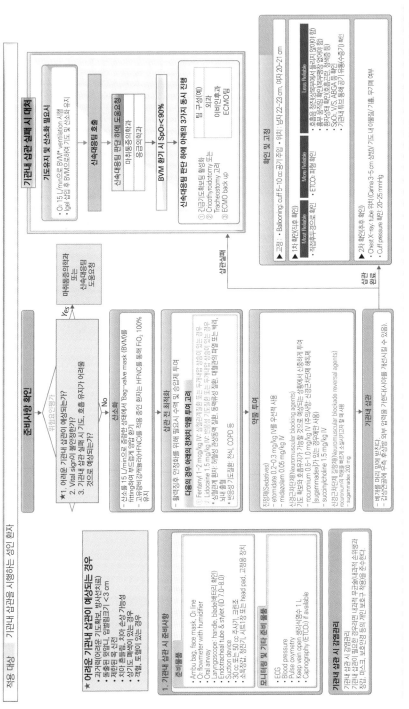

그림 5-3. 기관내 삽관 지침 예(서울아산병원)

*BVM: bag-valve-mask (Ambu bag)

(2) 급속기관내 삽관(rapid sequence intubation, RSI)

붕괴된 기도나 어려운 기도가 아닌 환자에서는 급속기관내 삽관을 시행한다. 급속기관내 삽관은 기관내 삽관을 위한 무의식과 근이완 상태를 만들기 위해 전산소화(preoxygenation) 후에 효력이 뛰어난 진정유도제와 신속히 작용하는 신경근차단제를 연달아 투여하는 것을 의미한다. 급속기관내 삽관의 목적은 위 팽창이나 흡인의 위험을 증가시키는 백밸브마스크환기의 사용 없이 환자를 무의식과 근이완 상태로 만든 후 기관내 삽관을 하는 것이다. 이 방법은 응급 기관내 삽관의 적응증이면서 동시에 붕괴된 기도나 어려운 기도가 아닌 환자에서 일차적으로 선택할 수 있는 방법이다. 급속기관내 삽관은 "7P"로 표현되는 연속된 일곱 단계로 이루어진다(표 5-3).

표 5-3. 급속기관내 삽관의 일곱 가지 순서(7Ps of RSI)

1. Preparation (준비)
2. Preoxygenation (전산소화)
3. Preintubation optimization (삽관 전 최적화)
4. Paralysis with induction (유도와 마비)
5. Positioning (자세)
6. Placement with proof (거치 및 확인)
7. Post-intubation management (삽관 후 관리)

① 준비(preparation)

삽관 전 어려운 기도 여부를 평가해야 하며 삽관에 필요한 기구와 삽관 실패에 대비한 계획 및 구조술기 장비를 준비해야 한다.

② 전산소화(preoxygenation)

전산소화는 산소를 폐와 혈액, 신체 조직 내에 저장하여 기관내 삽관을 시행하는 몇 분동안 무호흡 상태를 유지할 수 있도록 해준다(그림 5-4). 탈포화가 되는 시간은 환자에 따라 다른데 소아, 비만 환자, 만성 질환자, 임산부 등은 건강한 성인보다 탈포화가 빠르게 진행하므로 이들 환자에서 기관내 삽관을 시행할 때에는 각별한 주의가 필요하다.

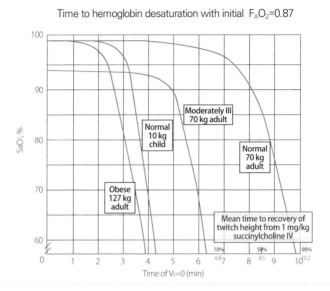

그림 5-4. 환자의 상태에 따른 탈포화 속도

F_AO_2 = alveolar oxygen fraction

③ 삽관 전 최적화(preintubation optimization)

기관내 삽관의 성공률을 높이고 삽관 후 부작용의 발생을 줄이기 위해 삽관 전 최적화를 시행한다. 삽관 전 최적화에 사용되는 약물, 기구, 시술 및 그 적응증은 다음과 같다(표 5-4).

표 5-4. 삽관 전 최적화

펜타닐	교감신경계 반응을 줄여야 할 때 (예: 두개내압 상승, 대동맥박리, 뇌출혈, 허혈성 심질환)
수액 혹은 혈액	출혈, 탈수, 패혈증 등으로 인한 저혈압이 있을 때
승압제	수액 치료에 반응이 없는 저혈압
이중기도양압(BiPAP) 지속기도양압(CPAP) 고유량비강카뉼라(HFNC)	산소 공급에도 반응이 없는 저산소증, 또는 심한 저산소증 발생이 우려되는 경우
흉관삽입술	긴장성 기흉이 확인되거나 의심되는 경우

④ 유도와 마비(paralysis with induction)

유도와 마비 단계에서는 빠른 의식 소실을 위해 적절한 양의 속효성 진정유
도제를 주입한다. 통상적으로 에토미데이트(etomidate)를 많이 사용하며, 케
타민(ketamine), 프로포폴(propofol) 등도 사용할 수 있다. 유도제 투여 후 연
이어 신경근차단제를 투여하며 석시닐콜린(succinylcholine)이나 로큐로니움
(rocuronium)을 가장 많이 사용한다. 이 약물들은 모두 급속 정주하며 약제 투
여 후 수 초 이내에 환자는 의식을 잃고 호흡이 멈추게 된다. 각 약제의 특성
은 다음과 같다(표 5-5).

표 5-5. 빠른 연속기관삽관에 사용되는 진정유도제와 신경근차단제의 특성

약품명	용량	장점	단점
에토미데이트 (etomidate)	0.2–0.3 mg/kg	• 혈역학적 안정성 • 빠른 효과 및 회복 • 두개내압 감소	• 간대성근경련(myoclonic movement) • 지속 주입 시 부신부전 유발 가능 • 기관지 확장 효과는 없음
케타민 (ketamine)	1–2 mg/kg	• 심박수와 혈압 증가 • 뇌관류압 유지 • 기관지 확장 효과	• 심근 산소 소모량 증가 • 두개내압 상승
프로포폴 (propofol)	1–1.5 mg/kg	• 기관지 확장 효과 • FDA 임신분류 B	• 혈압 감소 • 뇌관류압 감소 • 주사 통증 및 혈전정맥염
석시닐콜린 (succinylcho-line)	1.5 mg/kg	• 탈분극성 신경근차단제 • 빠른 효과, 짧은 지속시간	• 고칼륨혈증 • 두개내압 상승 • 신경근육질환 • 악성고체온증(malignant hyperthermia) • 저작근연축
로큐로니움 (rocuronium)	0.6–1.0 mg/kg	• 비탈분극성 신경근차단제 • 석시닐콜린 금기 시 사용 가능 • 부작용이 거의 없음 • 길항제: 수감마덱스(Sugammadex)	• 석시닐콜린보다 긴 지속시간

⑤ 자세(positioning)

진정유도제와 신경근차단제를 투여한지 20-30초가 지나면 환자는 무호흡 상
태가 된다. 이 시점에서 환자를 삽관을 위한 적절한 자세로 교정해야 한다.

삽관을 위한 최적의 머리와 목 자세를 '냄새 맡는 자세(sniffing position)'라

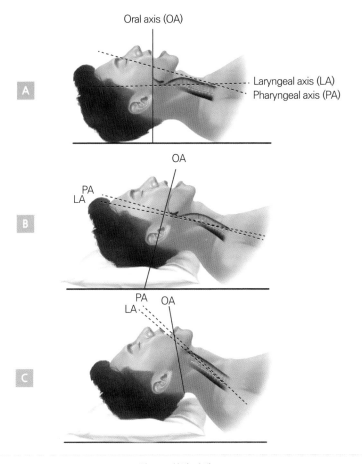

그림 5-5. 삽관 자세
A: 해부학적 중립 자세, 구강축(OA), 인두축(PA), 후두축(LA)이 정렬되어 있지 않다. B: 머리는 여전히 중립 자세에 있으나 베개를 받쳐 하부 경추가 굴곡되면 인두축과 후두축이 일직선으로 정렬된다. C: 머리를 신전하여 구강축과 인두축을 후두축에 맞추면 삽관을 위한 최적의 자세가 된다.

고 부른다(그림 5-5). 이 자세는 경추 하부는 굴곡(lower cervical flexion)되고 환추-후두부는 신전(atlanto-occipital extension)된 상태이다. 이 '냄새 맡는 자세'를 취하면 상기도의 구강축(oral axis), 인두축(pharyngeal axis), 후두축(laryngeal axis)이 일직선이 되어 최적의 후두경 시야가 확보된다. 하부 경추가 적절하게 굴곡되면 외이도(external auditory meatus)와 흉골상절흔(suprasternal notch)의 높이가 같게 된다. 정상 체형의 성인에서는 머리 뒤에 4-6 cm 높이의 패드를 받치는 것으로 충분히 경추를 굴곡시킬 수 있다. 비만이 심한 환자의 경우에는 외이도와 흉골상절흔의 높이를 같게 맞추기 위해 침구류 또는 패드를 쌓아 올려 환자의 상체와 어깨, 목, 후두부를 경사지도록(ramped) 받치기도 한다 (그림 5-6).

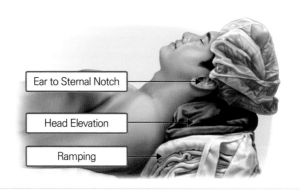

그림 5-6. 경사진 자세(ramped position)

린넨을 쌓아 올려 환자의 상체와 어깨, 목, 후두부를 경사지도록 받치면 외이도 입구와 흉골상절흔의 높이를 같게 맞출 수 있다.

⑥ 거치 및 확인(placement with proof)

근이완제를 투여한 후 턱의 이완 정도를 살펴 기관내 삽관을 시행한다. 환자의 치아와 기도에 외상이 생기지 않도록 주의하면서 부드럽고 신속하게 삽관을 시행한다. 삽관 후에는 후두경으로 직접 성문을 확인하거나, 호기말이산화탄소분압(end-tidal CO_2, $ETCO_2$)을 측정하여 기관 내관이 기관 내로 들어갔는지 확인한다.

⑦ 삽관 후 관리(Post-intubation management)

삽관 후 흉부 X선 검사를 시행하여 기관 내관의 끝이 적절한 위치(carina 상방 3-5 cm)에 위치하는지 확인한다. 일반적으로 남성의 경우 22-23 cm, 여성의 경우 20-21 cm에 기관 내관을 고정하게 된다. 기관 내관의 위치를 확인한 후 기계환기를 시작한다.

(3) 붕괴된 기도 알고리즘(crash airway algorithm) (그림 5-7)

심정지 상황과 같이 환자가 무반응 상태이고 직접후두경검사에 반응이 없을 것으로 예상되는 경우를 '붕괴된 기도'라고 한다.

붕괴된 기도 알고리즘의 첫 단계는 약물을 사용하지 않고 즉시 기관내 삽관을 시도하는 것이다. 붕괴된 기도 환자들은 즉각적인 기도확보가 필요한 상황이기 때문에 환자의 상태를 최적화하기 위한 시간이 없다. 또한 이 환자들은 이미 충분히 이완되어 있고 반응이 없는 경우가 많으므로 약물 투여 없이도 급속기관내 삽관을 시행한 것과 비슷한 삽관 성공률을 보인다.

만일 첫 삽관 시도에 실패했다면 백밸브마스크환기(BVM) 또는 성문외기도기(예: Igel) 삽입을 통해 산소화가 유지되는지 확인한다. 산소화가 유지되지 않는다면, '실패한 기도'에 해당하므로 '실패한 기도 알고리즘'을 따른다. 산소화가 유지되는 경우에는 근육의 긴장도가 남아 있어 삽관 시도에 실패하였을 가능성이 높으므로 석시닐콜린(succinylcholine) 2 mg/kg을 정맥내 주사한 후 다

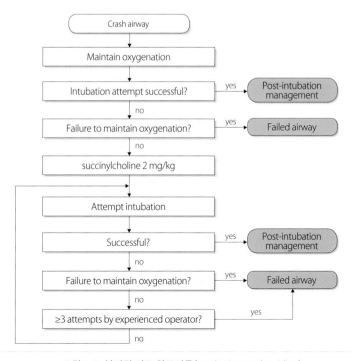

그림 5-7. 붕괴된 기도 알고리즘(crash airway algorithm)

시 한 번 기관내 삽관을 시도한다. 삽관에 실패하였으나 산소화가 유지된다면 다시 삽관을 시도한다. 그러나 산소화가 유지되지 않거나 경험 많은 의사가 3회 이상 삽관에 실패하는 경우에는 '실패한 기도 알고리즘'을 따른다.

(4) 어려운 기도 알고리즘(difficult airway algorithm)

① 어려운 기도의 인지

기관내 삽관 전 기도의 해부학적 구조를 평가하여 기도관리를 어렵게 만드는 위험 요인을 파악한다. 이를 '어려운 기도의 인지'라고 하며, ⅰ) 후두경검사, ⅱ) 백밸브마스크환기(bag-valve-mask ventilation), ⅲ) 성문외기도기(extraglottic device) 삽입, Ⅳ) 외과적 기도관리(예: 윤상갑상막절개술)를 어렵게 만드는 해부학적 요인을 파악한다.

> ⅰ) 어려운 후두경검사: LEMON
>> Look externally(외형 관찰)
>> Evaluate 3-3-2 (3-3-2 평가) (그림 5-8)
>> Mallampati score(말람파티 점수) (그림 5-9)
>> Obstruction/Obesity(폐쇄/비만)
>> Neck mobility(목의 유연성)
>
> ⅱ) 어려운 백밸브마스크환기: ROMAN
>> Radiation/Restriction(방사선/제한)
>> Obesity/Obstruction/Obstructive sleep apnea(비만/폐쇄/폐쇄성수면무호흡)
>> Mask seal/Mallampati score/Male sex(마스크 밀착/말람파티 점수/남성)
>> Age(나이)
>> No teeth(치아 없음)
>
> ⅲ) 어려운 성문외기도기 삽입: RODS
>> Restriction(제한)
>> Obstruction/Obesity(폐쇄/비만)
>> Disrupted or Distorted airway(끊어지거나 변형된 기도)
>> Short thyromental distance(짧은 아래턱밑공간 길이)

iv) 어려운 윤상갑상막절개술: SMART

Surgery(수술)

Mass(종괴)

Access/Anatomy(접근성/해부학)

Radiation(방사선)

Tumor(종양)

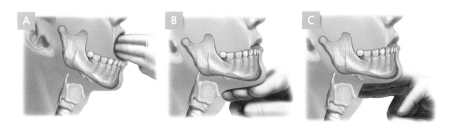

그림 5-8. 3-3-2 평가(Evaluate 3-3-2)
A: 입벌림의 크기, B: 아래턱밑공간의 길이, C: 혀기저부와 성문 사이의 거리

② 어려운 기도 알고리즘(그림 5-9)

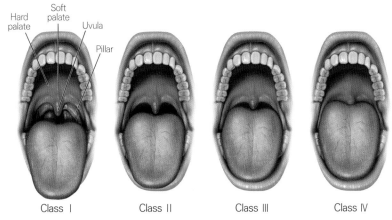

그림 5-9. 말람파티 점수(Mallampati score)
등급 I, 입인두, 편도기둥과 전체 목젖이 보인다. 등급 II, 편도가 보인다. 등급 III, 입인두 벽 일부만 보인다. 등급 IV, 경구개만 보인다.

어려운 기도 환자에서 가장 먼저 해야 하는 것은 '도움을 요청하는 것'이다. 도움을 요청하여 충분한 인력과 장비를 확보한 후 기관내 삽관을 시행한다.

원칙적으로 어려운 기도가 예상되는 환자에서는 근이완제를 사용하는 급속기관내 삽관을 시행하지 않는다. 근이완제를 사용한 후 삽관에 실패하면 환기 및 산소화 실패로 인해 매우 위중한 상황이 발생할 수 있기 때문이다. 그러나 환자의 상태가 좋지 않아서 즉각적인 삽관이 필요한 경우에는 어려운 기도 환자라 하더라도 부득이한 조치로 급속기관내 삽관을 시도할 수 있다. 이 경우 삽관에 실패하면 즉시 "실패한 기도 알고리즘"을 따라야 한다.

또한 어려운 기도가 예상되는 환자라 하더라도 백밸브마스크환기나 성문외기도기 삽입을 통해 산소화를 유지할 수 있을 것으로 예상되는 환자에서는 삽관에 실패하였을 경우 즉시 구조술기로 옮길 수 있는 '이중 준비(double setup)'를 한 상태에서 급속기관내 삽관을 시도해볼 수 있다.

백밸브마스크환기나 성문외기도기 삽입을 통해 산소화를 유지할 수 있다는 확신이 들지 않으면 신경근차단제를 투여하지 않고 진정제만 투여한 상태에서 기관내 삽관을 시행한다. 삽관에 실패하는 경우에는 굴곡내시경, 비디오후두경, 윤상갑상막절개술, 다른 성문외기도기 등을 이용한 대체(alterna-

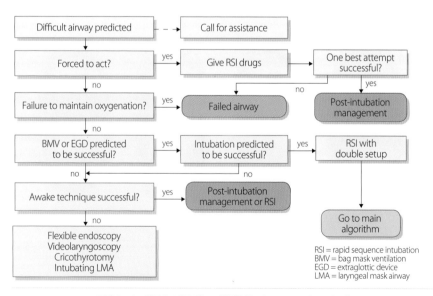

그림 5-10. 어려운 기도 알고리즘(difficult airway algorithm)

tive) 기도유지 방법을 선택한다.

(5) 실패한 기도 알고리즘(failed airway algorithm)
① 실패한 기도의 인지
실패한 기도는 기도 확보에 실패하여 구조술기가 필요한 경우를 의미하며 다음의 조건 중 하나에 해당하면 실패한 기도로 정의한다(표 5-6).

표 5-6. 실패한 기도의 정의

1. 삽관 시도 횟수에 관계없이 삽관 실패 후 적절한 산소포화도가 유지되지 않는 경우
2. 산소포화도가 유지되더라도 경험 많은 시술자가 3회 이상 삽관에 실패한 경우
3. 어려운 기도 환자에서 부득이하게 신경근차단제를 사용하여 삽관을 시도(forced to act)하였으나 삽관에 실패한 경우

임상적으로 실패한 기도는 위급도에 따라 다음의 두 가지 형태로 나뉜다.

ⅰ) 삽관 불가, 산소화 가능

삽관에 실패하였으나 백밸브마스크환기, 성문외기도기 등의 구조술기를 통해 산소화가 유지되는 상황으로 이때는 충분한 평가 후 다양한 구조술기를 시행 할 수 있다.

ⅱ) 삽관 불가, 산소화 불가(Cannot Intubate, Cannot Oxygenate, CICO)

삽관에 실패하였고, 백밸브마스크환기, 성문외기도기 등의 구조술기로도 산소화가 유지되지 않는 상황이다. 이는 응급 상황으로 즉각적인 기도 확보가 필요하다.

② 실패한 기도 알고리즘(그림 5-11)
처음에 사용한 알고리즘에 관계없이 기도관리에 실패하였다면 실패한 기도 알고리즘을 따른다. 어려운 기도 알고리즘과 마찬가지로 실패한 기도 환자에서도 가장 먼저 해야 하는 것은 '도움을 요청'하여 전문 인력과 장비를 확보하는 것이다. 서울아산병원에서는 실패한 기도 환자 발생 시 '긴급기도확보팀'을 호출하며 긴급기도확보팀이 활성화되면 마취통증의학과, 신속대응팀, 외

과, 이비인후과, 흉부외과 의료진이 모여 환자에게 가장 적합한 구조술기를
시행한다(그림 5-3).

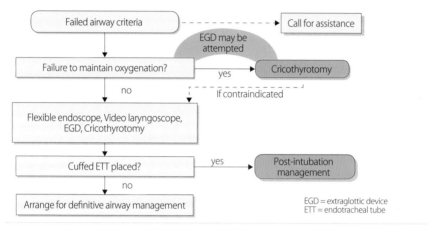

그림 5-11. 실패한 기도 알고리즘(failed airway algorithm)

다음으로는 적절한 산소화가 유지되는지 확인해야 한다. 백밸브마스크환
기 또는 성문외기도기 삽입을 통해 산소화가 유지되는 상황이라면 환자 평가
후 굴곡내시경, 비디오후두경, 성문외기도기 등 여러 가지 구조술기를 시행
할 수 있는 여유가 있다. 그러나 CICO, 즉 기관내 삽관을 시행할 수 없고 산소
화도 유지되지 않는 경우라면 즉각적으로 윤상갑상막절개술과 같은 외과적
기도 확보 술기를 시행해야 한다.

마지막으로 현재의 구조술기로 확실한 기도가 유지되는지 확인한다. 기
도 확보에 사용된 기구가 기낭이 있는 기관 내관이나 윤상갑상막절개관처
럼 확실한 기도유지가 가능한 기구라면 삽관 후 처치 단계(post-intubation
management)로 이행한다. 그러나 성문외기도기와 같이 확실한 기도를 유지할
수 없는 기구라면 필요한 인력과 기구를 준비하여 확실한 기도유지가 가능한
기구로 이행해야 한다.

참고문헌

1.   Calvin A brown III MD, et al. The Walls Manual of Emergency Airway Management. 5th
     ed. USA: Wolters Kluwer; 2017.

2. 기도 흡인의 원칙

1) 목적

인공 기도 내의 객담을 흡인하여 기도 개방성을 유지하고, 객담 축적으로 인한 합병증(기도 폐쇄, 저산소증, 무기폐, 감염 등)을 예방하기 위함이다.

2) 적응증

최대 흡기압 상승, 일회호흡량 감소, 호흡수 증가, 호흡일 증가, 산소포화도 감소, 맥박 증가, 혈압 증가, 불안, 안절부절 못함 등의 증상과 징후를 보이며 눈에 보이는 객담이 있거나 객담으로 인한 비정상적 호흡음이 청진되는 등 객담 흡인이 필요하다고 판단되는 경우들이다.

3) 준비물품

흡인기, 압력조절기, PVC line, Ambu bag, O_2 line, 산소 습윤병, 산소 포화도 측정기, 30 cc 멸균 생리식염수, 적절한 보호장비(고글, 마스크, 가운 등), 청진기

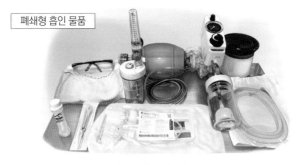

폐쇄형 흡인 물품

개방형 흡인 물품

개방형 흡인	폐쇄형 흡인
흡인 카테터, 멸균장갑	폐쇄형 흡인 카테터, 청결장갑, 10 cc 주사기

※ 흡인 카테터는 인공기도(E-tube, T-cannula) 내경의 반을 넘지 않는 굵기로 선택

Latex 흡인 카테터		PVC 흡인 카테터	
Size (#)	Outer Diameter (mm)	Size (#)	Outer Diameter (mm)
3	2	6	2
4	2.7	8	2.7
5	3.3	10	3.3
6	4	12	4
7	4.7	14	4.7
8	5.3	16	5.3
9	6	18	6

4) 방법

흡인 방법은 흡인 시 환자와 인공호흡기의 분리 여부에 따라 개방형 흡인과 폐쇄형 흡인으로 나뉜다. 폐쇄형 흡인은 흡인을 하는 동안 인공호흡기 적용을 지속할 수 있는 방법으로 적응증은 다음과 같다.

폐쇄형 흡인 적응증
1) 신생아, 미숙아
2) 호기말양압(Positive end-expiratory pressure, PEEP)≥10 cmH$_2$O
3) 평균기도압(Mean airway pressure, MAP)≥20 cmH$_2$O
4) 흡기 시간(Inspiratory time, IT)≥1.5초
5) 흡입산소분율(Fraction of inspired oxygen, FiO$_2$)≥0.60
6) 인공호흡기 분리 시 혈역학적으로 불안정한 환자
7) 호흡기 감염으로 공기주의, 비말주의 격리 중인 환자
8) NO, Heliox 등을 적용 중인 환자

흡인 순서는 다음과 같다.

(1) 개방형 흡인

Step 1. 흡인의 필요성을 사정한다.

• 흡인은 정해진 시간마다 하는 것이 아니라 필요한 경우에 하는 것을 권장한다.

Step 2. 물품을 준비한다.

• 손을 씻는다.
• 흡인을 위해 필요한 물품을 준비한다.
• 환자에게 흡인의 목적과 방법에 대하여 설명한다.
• 손을 씻는다.

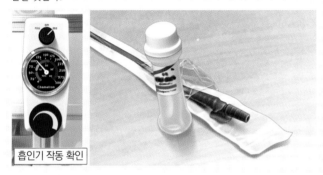

흡인기 작동 확인

• 흡인기의 작동 여부를 확인한다.
• 30 cc 멸균 생리식염수를 개봉하여 흡인대 위에 둔다.
• 흡인기에 연결된 PVC line과 흡인 카테터의 연결이 용이하도록 흡인 카테터의 포장 입구를 열어 놓는다.
• 흡인 전 청진 및 필요시 흉부 타진을 시행한다.
• 손을 씻는다.
• 멸균 장갑을 착용한다.

PVC line

흡인 카테터

주로 사용하지 않는 손   주로 사용하는 손   압력 조절

• 왼손(주로 사용하지 않는 손)으로 흡인기의 PVC line을, 오른손(주로 사용하는 손)으로 흡인 카테터를 오염되지 않도록 잡아 연결한다.
• 오른손(주로 사용하는 손)의 엄지 손가락으로 흡인 카테터의 조절 구멍을 막은 상태에서 왼손(주로 사용하지 않는 손)으로 흡인 압력을 조절한다.
• 흡인 카테터 끝의 6-8 cm 가량을 멸균 생리식염수에 적시며 조절 구멍을 왼손(주로 사용하지 않는 손) 엄지손가락으로 막아 흡인기의 작동 유무를 재확인한다.

Step 3. 흡인 전 과산소화를 시행한다.

- 왼손(주로 사용하지 않는 손)으로 인공호흡기를 통해 100% 산소를 공급하거나 Ambu bagging하여 과산소화를 시행한다.
- 왼손(주로 사용하지 않는 손)으로 인공호흡기 또는 산소공급장치를 제거한다.

Step 4. 흡인 카테터를 삽입한다.

- 흡인 카테터의 조절 구멍에서 엄지 손가락을 떼고 흡인 카테터를 기관 내관 혹은 기관절개관 속으로 인공기도 길이만큼 삽입한다.

Step 5. 흡인을 시행한다.

- 조절 구멍을 막고 흡인 카테터를 부드럽게 돌려 빼면서 분비물을 제거한다.
- 객담이 효과적으로 제거될 때까지 Step 3-5를 반복한다.

Step 6. 흡인 후 과산소화를 재시행한다.

- 왼손(주로 사용하지 않는 손)으로 인공호흡기를 통해 100% 산소를 공급하거나 Ambu bagging하여 과산소화를 시행한다.

Step 7. 사용한 물품을 정리한다.

- PVC line은 생리식염수를 통과시키고, 사용 후 남은 생리식염수와 흡인 카테터는 버린다.
- 흡인기의 압력을 끄고 물품을 정리한다.
- 장갑을 벗은 후 손을 씻는다.

Step 8. 환자 상태를 모니터한다.

- 환자의 혈역학적 요소, 호흡양상, 객담 양과 양상 등을 관찰하여 기록한다.

(2) 폐쇄형 흡인

Step 1. 흡인의 필요성을 사정한다.

- 흡인은 정해진 시간마다 하는 것이 아니라 필요한 경우에 하는 것을 권장한다.

Step 2. 물품을 준비한다.

- 손을 씻는다.
- 흡인을 위해 필요한 물품을 준비한다.
- 환자에게 흡인의 목적과 방법에 대하여 설명한다.
- 손을 씻는다.
- 청결장갑을 착용한다.
- 흡인 전 청진 및 필요시 흉부 타진을 시행한다.
- 생리식염수를 잰 10 cc 주사기를 흡인 카테터의 세척용 포트에 연결한다.

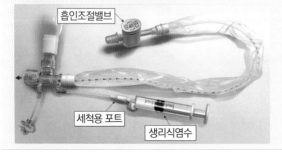

Step 3. 흡인 전 과산소화를 시행한다.

• 인공호흡기를 통해 100% 산소를 공급한다.

Step 4. 흡인 카테터를 삽입한다.

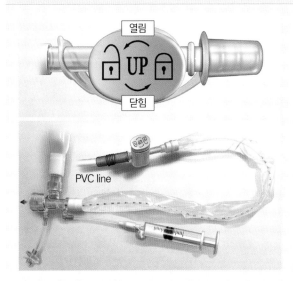

• 흡인기의 PVC line과 폐쇄형 흡인 카테터를 연결하고, 흡인 조절 밸브를 180도 회전시켜 흡인조절 밸브를 개방한다.
• 흡인기를 켜고 흡인 카테터의 밸브를 누른 상태에서 압력을 조절한다.
• 왼손으로 인공기도를 고정하고, 오른손으로 폐쇄형 흡인 카테터를 인공기도 길이만큼 삽입한다.

Step 5. 흡인을 시행한다.

• 흡인조절 밸브를 누르며 흡인을 시행하고, 흡인 카테터를 빼는 동안 왼손으로 인공기도를 고정하여 유지한다.
• 폐쇄형 흡인 카테터를 충분히 당겨 검은선이 표기된 카테터의 끝이 인공기도 바깥쪽까지 나오도록 한다.
• 세척용 포트에 연결한 생리식염수를 주입하는 동시에 흡인조절 밸브를 눌러 폐쇄형 흡인 카테터를 세척한다.
• 객담이 효과적으로 제거될 때까지 Step 3~5를 반복한다.
• 흡인조절 밸브를 180도 회전시켜 잠근다.
• 폐쇄형 흡인 카테터를 흡인기와 분리한 후 뚜껑을 덮어 오염되지 않도록 하고 카테터를 안전하게 위치시킨다.

Step 6. 흡인 후 과산소화를 재시행한다.

• 인공호흡기를 통해 100% 산소를 공급한다.

Step 7. 사용한 물품을 정리한다.

• 흡인기의 압력을 끄고 물품을 정리한다.
• 장갑을 벗은 후 손을 씻는다.

Step 8. 환자 상태를 모니터한다.

• 환자의 혈역학적 요소, 호흡양상, 객담 양과 양상 등을 관찰하여 기록한다.

5) 주의사항

① 흡인 전, 후 성인과 소아의 경우 30-60초 이상 인공호흡기 또는 Ambu bag-ging을 통하여 과산소화를 시행해야 한다. 신생아의 경우 기준치에서 10% 증량을 목표로 과산소화를 시행한다.

② 흡인 압력은 신생아의 경우 80-100 mmHg, 성인의 경우 150 mmHg를 초과하지 않도록 한다.

③ 1회 흡인시간은 성인 15초, 소아 10초, 신생아 5초를 초과하지 않도록 한다. 총 흡인 시간은 5분을 넘지 않도록 한다.

④ 흡인 카테터는 기도점막이 손상되지 않도록 인공기도 길이보다 깊게 삽입하지 않아야 한다.

06. 기계환기기 어떻게 설정하나?

1. 초기 설정

기계환기치료는 코 혹은 안면마스크를 이용한 비침습 양압환기치료와 기관 내관을 삽관 후 양압환기를 하는 전통 방식으로 대별된다. 기계환기기 설정 시 환기 양식, 환기 유발 민감도, 환기 횟수, 흡입가스내 산소분율(inspiratory fraction of oxygen, FiO_2), 호기말양압 수준 등을 정하는 것은 공통 필수 사항이며 용적조절환기방식에서는 일회호흡량(tidal volume) 크기와 최고들숨속도(peak inspiratory flow rate)를, 압력조절환기방식에서는 흡기압과 흡기 시간을 설정하여야 한다. 그리고 기계의 위험한 작동으로부터 환자를 보호하기 위하여 경고 설정(alarm setting)도 하여야 한다. 동맥혈 산소포화도를 개선시키기 위해서는 FiO_2와 호기말양압으로 조정하게 되고 이산화탄소의 분압 수준은 분시환기량으로 조절한다. 분시환기량은 일회호흡량과 호흡수의 곱의 값이다. 기관 내관을 통한 인공호흡기 치료는 기관 내관 삽관으로부터 시작된다. 기관 내관 삽관은 경험이 있는 의사가 시행하여야 한다(58쪽 5장 기관 내관 관리 참조). 기계환기기 설정은 아래 2항의 1)-8)까지 수행하면 된다. 이 장에서는 설정 변수들에 연관된 의미를 살펴본다.

1) 기계환기기의 기본구조

최신의 인공호흡기들은 다양한 환기 양식과 치료자가 여러 가지 변수들을 제어할 수 있는 조정 장치들을 갖추고 있다. 그러므로 치료자는 설정할 수 있는 변수들의 기능적 특징을 정확히 숙지함으로써 원하는 생리적 목표를 달성하고 기계환기로 초래되는 여러 가지 부작용을 최소화해야 한다. 최신 기계환기기들이 컴퓨터 제어 방식에 의한 미세 조정장치들을 갖추고 있다. 인공호흡기의 기본 구조는 그림 6-1과 같다. 보조조절환기나 보조환기 방식들에서는 환자가 자발호흡으로 흡기를 유발하여 설정된 흡기유발역치를 극복해야 흡기연결관의 요구밸브(demand valve)가 열리면서 일회호흡량 혹은 보조 압력이 환자에게 전달된다. 호기말양압밸브는 그림 6-1에서와 같이 호기연결관에 장착되어 있다.

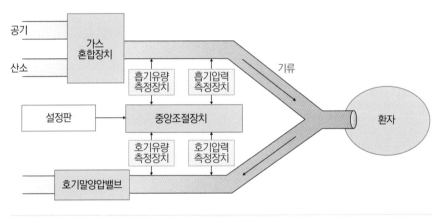

그림 6-1. 인공호흡기 기본구조

2) 기계환기기 설정 변수들

(1) 환기양식(mode of ventilation)의 설정

기계환기 치료는 기계환기기 구동방식을 설정하는 것으로 시작된다. 환기양식을 보조조절환기(assist-control ventilation) 양식으로 시작할 것인지 아니면 보조환기(support ventilation) 양식으로 시작할 것인지를 먼저 결정한다. 급성 호흡부전환자, 특히 산소화부전환자의 경우는 흔히 보조조절환기 양식으로 시작하고 환자 상태가 호전이 되면 보조환기방식으로 바꾼다. 보조조절환기 방식을 선택하면 용적조절환기(volume-controlled ventilation, VCV)로 할 것인지 압력조절환기방식(pressure-controlled ventilation, PCV)로 할 것인지를 결정한다. 환자가 원하는 만큼의 흡기 유량을 제공할 수 있다는 측면에서는 압력조절환기 방식이 장점이 있으나 두 가지 방식 사이의 치료효과는 큰 차이가 없으므로 치료자가 익숙한 방식으로 시작하면 된다.

① 조절환기(control ventilation) 및 보조조절환기(assist-control ventilation)

ⅰ) 작동 양식(그림 6-2)

(보조)조절환기 양식은 흡기의 달성 목표에 따라 VCV와 PCV로 구분된다. 즉 VCV는 치료자가 설정한 일회호흡량만큼 전달이 되면 흡기가 종료되고(volume-cycled) PCV는 치료자가 설정한 압력이 설정된 시간만큼 유지됨으로써 흡기가 이루어진다(time-cycled). 기계환기기의 종류에 따라서는 흡기 시간 설정대신 흡기 호기 비율(I:E ratio)을 설정하는 것도 있으며 이 경우는 설정한 호흡수에 따라 흡기 시간이 종속적으로 정해진다(아래 흡기 대 호기 비율 참조). 조절환기양식(control mandatory ventilation, CMV)은 환자의 자발적인 흡기 노력과 무관하게 치료자가 설정해준 분당 호흡 횟수만큼 기계환기가 이루어지는 양식이며 보조조절환기양식(assist-control mandatory ventilation, ACMV)은 환자의 흡기 노력에 일치하여 기계환기가 시작되며 환자의 흡기 노력이 없거나 흡기 구동을 유발할 만큼 충분하지 못한 경우는 설정된 횟수만큼만 흡기가 이루어진다. 임상 현장에서 사용되는 기계환기기는 대부분 ACMV이며 CMV만 설정하게 된 경우는 거의 없다. VCV 양식에서는 치료자가 일회호흡량의 크기와 그 일회호흡량을 전달할 최고들숨속도와 환기 횟수를 설정한다.

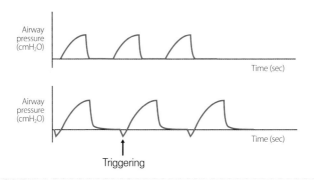

그림 6-2. 용적조절환기 방식에서 압력-시간 축으로 보는 CMV (위) 및 ACMV (아래) 구동 양식

VCV 양식에서는 환자 폐의 탄성(compliance)이나 기도 저항의 수준에 따라 최고기도압(peak airway pressure)이 달라진다(표 6-1).

　PCV 양식에서는 치료자는 흡기압(inspiratory pressure), 흡기 시간, 환기 횟수를 정해주게 된다(time-triggered, time-cycled, pressure-limited). PCV에서는 흡기압을 치료자가 정하기 때문에 환자의 폐탄성이나 기도 저항이 달라져도 일정 압력이상으로 최고기도압(peak airway pressure)이 증가될 수 없다(그림 6-3). 반면에 일회호흡량과 분시환기량 및 폐포환기량은 환자 폐탄성과 기도 저항에 따라 변동된다(표 6-1).

표 6-1. 각 환기양식의 설정 변수와 감시 요소의 차이

	Independent (Set) variables	Dependent (Monitored) variables
VCV	tidal volume inspiraotry flow pattern peak flow rate pressure limit	peak airway pressure mean airway pressure I:E ratio
PCV	inspiratory pressure level I:E ratio pressure limit	tidal volume flow rate & pattern
CPAP	CPAP level	tidal volume respiratory rate flow pattern airway pressure
PSV	pressure support level pressure limit	tidal volume flow rate & pattern I:E ratio
공통	F_iO_2 PEEP	

I:E ratio; inspiration:expiration ratio, PEEP; positive end-expiratory pressure, CPAP: Continuous positive airway pressure

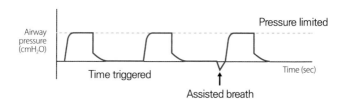

그림 6-3. 압력조절방식에서 환자의 자발호흡이 없는 경우(첫째 및 둘째 호흡)와 자발호흡에 의해 기계호흡이 유도된 경우(세 번째 호흡)

PCV 역시 환자의 자발 흡기 노력이 없는 경우는 치료자가 설정한 횟수만큼, 자발호흡이 있는 경우는 보조조절환기 방식으로 작동한다.

ⅱ) CMV/ACMV 양식 적용

최초 기관 내관 삽관 후, 환자에 대한 평가가 이루어지기 전, 분시환기 요구량이 많은 환자, 호흡중추가 불안정할 때, 호흡근의 피로가 관찰될 때, 심박출량이 적은 환자에서 호흡근의 산소소모량의 감소가 환자의 상태 개선에 도움이 될 때에 적용된다.

ⅲ) CMV/ACMV의 장단점

두 가지 다 간단하고 신뢰할 수 있는 환기양식이나 CMV의 경우 자발호흡이 있는 환자에서는 불쾌감, 호흡근의 위축, 호흡 요구량 변화 시 대응 불능 등을 초래할 수 있다. ACMV에서는 환자의 호흡에 따라 기계환기가 이루어지므로 환자의 불쾌감이 적은 것이 CMV에 비해 장점이고 단점으로는 호흡수가 빨라질 경우 평균 흉곽내압 증가에 따른 정맥환류의 감소, 압력 상해(barotrauma)의 위험성 증가, 과호흡에 따른 호흡성 알카리증 등이 있다.

② 동조간헐필수환기(synchronized intermittent mandatory ventilation, SIMV)

ⅰ) 구동 양식

인공환기기에 치료자가 설정한 강제적 환기 외에 환자의 자가 호흡이 허용되는 방식(그림 6-4)이 특히 강제적 환기가 환자의 흡기 노력과 일치하여 시작되도록 하는 양식을 간헐필수환기이며 동조간헐필수환기(SIMV)라고 한다. SIMV의 설정도 VCV에서는 일회호흡량과 강제호흡

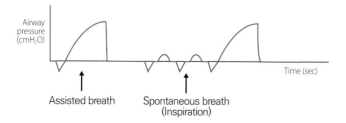

그림 6-4. 압력-시간 축으로 살펴본 용적조절환기 양식에서의 동기성 간헐적 필수환기의 구동 양상

(mandatory breath) 수를 설정하게 되고 PCV로 구동하는 SIMV에서는 최대기도압과 흡기 시간 및 강제호흡 횟수를 설정하면 된다. SIMV에서의 자가호흡시 아래 설명할 보조환기를 추가할 수 있는데 이때는 SIMV 설정과 함께 보조환기의 보조압력을 함께 정해 주면 된다.

ii) 장점

환자 스스로 호흡을 조절할 수 있어 호흡알칼리증 방지, 근 이완제 및 수면제 사용 감소, 낮은 평균기도압 유지, 폐의 환기-관류비의 개선 등을 기대할 수 있다. SIMV는 인공환기기로부터 이탈 시 사용할 수 있으며 자가 호흡을 허용하므로 호흡근의 위축도 ACMV에 비하여 덜하다. 또한 자발호흡이 허용되기 때문에 흉곽내압 증가를 완화시켜 정맥 환류를 유지할 수 있으므로 ACMV에 비하여 심박출량과 혈압 유지에 장점이 있다. 또한 폐동맥압의 증가 정도를 줄이므로 우심실의 후부하(afterload) 증가도 적다. 이러한 이론적 장점이 모든 환자에서 관찰되는 것은 아니며 또한 단점도 있어 다른 구동 양식에 비하여 현저한 장점이 없다.

iii) 단점

간헐필수환기에서 보조 횟수가 너무 적으면 자발호흡이 감소할 경우 동맥혈 이산화탄소의 증가를 초래할 수 있다. 또한 흡기 시 호흡일이 증가될 수 있는데 이는 SIMV를 위한 회로 설계가 부적절한 경우, 구경이 작은 기관 내관의 사용, 흡기 시작 시 요구밸브(demand valve) 개폐를 위한 호흡일(work of breathing)의 증가 등에 의해 초래된다. 또한 호흡근의 회복이 불충분한 환자에서 자발호흡 허용이 호흡근의 피로를 초래하여 오히려 기계환기기로부터 이탈이 지연될 수 있다. 이미 심실기능이 저하되어 있는 환자의 경우 SIMV의 사용은 정맥 환류가 유지됨으로써 오히려 폐부종이나 심부전의 악화를 초래할 수 있고 또한 흉곽내압 감소에 따른 좌심실의 후부하 증가로 좌심부전이 악화될 수 있다.

③ 지속기도양압(continuous positive airway pressure, CPAP) (그림 6-5)

양압환기 시에도 호기는 자발호흡과 마찬가지로 폐 조직과 흉곽의 탄성반동

(elastic recoil)에 의하여 이루어진다. CPAP은 인공호흡기가 흡기를 유발하지 않고 환자의 자발호흡으로 환기가 일어나나 자발호흡 시 기도 내의 압력이 양압을 유지하는 것이다. CPAP의 효과는 아래 호기말양압 부분에 기술되어 있다.

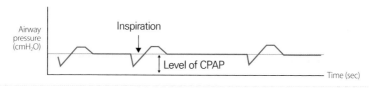

그림 6-5. 압력-시간 축으로 본 지속양압환기 양식

④ 압력보조 환기법(pressure support ventilation, PSV)

ⅰ) 기계적 특성

자발호흡이 가능한 환자에서 치료자가 선택한 양압만큼 환자의 흡기를 보조해주는 환기법이다(patient-triggered, flow-cycled, pressure-limited) (그림 6-6). PCV 양식과 마찬가지로 치료자가 최대기도압을 결정하지만 PCV에서는 흡기 시간이 정해진 반면 PSV의 흡기 시간은 환자의 자발 흡기 노력의 크기에 따라 달라진다. PSV는 자발호흡이 없는 경우에 대비하여 반드시 뒷받침 환기(back-up ventilation)를 함께 설정해 주어야 한다.

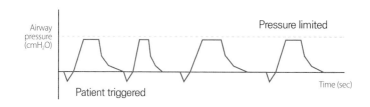

그림 6-6. 압력-시간 축으로 살펴본 압력보조환기 양식

ⅱ) 생리적 효과

이탈 방식으로서 T-tube나 SIMV 양식에 비해 PSV에서는 호흡근육이 부

담해야 하는 호흡일을 점진적으로 줄여갈 수 있는 장점이 있다. 정상상태에서의 환기방식반사[폐내 stretch & irritant receptor → 호흡중추 → 환기방식 조절(호흡수, 흡기 유량, 일회호흡량) → 최상의 가스교환과 가장 적은 호흡일을 발생하게 함]와 같이 PSV에서는 흡기 유량, 흡기 시간, 일회호흡량의 조절에 환자가 참여할 수 있어 환자와 환기기 사이에 동조가 다른 구동 양식에 비하여 우수하다.

iii) PSV의 임상 적용: 기계환기기 이탈을 고려할 때 많이 적용한다.

iv) 단점: 과다한 압력보조를 설정할 경우 평균 흉곽내압의 증가로 심혈관계 기능이 억제될 수 있으며 호흡중추가 불안정한 경우나 폐탄성이나 기도 저항이 급격히 변하는 경우에 분시환기량의 급격한 변화가 뒤따른다(표 6-1).

(2) 일회호흡량(VCV), 최대기도압 및 흡기 시간(PCV)의 설정

치료자가 VCV에서는 일회호흡량을 정해주게 되고 PCV에서는 최대기도압과 흡기 시간을 설정하면 일회호흡량이 정해진다. 환자의 기도 저항이나 폐탄성에 따라 PCV에서는 기도압이 달라지고 PCV에서는 일회호흡량이 달라진다. 일회호흡량은 예측체중(predicted body weight) 당 6-8 mL(급성 호흡곤란증후군환자에서는 가능한 6 mL)가 되도록 설정하는 것이 권장된다. ARDSnet에서 사용한 예측체중 환산공식은 다음과 같다. 남자: 50 + 0.91 × (cm로 측정한 환자의 키 − 152.4), 여자: 45.5 + 0.91 × (cm로 측정한 환자의 키 − 152.4). 건강한 폐를 가진 환자에서도 일회호흡량은 특별한 이유가 없는 한 예측 체중당 8 mL은 넘지 않아야 한다. 일회호흡량은 환기기연관폐손상(ventilator−induced lung injury)의 발생과 연관되어 있다(111쪽 8-1-1 급성 호흡곤란증후군환자 기계환기기 설정 참조). PCV나 PSV에서 설정하는 최대기도압도 일회호흡량이 예측체중 당 6-8 mL의 수준을 유지하도록 설정한다.

(3) 흡기유발법과 역치 설정

흡기 유발역치는 기계환기 시 환자가 흡기를 유발시키는 호흡일과 연관된다. 유발 호흡일은 환자가 스스로 흡기를 시작하여(보조조절환기 시나 보조환기

양식에서) 흉곽내 음압을 유도하여 기계환기기의 흡기측에 있는 요구밸브를 여는 데(유발역치) 필요한 에너지이다. 그러므로 유발역치를 높이면 환자의 호흡일이 증가하고 이는 환자−기계환기기 사이의 비동조를 유발하는 원인이 된다. 흡기유발법은 유량유발법과 압력유발법이 있는데 유량유발법을 우선 권장하며 흔히 2−3 L/min 수준으로 설정한다. 압력유량법일 경우에는 −2 cmH_2O를 넘지 않도록 설정하는 것이 좋다.

(4) 유량 전달방식

유량방식은 압력조절환기 시는 본질적으로 감쇄형(deceleration)이다. 용적조절환기 시는 치료자가 유량방식을 선택할 수 있으며 사각형(square)이나 감쇄형 중 하나를 선택하면 된다. 사인유량(sign wave)은 거의 쓰이지 않는다.

(5) 흡기가스내 산소분율(FiO_2) 설정

우선 FiO_2를 100%로 설정하고 20분 후 동맥혈내 산소분압의 정도에 따라 줄여 나간다. 맥박산소측정기(pulse oximeter)로 산소포화도가 90% 이상 나오도록 FiO_2를 설정하면 되는데 반드시 1회 이상 동맥혈가스분석 검사를 하여 맥박산소측정기의 산소포화도와 비교하여야 한다. FiO_2가 60% 이상이 요구되는 환자에서는 동맥혈 산소포화도가 85−90%를 유지할 수 있는 최소 농도를 설정하면 된다. FiO_2가 50% 이하인 경우는 산소독성이 문제가 되지 않는 것으로 여겨지나 FiO_2가 40% 이하인 경우에서도 PaO_2가 100 mmHg 이상인 경우는 FiO_2를 낮추어 주는 것이 바람직하다.

(6) 호흡수와 흡기호기 비율(I:E ratio)의 설정

환자의 호흡수는 필요한 분시환기량과 환자의 자발호흡 능력을 고려하여 설정한다. 호흡수가 결정되면 일회호흡(tidal breath)의 주기(cycle)가 결정이 된다. 예를 들어 호흡수를 20회로 설정하면 호흡주기는 3초(60초/20)가 된다. 이 주기 안에 흡기와 호기가 이루어진다. 동일한 기도 저항과 폐탄성을 가진 환자에서 흡기호기의 비율은 호흡수, 일회호흡량의 크기 및 최고들숨속도의 크기에 의하여 결정된다. 기도 폐쇄가 있는 환자에서는 흡기호기 비율이 1:3 이상이 필요한데 특히 자가호기말양압(auto-PEEP)이 있는 환자들에서는 인공환기 중 폐의 과팽창을 막기 위하여 자가호기말양압이 최소화될 수 있도록 흡기호기 비율을 설정하여야 한다(141쪽 8-2-2 자가호기말양압 참조). 반면 급성 호흡곤란증후군에서는 폐포간 환기를 강화하기 위하여 흡기호기 비율을 1:1로 하는 것을 추천하고 있다. 최고들숨속도를 설정하는 경우는 분시환기량의 3.5-4배 정도를 설정한다.

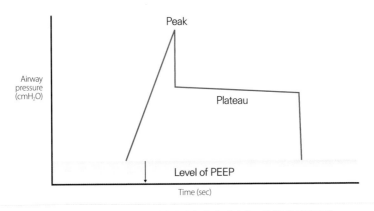

그림 6-7. 용적조절환기방식에서 압력-시간 축으로 본 호기말양압

(7) 호기말양압 수준의 결정

기계환기 시도 호기는 자발호흡 때와 같이 환자의 호흡기계의 탄성반동(elastic recoil)에 의해 수동적으로 일어나며 기도압이 흡기 시작 시점의 기저치로 돌아온다. 이 호기동안 양압을 설정할 수 있으며 이를 호기말양압이라 한다(그림 6-7).

① 호기말양압과 CPAP의 생리적 효과(24쪽 2-3 호기말양압 참조)

PEEP의 폐에 대한 효과는 우선 기능적 잔기량(functional residual capacity)의 증가이다. 이는 호기말의 폐포 자체의 용적의 증가와 호기말 폐포 허탈의 방지(anti-derecruitment)에 의한다. 또한 폐 혈관 외에 존재하는 물의 재분포를 유도하여 가스교환에 도움이 될 수 있다. PEEP의 순환에 미치는 영향으로는 정맥환류의 감소, 우심실의 부전, 좌심실의 확장 기능의 장애 등을 들 수 있다.

② PEEP/CPAP 치료의 목표

PEEP/CPAP은 산소화와 폐탄성의 개선이 주요 목적이며 최근에는 인공호흡기 유도 폐손상을 방지하려는 목적으로도 적용된다. 좌심부전 환자에서 후부하와 전부하의 감소를 유도하기 위해서도 적용한다.

③ 호기말양압의 수준 설정

호기말양압의 수준을 얼마로 설정하는 것이 이상적인지에 대한 의문은 아직까지 해결되지 않았다. 임상에서는 주로 적정한 동맥혈산소압을 유지할 수 있는 호기말양압을 적용한다. 가장 대표적인 것은 흡입산소분율의 증가에 따라 PEEP의 수준을 높여가는 ARDSnet PEEP table이다. 전신에 산소운반양을 최대로 할 수 있는 수준 혹은 일회호흡 탄성(tidal compliance)을 최대로 할 수 있는 수준의 호기말양압을 설정하기도 한다. 임상에서 호기말양압을 적용하는 한 가지 방법을 제시하면 FiO_2 요구량이 50%를 넘으면 우선 8-10 cmH_2O 적용하고 이후 2 cmH_2O씩 증가시키면서 최대 혹은 고평부 기도압을 관찰한다. 호기말양압을 증가시킨 후 기도압 증가 폭이 이전보다 큰 경우는 폐의 과팽창을 의미하며 이때 2 cmH_2O씩 2차례 증가시켜도 산소화의 개선이 없으면 호기말양압을 올리기 전 상태로 낮추어 준다. 이러한 호기말양압의 수준은 적어도 하루에 한 번씩 재 조정을 하여야 한다(PEEP titration). 치료 시작 후 3-5일 경과된 뒤 특히 후기 급성 호흡곤란증후군에서는 산소화상태가 적절하면 폐포 긴장을 줄이기 위하여 호기말양압 치를 서서히 낮추어 주어야 한다. 높은 Auto-PEEP을 보이는 만성 폐쇄성폐질환 환자에서 흡기 유발 호흡일을 낮추려는 목적으로 낮은 수준(통상 3-5 cmH_2O)의 호기말양압을 쓰기도 한다.

(8) 경고 설정(alarm setting)

최고기도압, 최고 및 최저분시환기량 호흡 횟수와 PEEP 경고 등을 설정한다. 그리고 자발호흡 양식을 사용하는 경우는 반드시 뒷받침 환기(back-up ventilation)를 설정해 주어야 한다.

3) 최초 기계환기기 설정의 마무리

인공호흡기를 설정 후 가장 먼저 관찰하여야 하는 것은 환자와 기계환기기 상호간 동조 상태이다. 만약 환자가 기계환기기와 다툼을 보이면 그 원인을 살펴서 반드시 교정하여야 한다(104쪽 이하 기계환기기 동조 참조). 기계환기기 설정이 끝나고 환자와 기계환기기간 동조도 잘 이루어지면 환자의 혈역학 상태를 관찰하고 이어서 동맥혈가스검사를 시행하여 설정한 인공호흡기 설정이 적절한지 파악을 하여야 한다. 기계환기 중인 환자에서 진정제, 진통제 및 근이완제의 적절한 처방은 환자의 예후를 변화시킬 수 있는 만큼 매우 중요하다. 우선 근이완제는 반드시 필요한 경우에만, 짧은 기간 동안, 그리고 가능하면 간헐적으로 사용한다. 진정제와 진통제도 초기 처방 후 환자의 상태에 따라 그 용량과 투여간격을 조정하여야 한다. 일반적으로 환자를 불러서 눈을 뜨고 말을 알아 듣는 수준의 진정과 진통을 유지하는 것이 적절하다.

참고문헌

1. Anonymous. Ventilation with lower tidal volumes as compared with traditional tidal volumes for acute lung injury and the acute respiratory distress syndrome. N Engl J Med 2000;342:1301-8.

2. Girardis M, Busani S, Damiani E, et al. Effect of Conservative vs Conventional Oxygen Therapy on Mortality Among Patients in an Intensive Care Unit: The Oxygen-ICU Randomized Clinical Trial. JAMA 2016;316:1583-9.

3. Tuxen DV, Lane S. The effects of ventilatory pattern on hyperinflation, airway pressures, and circulation in mechanical ventilation of patients with severe air-flow obstruction. American Review of Respiratory Disease 1987;136:872-9.

2. 폐보호환기법(Lung-protective ventilation)

기계환기기 사용 중 환기기연관폐손상이 발생할 수 있으며 이로써 치료 결과
가 나빠지므로 기계환기기의 설정을 잘못하는 것은 투약을 잘못하는 것과 마
찬가지로 잘못된 치료가 된다. 폐보호환기를 위해 설정 시 유념해야 하는 것
은 일회호흡량의 크기, 고평부압, 호기말양압 그리고 구동압력(driving pres-
sure, plateau pressure – PEEP) 등이다(217쪽 폐보호환기 참조).

참고문헌

1.　Anonymous. Ventilation with lower tidal volumes as compared with traditional tidal
volumes for acute lung injury and the acute respiratory distress syndrome. N Engl J Med
2000;342:1301-8.

07. 기계환기 치료 중 감시와 관리

1. 기계환기 화면의 그림 해석

1) 기계환기 모니터 그래프의 종류

기계환기기 모니터에서 제공되는 그래프들은 기계환기 중인 환자들을 치료하는데 유용한 도구이다. 이 그래프들은 scalar와 loop 두 가지로 제공된다. Scalar 그래프에서 보통 가로축이 시간이고, 세로축이 기류, 용적 혹은 압력에 해당된다.

Scalar 그래프에는 flow vs. time, pressure vs. time, volume vs. time 등이 있고, loop 그래프에는 pressure – volume loop, flow—volume loop가 많이 활용된다.

2) 유량-시간 곡선(Flow-time curve)
(1) 정상 소견
① 자발호흡 및 기계호흡

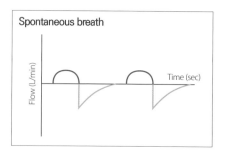
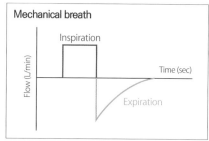

자발호흡에서 흡기류는 기준선 위에 위치하고 모양은 싸인파형과 비슷하다. 기계환기에서 흡기류 모양은 constant flow 방식일 경우 사각형 모양이다. 호기류는 환자 폐의 상태와 환자의 노력 유무에 따라 달라진다.

② 용적조절환기법에서의 흡기류 형태들
용적조절환기법에서 채택할 수 있는 기류 형태에는 square, decelerating, accelerating, sine 형태들이 있다. Time—cycled 조건이 있는 경우 기류 형태가 변할 수 있다.

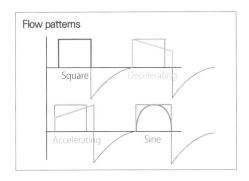

(2) 흔한 이상 소견들
① 기도 폐쇄 및 능동적 호기

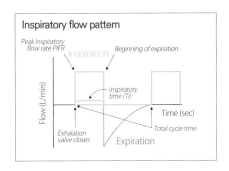

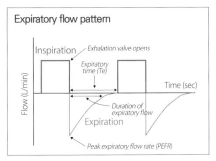

기계환기 치료 중일지라도 호기는 수동적 현상으로 호기류 형태와 최대호기유량(peak expiratory flow rate, PEFR)은 환자의 폐탄성, 기도 저항, 환자의 호흡

근 사용 여부에 따라 달라진다. 예를 들면 기도에 객담이 있거나 기관지수축
에 의한 기도 저항의 증가 시 최대 호기류량이 감소하고 호기 시간이 길어질
것이다. 이런 상태에서 기관지확장제를 투여하면 최대호기량이 증가될 것이
다. 능동적 호기 시는 최대호기량이 증가하고 호기 시간이 짧아질 것이다.

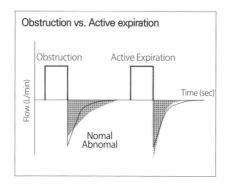 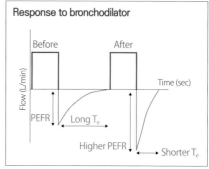

② 공기 걸림

정상적 호기 시는 다음 호흡 이전에 유량 곡선이 기저선, 즉 유량이 없는 상
태로 돌아와야 한다. 그러나 공기걸림이나 자가호기말양압이 존재할 때는 기
저선으로 복귀되지 않는다. 기류−시간 곡선에서 자가호기말양압 여부는 쉽
게 관찰할 수 있으나 그 정도를 정확히 알 수는 없다.

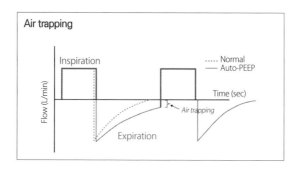

3) 용적-시간 곡선(Volume-time curve)

(1) 정상소견

용적-시간 곡선에서는 inspiratory tidal volume을 보여주고 inspiratory phase, expiratory phase의 특성을 보여준다.

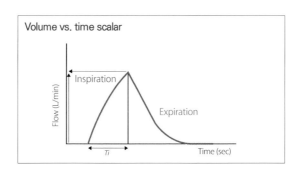

(2) 흔한 이상 소견들

① 공기 누출 및 능동적 호기

 ⅰ) 공기 누출

   공기 누출 여부는 호기 곡선이 기저선에 닿는지 여부를 보아서 알 수 있다. 누출량은 기저선에서 떨어진 Y 축 상의 거리를 보면 그 정도를 파악할 수 있다.

 ⅱ) 능동적 호기

   용적-시간 곡선에서 곡선이 기저선 아래로 내려가는 것은 환자가 호기 노력이 있어서 흡기된 용적보다 많은 공기량이 호기 튜브로 배출되는 것을 의미한다.

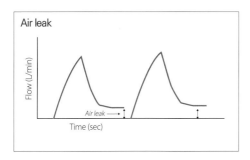

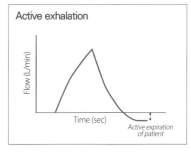

4) 압력–시간 곡선(Pressure–time curve)

기계환기 치료 중인 환자에서 가장 많은 정보를 알 수 있는 곡선이다.

(1) 정상소견

① 자발호흡 및 기계호흡

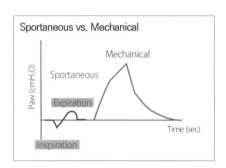 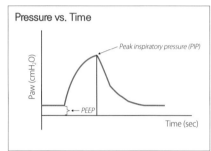

i) 자발호흡 시

압력 곡선은 자발호흡 시는 흡기는 기저선 아래로, 호기는 기저선 위로 위치한다. 기계환기기에 의한 강제 환기 시에는 압력곡선은 늘 기저선 위의 양의 값을 보인다.

ii) 기계환기 시

- 최대흡기압: 한 주기의 환기 동안에 발생하는 최대 압력이다. 기도 저항과 폐탄성에 의해 달라진다. 즉 기도 저항이 증가되거나 폐탄성이 감소하면 최대기도압이 증가된다.
- 호기말양압: 압력–시간 곡선이나 압력–용적곡선에서 쉽게 관찰된다.

② 보조 환기와 조절환기

보조조절환기법(assisted/controlled mode)에서 압력 곡선이 기저선 아래로 내려갔으면 환자에 의해 유발된 보조 환기임을 알 수 있고, 이 모양 없이 시작된 것이면 기계가 시작한 조절환기임을 알 수 있다.

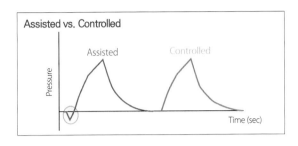

③ 호흡기 압력의 요소들과 부적절한 기류

기계환기기에 있는 흡기 정지(inspiratory pause 혹은 inflation hold) 기능을 이용
하면 기류가 없는 정적인 상태의 폐역학을 파악할 수 있다.

- 고평부압(그림 속 B) P_{plat}: 호흡기계탄성을 나타낸다.
- 기도압력(그림 속 A과 B의 차이값): 기도 저항과 관련된 압력을 반영한다. 기
  도수축, 기도분비물, 기도 폐쇄 등이 있을 때 [A−B]의 차이가 커진다.

  압력 곡선이 예상보다 완만하거나 아래로 꺼짐(depression)을 보이면 기계
로부터의 유량이 환자의 요구량보다 부족한 상태인지 고려해야 한다.

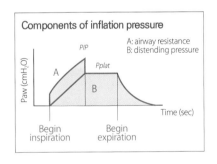

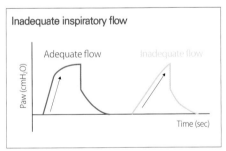

(2) 흔한 이상소견들

- A: 정상
- B: 최대기도압과 고평부압 차이가 벌어진 것으로 기도 저항이 증가된 것을
  의미한다.
- C: 기저 그래프와 비교하여 흡기 시간이 짧아지고 최대기도압과 고평부압
  차이가 커지면 기류가 증가된 것을 의미한다.
- D: 고평부압이 증가된 모양으로 호흡기계탄성이 감소한 것을 나타낸다.

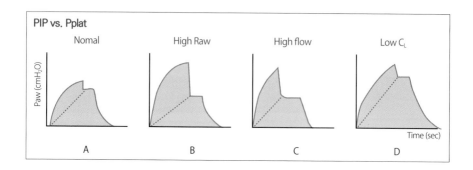

5) 기류-용적 환(Flow-volume loop)

(1) 정상소견

① 기류-용적곡선의 요소들

보통 x 축은 용적, y 축은 유량을 나타낸다 기저선 위는 흡기를 기저선 아래는 호기를 나타낸다.

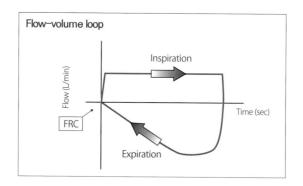

(2) 흔한 이상소견들

① 공기 누출과 공기 걸림

 i) 공기 누출

   용적 곡선이 x 축의 0으로 복귀되지 않으면 공기 누출이 있다는 것이다. 누출량도 측정된다.

 ii) 공기 걸림 및 자발호기말양압

   Y 축의 기류가 0으로 복귀하지 않으면 공기 걸림 혹은 자발호기말양압의 존재를 알려준다.

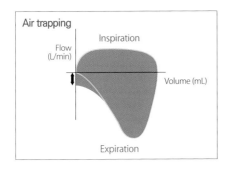
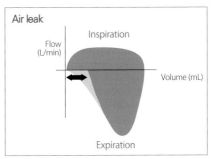

② 증가된 기도 저항(기도수축, 또는 분비물 증가)

   ⅰ) 증가된 기도 저항

   최대호기유량이 줄고 호기 곡선이 국자모양(scooped-out pattern)을 보
   이면 기도 저항이 증가된 것을 나타낸다.

   ⅱ) 분비물 존재

   대기도에 분비물이 많거나 기계환기기 circuit에 물이 있을 때 호기 시
   톱니모양(saw-tooth pattern)이 보인다.

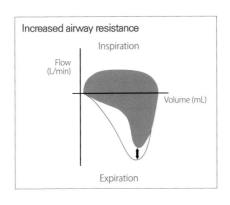
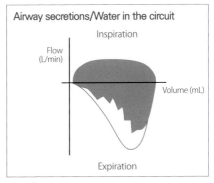

6) 압력-용적 환(Pressure-volume loop)

(1) 정상소견

① 호흡의 형태(Type of breath)

압력-용적 환에서는 먼저 곡선의 방향을 관찰해야 된다. 시계 반대 방향일
때는 호흡이 기계환기기에 의해 수행된 것이다. 반대로 시계 방향일 때는 환
자의 자발호흡이다. 곡선의 각도, 모양 그리고 크기 등을 잘 관찰해야 된다.

보조적기계환기에서 호흡 시작 시에는 환자의 유발에 의해 시계 방향으로 시작되었다가 이어 기계환기 방향으로 바뀐다.

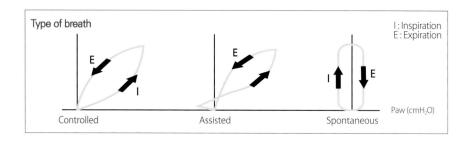

② 압력-용적 환의 구성 요소

압력−용적 환의 시작점이 환자의 현재의 FRC 이다. 호기말양압을 적용하면 FRC 가 증가되므로 시작점이 우측으로 옮겨진다. 압력−용적 환은 압력의 변화에 따른 용적의 변화를 보여준다. 흡기는 FRC에서 시작되고 설정한 요소(용적 또는 압력)에 도달하면 멈춘다. 그리고 호기 동안 FRC로 되돌아온다. 압력−용적 환은 ARDS와 같이 폐탄성이 저하된 환자에서 적정한 최고흡기압과 일회호흡량을 결정하는데 도움이 된다.

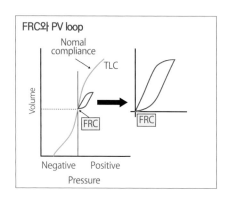

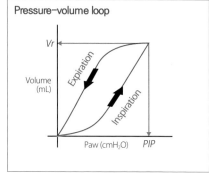

③ 호기말양압(PEEP)과 Inflection point

호기말양압 적용 시, 압력−용적 환은 X 축 상에서 호기말양압 수치만큼 우측으로 이동한다. Inflection point는 흡기 시 압력 곡선이 꺾이는 지점이다. Inflection point는 폐포의 급작스런 개방(lower inflection point, LIP) 또는 폐쇄(upper inflection point, UIP)를 반영한다. 폐포개방압력이 높을수록 LIP는 우측으로 이동한다. 폐포의 반복적인 개방 및 폐쇄를 예방하는 의미에서 LIP가 호기말양압의 한 기준이 될 수 있다.

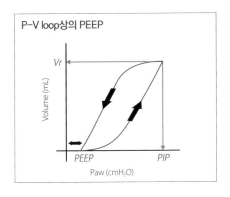
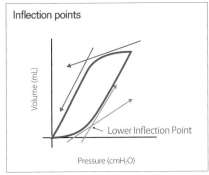

④ 호흡일(Work of breathing)

압력-용적환은 그 전체 면적은 전체 호흡일을 나타내며, 그림에서와 같이 호흡의 탄성일(elastic work), 저항일(resistive work)의 상대적 정도를 알 수 있게 해준다.

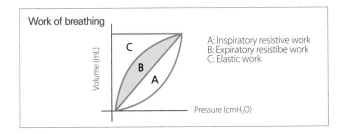

(2) 흔한 이상소견들

① 폐탄성 감소(Decreased lung compliance)

Volume-targeted ventilation의 경우 압력-용적 환의 우측 이동은 폐탄성 감소를, 좌측 이동은 폐탄성 증가를 의미한다. 세 가지 그림에서 동일양의 일회호흡을 위해 필요한 압력이 차이가 나는 것을 관찰할 수 있다. Pressure-targeted ventilation의 경우는 폐탄성에 따라 용적이 달라지는 것을 알 수 있다.

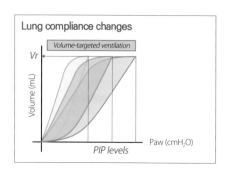

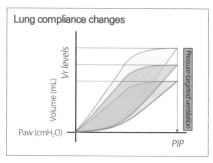

② 호흡 저항의 증가, 폐포 과팽창

ⅰ) 호흡 저항 증가 시에는 흡기 곡선이 비정상적으로 넓어진다. 폐쇄성 폐
질환을 가진 환자들은 압력−용적 환 면적이 넓어진다. 압력−용적 환이
비정상적으로 넓어지는 또 하나의 원인은 히스테레시스(hysteresis) 증가
이다.

ⅱ) 폐포 과팽창은 급성 호흡곤란증후군과 같이 폐탄성이 저하된 경우 관
찰할 수 있다. 새주둥이(Beak effect) 또는 오리너구리(Duckbill) 모양, 즉
용적 증가는 미미한데 압력은 과도하게 증가하는 현상이다. 이때는 일
회호흡량를 줄일 필요가 있다.

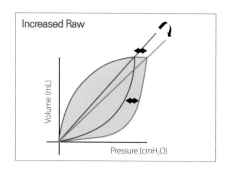

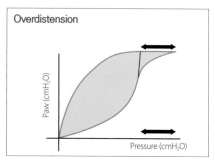

③ 호흡일의 증가(Increased work of breathing)

그림 좌는 부적절한 유발 민감도(inappropriate sensitivity), 그림 우는 부적절한
흡기유량(inadequate inspiratory flow)을 나타낸다. 유발 민감도가 부적절할때
환자의 호흡일이 증가되며 유발 민감도를 조절하면 이 흡기 호흡일을 줄일
수 있다. 부적절한 흡기유량은 국자모양(scooped−out)으로 나타난다. 어떤 상

황에서는 기계호흡하는 흡기 곡선 도중에 홈(notch)으로 보이는 경우가 있는
데 이것은 흡기 도중의 환자의 추가적인 흡기 노력이 있다는 것을 나타낸다.

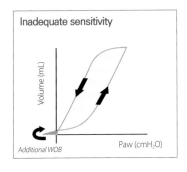 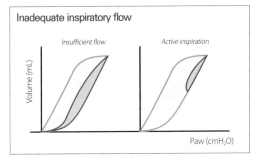

④ 공기 누출(Air leak)

압력−용적 환에서 호기 곡선이 Y 축 시작점으로 돌아가지 않으면, 공기 누출
이 있는 것을 나타낸다.

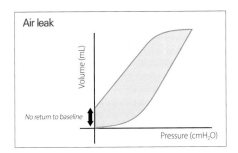

7) 자가호기말양압(Auto positive end−expiratory pressure) (141쪽 8-2-2 참조)

참고문헌

1.   Tuxen DV, Lane S. The effects of ventilatory pattern on hyperinflation, airway pressures, and circulation in mechanical ventilation of patients with severe air-flow obstruction. American Review of Respiratory Disease 1987;136:872-9.

2.   Koh Y. Ventilatory management in patients with chronic airflow obstruction. Critical care clinics 2007;23:169-81, viii.

3.   Marini JJ. Dynamic hyperinflation and auto-positive end-expiratory pressure: lessons learned over 30 years. Am J Respir Crit Care Med 2011;184:756-62.

2. 기계환기기 환자 비동조

1) 기계환기기 알람 시 확인해야 할 사항

기계환기기에서 알람이 울리면 우선 환자상태를 직접 확인한다. 환자의 의식 상태, 혈압, 심박수, 산소포화도를 확인한다. 이어 호흡음을 청진하며 과도한 호흡근을 사용하는지 여부를 관찰한다. 기계환기기 알람 시의 기본적인 대처 방법을 정리한 것이 DOPE이다(그림 7-2).

	D	O	P	E
앰부백으로 환기를 진행함				↓
튜브고정 길이 확인 튜브 내 불투명(습기 끼는 곳) 좌우 흉벽의 움직임 좌우 흉곽/심와부의 청진 ETCO₂* 파형	↓	↓	↓	
튜브의 굴곡(육안검사) 흡인 카테터의 삽입/흡인 튜브의 굴곡(후두 신전 상태에서)		↓		
경정맥 충혈(engorgement) 기관편위(deviation) 피하기종 흉부의 타진			↓	

그림 7-2. DOPE: Displacement (tube 위치 이상), Obstruction (환기 폐쇄), Pneumothorax (기흉), Equipment failure (기기 이상) *$ETCO_2$: end-tidal CO_2

　환자가 과도하게 호흡근을 사용하면 기계환기기와 분리하여 앰부백을 이용하여 환기를 하면서 폐와 흉곽의 탄성과 기도 저항을 확인한다. 손으로 환기 시 새는 소리가 나면 기관 내관의 커프압을 확인하고 저항이 심하게 느껴지면 흡인카테터를 이용하여 기관 내관의 막힘이 없는지 확인한다. 필요하다면 기관 내관의 위치를 확인하기 위해 흉부 X-선을 촬영한다. 기계환기기와 분리 시 높은 호기말양압을 사용 중인 경우는 폐포 재허탈 및 이로 인한 산소 포화도 감소가 생길 수 있고 감염 위험성이 커지는 것을 고려해야 한다.

2) 기계환기기-환자 비동조를 보일 수 있는 원인

(1) 환자의 상태 변화

기관지연축, 기도내 분비물 증가로 기도 저항이 증가하거나, 급성 호흡곤란 증후군, 폐부종, 기흉 등의 발생으로 폐탄성이 감소하는 경우에 기계환기기 와 비동조를 보일 수 있다.

(2) 기계환기기의 문제

기관 내관이나 circuit에 문제가 생기거나, 기계환기기 설정(호흡수, 유발 역치, 흡기-호기 비 등)이 환자 상태와 맞지 않은 경우에 발생할 수 있다.

원인(표 7-1)에 상관 없이 기계환기기-환자 비동조가 지속되면 환자의 상태 가 악화될 수 있으므로 적극적인 대처가 필요하다.

표 7-1. 기계환기기-환자 비동조 원인

Patient factors	Ventilator factors
Artificial airway problems	System leak
Bronchospasm	Circuit malfunction or disconnection
Secretions	Inadequate FiO_2
Pulmonary edema	Inappropriate ventilator support mode
Pulmonary embolus	Inappropriate trigger sensitivity
Pneumothorax	Inappropriate inspiratory flow setting
Abnormal respiratory drive	Inappropriate cycle variable
Abdominal distention	Inappropriate PEEP setting
Alteration in body posture	Problems with closed-loop ventilation
Dynamic hyperinflation	
Anxiety	
Drug-induced problems	

(3) 흔한 알람 발생 상황

① 고기도압 알람

기도압이 설정된 수치 이상까지 도달한 경우에 발생하는 알람으로 주된 원 인으로는 기도의 문제(기침, 기도내 점액분비물, 기관 내관 막힘), 폐 자체 문 제(기도 저항의 증가, 탄성 감소, 비동조), 기계환기기 튜브의 문제(꼬임, 수분 저류, 밸브 이상) 등이다. 알람이 울리면 기계환기기 회로 및 튜브를 확인하 고 흡인 후에도 알람이 계속되면 환자 상태를 재평가하고 원인을 해결한다.

② 저기도압 알람

기도압이 설정된 하한 수치보다 더 낮을 때 발생하는 알람으로 주된 원인은 공기 누출이다. 기관 내관이 기계환기기와 분리되었거나 기관 내관이 빠지거나 커프압이 감소한 경우 등이며, 흉관 삽입이 된 경우에는 흉관 연결부가 분리된 경우 등이다. 기계환기기 튜브의 각 연결 부위를 확인하고, 기관 내관의 커프압을 확인한다. 필요시 기관 내관이나 흉관의 위치를 확인하기 위해 흉부 X−선을 촬영한다.

③ 일회환기량 또는 분시환기량이 증가한 경우

환자에게 공급 또는 환자로부터 배출되는 환기량이 증가하여 알람이 울리는 경우로 노력성 호흡의 증가, 호흡부전의 악화, 흥분, 각성, 분무치료 시 추가 유량을 사용하는 경우 등이다. 대개의 경우 진통/진정 요법의 조절이 필요하다.

④ 일회환기량 또는 분시환기량이 감소하는 경우

환자에게 공급 또는 환자로부터 배출되는 환기량이 감소하여 알람이 울리는 경우로 기계환기기 튜브가 분리되거나 공기 누출이 발생하는 경우, 비계획적 탈관, 자발호흡 저하, 폐의 상태 악화 등과 관련이 있다.

⑤ 호흡수 증가

환자의 호흡 노력 증가, 저산소혈증 발생, 흥분/각성, 얕고 빠른 호흡 발생 시 울리는 알람이다. 보조환기 중 일회호흡량이 줄어든 상태라면 보조압력을 올리거나 조절환기로 변경한다. 조절환기 중이면 흡기압, 일회호흡량, 흡입산소량, 호기말양압 등을 변경한다. 자동유발 여부를 확인하고 유발민감도(trigger sensitivity)를 조절한다. 환기양식을 조절해도 알람이 지속되면 진통/진정 수준을 올린다.

⑥ 무호흡

자발호흡을 보조하는 환기 모드에서 일정 시간 동안 환자의 자발호흡이 없는 경우이다. 우선 조절환기 방식으로 바꾸고 깊은 진정이 원인이라면 진정제를 감량하고 자발호흡이 감소 혹은 소실되었다면 신경학적 원인을 확인한다.

3) 기계환기기 화면에서 관찰되는 기계환기기-환자 비동조
(1) 그래프에서 확인해야 하는 지표(7장 참조)

유량-시간 곡선과 압력-시간 곡선에서는 환자의 호흡 유발 패턴(patient trig-gering), 유량의 모양(flow starvation, flow pattern), 자가호기말양압, 흡기호기비율(I:E ratio), 고원시간(plateau time), 상승 시간(rise time) 그리고 비동조 유무를 확인해야 한다. 용적-시간 곡선에서는 자가호기말양압을 확인하고, 압력-용적 환(pressure-volume loop)에서는 공기 누출, 과폐창, 기도 저항의 증가, 비동조, 환자 호흡 유발을 확인한다. 유량-용적 환에서는 폐쇄성 또는 제한성 폐질환의 유무, 기관지확장제의 효과, 공기 누출을 확인한다.

(2) 자가호기말양압

유량-시간 곡선에서 호기 기류가 기저치로 도달하지 않는 경우에 의심할 수 있다(94쪽 참조). 자가호기말양압은 호기 기류의 제한이 있거나 불충분한 호기 시간, 과도한 환기량 등에 의해 발생한다. 이로 인하여 폐포의 과팽창 및 환자 흡기 유발의 어려움이 발생하고 혈역학적으로 불안정해 질 수 있다. 해결 방안으로는 기관지확장제의 사용 또는 기도내 점액분비물을 감소시켜 호기 기류의 저항을 줄여주거나, 호기 시간을 증가(호흡수 조절, 흡기 시간 감소)시키거나 일회호흡량(설정된 기도압 감소)을 줄여서 충분한 호기 시간을 확보한다.

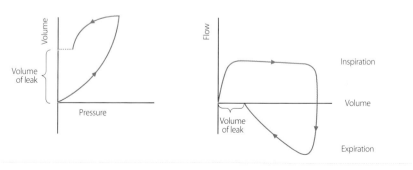

그림 7-3. 공기 누출

(3) 공기 누출(Leak)

호기 시 용적이 제로에 도달하지 않는 경우(그림 7-3)로 기흉, 기관 내관 주위 공기 누출, 기계환기기 튜브 누출 등에서 생길 수 있다. 통상적으로 low expiratory tidal volume 알람이 발생하나 낮은 기도압, 낮은 분시환기량, 무호흡 알람 등이 작동할 수도 있다. 기관 내관 커프압과 튜브의 연결 부위를 확인한다.

(4) 이중 유발(Double triggering)

일회환기량이나 흡기 시간이 환자의 요구량보다 낮게 설정되어 흡기 노력이 재차 생기는 것이다(그림 7-4). 최고 기도압이 상승하고 흡기 용적과 호흡수가 증가한다. 이 경우 과팽창의 위험성이 높다. 환자의 증가된 요구량을 고려해서 일회환기량 또는 흡기 시간을 증가시키거나 필요시 모드를 보조환기로 변경하거나, 반대로 진정제를 증량하여 자발호흡을 억제시킨다.

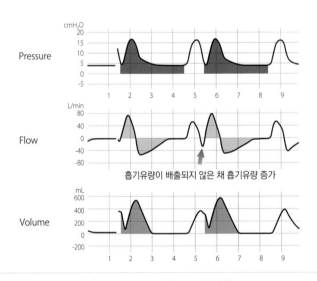

그림 7-4. 이중유발

(5) 비효과적 유발(Ineffective trigger)

기도압의 변화는 있지만 이중유발과 달리 기계환기가 이루어지지 않는 경우이다(그림 7-5).

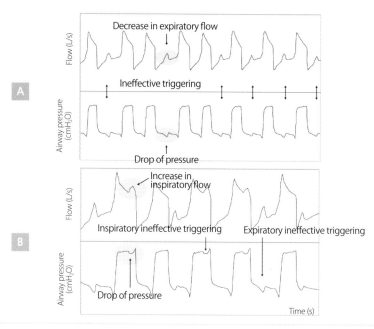

그림 7-5. 비효과적 유발 A. 호기 시 발생한 경우, B. 흡기 및 호기 시 발생한 경우

(6) 기도 폐쇄

기도내 분비물의 증가나 기관 내관의 폐쇄, 기관지연축 등으로 인하여 고기
도압을 보인다(98쪽 참조). 반복적인 흡인, 기관지확장제 사용을 고려하고 필요
시 기관 내관을 교체한다.

(7) 자동유발(Auto-triggering)

환자의 흡기 근육의 수축 없이 기계환기기에 의해 호흡이 시작하는 것(그림
7-6)으로 튜브의 불규칙잡음(random noise), 수분, 공기 누출 등에 의해 발생할
수 있으며 cardiogenic oscillation에 의해서도 가능하다. 흡기유발 역치를 증가
시키거나 튜브내 수분을 제거하고 누출 부위를 확인한다.

(8) 지연 주기(Delayed cycling)

설정된 흡기 시간이 끝나기 전 환자의 호기노력이 시작되는 것으로 과도한 흡
기 시간이 원인일 수 있다. 흡기 시간을 감소시키거나 보조환기로 전환한다.

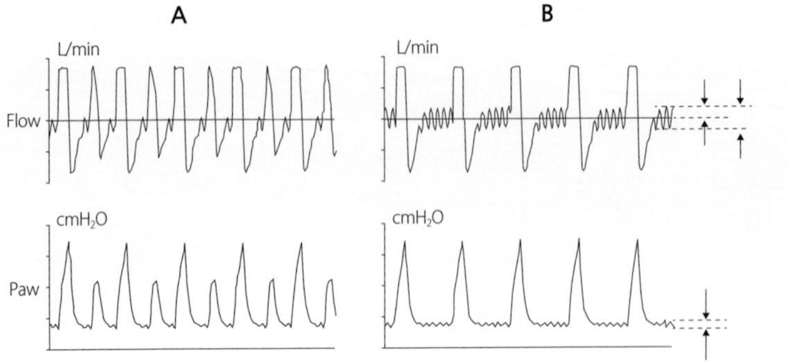

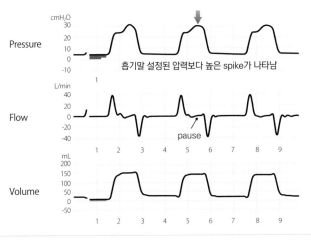

그림 7-6. 자동유발

A. 유발역치 1 L/min인 경우, B. 유발역치를 4 L/min로 증가시킨 후 자동유발이 없어짐

그림 7-7. 지연 주기

참고문헌

1. James M. Mechanical Ventilation Physiological and Clinical Applications. 6th ed. Australia: Pilbeam; 2016.

2. Thille AW, Rodriguez P, Cabello B, et al. Patient-ventilator asynchrony during assisted mechanical ventilation. Intensive Care Med 2006;32:1515-22.

3. Imanaka H, Nishimura M, Takeuchi M, et al. Autotriggering caused by cardiogenic oscillation during flow-triggered mechanical ventilation. Critical Care Medicine 2000;28:402-7.

08. 기저질환에 따른 기계환기기 치료

1) 정의

급성 호흡곤란증후군은 아직 효과적인 치료 방법이 없고 사망률이 50%를 넘는 치명적인 질환으로 특별한 주의를 요하는 질환이다.

급성 호흡곤란증후군은 폐질환이 없던 환자에서 신체의 심각한 손상으로 폐 모세혈관 및 폐포 상피세포의 투과성이 증가되어 발생한 투과성 폐부종을 의미하며 표 8-1과 같이 정의한다.

표 8-1. 급성 호흡곤란증후군의 정의(베를린 정의)

시작	급성(손상을 받은 후 1주 이내 또는 새롭게 악화되는 호흡기 증상)
흉부사진	양측성 침윤(흉수, 폐허탈 또는 폐결절로 설명되지 않음)
폐부종 발생 원인	심부전이나 수액 과다에 의한 호흡부전이 아니어야 함 (위험인자가 없을 경우 압력성 폐부종을 배제하기 위해 심초음파 등의 검사가 필요함)
산소화 경증 중등증 중증	$200 \text{ mmHg} < PaO_2/FIO_2 \le 300 \text{ mmHg}$ (호기말양압 또는 지속기도양압 $\ge 5 \text{ cmH}_2O$) $100 \text{ mmHg} < PaO_2/FIO_2 \le 200 \text{ mmHg}$ (호기말양압 또는 지속기도양압 $\ge 5 \text{ cmH}_2O$) $PaO_2/FIO_2 \le 100 \text{ mmHg}$ (호기말양압 또는 지속기도양압 $\ge 5 \text{ cmH}_2O$)

심초음파 검사는 기본적 진단을 위해서 뿐만 아니라 현재 심기능 상태 및 체액량 평가를 위해서도 매우 중요하다. 환자 혈역학적 변동이 있을 때마다 심초음파 검사를 시행할 수 있으면 치료 방향 결정에 도움이 된다.

2) 치료

급성 호흡곤란증후군(ARDS)의 근치적인 약물요법은 없으나 기계환기법의 개선에 의해 사망률을 감소시켜 왔다. 현재까지 알려진 치료법을 요약하면 다음과 같다(그림 8-1).

(1) 급성 호흡곤란증후군을 유발한 원인질환을 치료한다.

(2) 환자 상태 개선을 위한 보조요법이 중요하다.

① 목표는 주요 장기의 적정 산소화를 유지하고 환기기유발 폐손상을 최소화하는 것이다.

② 방법

　ⅰ) 산소요법과 기계환기 치료(91쪽 2-6 폐보호환기법 참조)

　　일회호흡량은 예측 체중 1 kg당 6 mL 이하를 적용한다. 호기말양압은 5 cmH$_2$O 이상, 일반적으로는 10−15 cmH$_2$O 적용하며 흡입산소분율에 따라 조정한다(표 8-2). 고원압(plateau pressure)은 30 cmH$_2$O 이하를 유지한다.

　　호기말양압에 반응이 있는 환자와 없는 환자가 있으며 반응이 있는 군이 예후가 좋다.

표 8-2. 인공호흡기 설정

Ventilation protocol used for the lower tidal volume group in the ARDS network study	
Parameter	Protocol
Mode of ventilation	Volume assist−control/Pressure assist−control
Tidal volume	≤6 mL/kg predicted body weight
Plateau pressure	≤30 cmH$_2$O
Frequency	6−35 breaths/min, titrated for pH 7.30−7.45
I:E ratio	1:1 to 1:3
Oxygenation goal	PaO$_2$ 55−80 mm Hg, or SaO$_2$ 88−95%
F$_I$O$_2$/PEEP (cmH$_2$O) Combinations allowed	0.3/5, 0.4/5, 0.4/8, 0.5/8, 0.5/10, 0.6/10, 0.7/10, 0.7/12, 0.7/14, 0.8/14, 0.9/14, 0.9/16, 0.9/18, 1.0/18, 1.0/20, 1.0/22, 1.0/24
Weaning	By pressure support, required when FIO$_2$/PEEP≤0.4/8

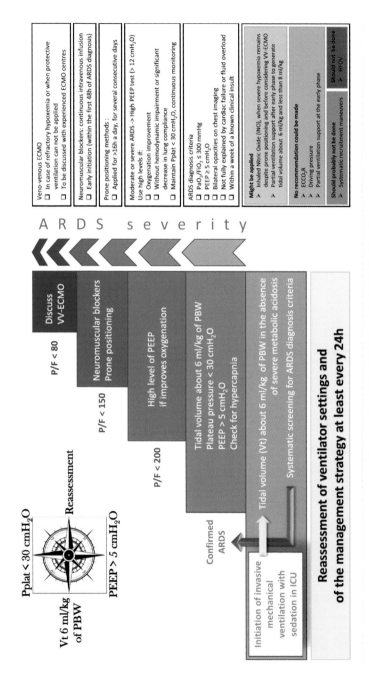

Early management of ARDS

Initiation of invasive mechanical ventilation with sedation in ICU

Confirmed ARDS

Vt 6 ml/kg of PBW

Reassessment

Pplat < 30 cmH₂O

PEEP > 5 cmH₂O

Tidal volume (Vt) about 6 ml/kg of PBW in the absence of severe metabolic acidosis

Systematic screening for ARDS diagnosis criteria

Reassessment of ventilator settings and of the management strategy at least every 24h

P/F < 200

Tidal volume about 6 ml/kg of PBW
Plateau pressure < 30 cmH₂O
PEEP > 5 cmH₂O
Check for hypercapnia

P/F < 150

High level of PEEP if improves oxygenation

Neuromuscular blockers
Prone positioning

P/F < 80

Discuss VV-ECMO

A R D S   s e v e r i t y

Veno-venous ECMO
☐ In case of refractory hypoxemia or when protective ventilation can not be applied
☐ To be discussed with experienced ECMO centres

Neuromuscular blockers: continuous intravenous infusion
☐ Early initiation (within the first 48h of ARDS diagnosis)

Prone positioning methods :
☐ Applied for >16h a day, for several consecutive days

Moderate or severe ARDS -> High PEEP test (> 12 cmH₂O)
Use high levels if:
☐ Oxygenation improvement
☐ Without hemodynamic impairment or significant decrease in lung compliance
☐ Maintain Pplat < 30 cmH₂O, continuous monitoring

ARDS diagnosis criteria
☐ PaO₂/FiO₂ ≤ 300 mmHg
☐ PEEP ≥ 5 cmH₂O
☐ Bilateral opacities on chest imaging
☐ Not fully explained by cardiac failure or fluid overload
☐ Within a week of a known clinical insult

Might be applied
⋗ Inhaled Nitric Oxide (INO), when severe hypoxemia remains despite prone positioning and before considering VV-ECMO
⋗ Partial ventilation support after early phase to generate tidal volume about 6 ml/kg and less than 8 ml/kg

No recommendation could be made
⋗ ECCO₂R
⋗ Driving pressure
⋗ Partial ventilation support at the early phase

Should probably not be done   **Should not be done**
⋗ Systematic recruitment maneuvers   ⋗ HFOV

그림 8-1. 급성 호흡곤란증후군(ARDS) 단계별 치료 병 안내

실제 적용 시에 고려할 것으로는 일회호흡량은 처음에는 kg당 8 mL을 설정하고 약 30분 뒤 동맥혈가스교환 상태를 평가하여 안정적이면 kg 당 7 mL 낮추고 이후 안정적이면 kg 당 6 mL로 낮추는 것이 안전하다. 심각한 이산화탄소의 축적 혹 심각한 저산소증 지속 시에는 일회호흡량을 더 줄이지 않고 다른 치료 방법을 병합할 것을 고려해야 한다.

저산소증 악화 시 단계별 치료 계획을 염두에 두고 치료에 임하는 것이 필요하다. 즉 기계환기 치료 시작 시부터 복와위 치료 여부 또는 체외막산소화장치 적용 여부 등을 미리 결정을 해 놓는 것이 바람직하다.

급성 호흡곤란증후군에서 자발호흡 허용에 대해서는 논란이 있다. 자발호흡 허용에서 환자가 편안하게 호흡을 한다면 장점이 많지만 환자가 호흡곤란으로 깊은 호흡을 해야 된다면 폐손상을 더 유발시킬 수 있다.

ii) 복와위(prone position) 환기(118쪽 이하 복와위법 참조)

복와위 치료는 환기−관류 비(ventilation−perfusion ratio) 개선 효과가 있다. 허탈된 폐포의 개방이 향상되어 단락이 줄어든다. 중증 환자에서 장시간(하루 16시간 이상) 복와위 환기는 생존율 개선 효과가 있다.

iii) 체외막산소화장치(Extracorporeal membrane oxygenation, ECMO) (체외막산소화장치 참조)

체외막산소화장치 치료는 환자의 혈액을 체외로 빼내어 산소화시켜서 다시 체내로 주입하는 치료이다. 중증 급성 호흡곤란증후군 환자에서 주로 정−정맥체외막산소화장치(veno−venpus ECMO)를 시행한다.

iv) 진통제, 진정제 및 신경근차단제(166쪽 9장 진통 및 진정 참조)

진정요법은 환자−기계환기기 동조를 향상시키며 불필요한 산소 소모를 감소시킨다. 진정 목표는 가능한 얕은 진정(RASS 0~−1) 유지이지만 환자 호흡 곤란이 심한 경우나 환자−기계환기기 동조가 어려운 경우는 깊은 진정이 불가피하다. 주로 진정제와 마약성 진통제를 병용 투여한다.

신경근차단제를 급성 호흡곤란증후군 발생 48시간 이내에 사용 시 산소화 개선, 기계환기 시간 감소 및 사망률 감소 효과를 나타낸 연구

도 있지만 좀 더 확실한 증거가 필요한 상황이다. 신경근차단제는 진정
제 및 진통제 사용만으로 적절한 산소화, 환자-기계환기기 동조, 폐보
호환기 유지가 어려운 경우에 사용될 수 있다.

v) 감염이 동반된 경우 적절한 항생제를 투여해야 된다.

vi) 적절한 수액요법 역시 생존 여부를 결정하는데 중요하다. 적절한 수
액 요법을 결정하는 것은 쉽지 않으며 혈압 하강 시에는 심초음파, 동
적심박출량 측정 기계 등이 도움이 될 수 있다. 패혈증 생존율 향상 캠
페인지침(Surviving Sepsis Campaign Guideline)을 참조로 한다. 혈역학적으
로 안정된 환자는 수액 공급을 제한하고 이뇨제를 사용하여 수액상태
를 가능하면 음성으로 유지한다. 단, 다장기 손상이 없고 혈중 유산 상
승이 없어야 한다.

vii) 저혈압 환자에서 혈압상승제 사용

급성기에는 쇼크가 빈번하게 동반되므로 적절한 수액 공급 및 혈압상
승제 사용이 필요하다. 노르에피네프린이 우선적으로 사용되는 약물로
추천되며 노르에피네프린 사용 후에도 여전히 쇼크가 지속되면 바소프
레신, 또는 에피네프린을 추가로 사용한다. 좌심실 기능 저하가 동반된
경우에는 도부타민 사용을 고려한다.

viii) 영양 공급 및 수혈

가능한 조기에 경구 영양을 시작하며 혈색소 7 g/dL 미만 또는 조직 관
류 저하가 의심되면 적혈구 수혈을 고려한다.

(3) 그 외 고려해 볼 수 있는 치료방법들은 다음과 같다.

① 가스 교환

i) 과탄산혈증의 허용(permissive hypercapnia)

환기기유발폐손상을 감소시키기 위해서는 일회호흡량과 환기 횟수를
가능한 낮게 유지하여 과탄산혈증을 산혈증이 심하지 않은 한계(pH >
7.15) 내에서 허용하는 것이다.

ii) 산화질소 흡입(nitric oxide inhalation)

산화질소 흡입 시 환기-관류 비 향상을 통한 산소화 개선 효과가 있다.

생존률을 개선시키지는 못하지만 구조 요법(salvage therapy)으로 이용할 수 있다.

② 약물요법

ⅰ) 스테로이드

급성기를 넘겼으나 환자의 폐 상태가 호전되지 못하고 후기 증식기 즉 폐 섬유화 단계로 계속 진행 시에는 이를 감소시킬 목적으로 스테로이드를 사용해 볼 수 있다. 스테로이드의 사용은 산소화는 호전되지만 감염의 가능성을 증가시켜 사망률을 증가시킬 수도 있으므로 주의를 요하는 약물이다. 표 8-3, 표 8-4를 참조하여 제한적으로 스테로이드 사용 고려하며 스테로이드 사용 시에는 표 8-5의 프로토콜을 참조한다.

표 8-3. 스테로이드 사용을 고려할 수 있는 경우

1. 18세 이상
2. 여러 가지 치료(prone positioning, PEEP titration, alveolar recruitment, NO inhalation 등)에도 산소화 개선이 이루어지지 않는 중증 환자
3. Murray lung injury score가 2.5점 이상인 환자가 7일 이상의 인공호흡기 치료에도 불구하고 급성 호흡곤란증후군(ARDS) 첫 날에 비하여 1점 이상의 호전이 없는 경우
4. 감염의 증거가 없거나 항균제로 충분히 감염을 통제하고 있다고 판단되는 경우

표 8-4. 스테로이드 사용의 금기증

1. 급성 호흡곤란(ARDS) 진단 후 2주 이상 경과한 환자
2. 심한 화상 환자
3. 잔여 생존 기간이 3개월 미만인 경우
4. 임신, 최근 3개월 이내의 장출혈

표 8-5. 중증 호흡곤란증후군(ARDS)에서 스테로이드 투여 프로토콜 예

1. 메틸프레드니솔론 Loading dose: 1 mg/kg/day
2. 메틸프레드니솔론 D1 − D14: 1 mg/kg/day
3. 메틸프레드니솔론 D15 − D21: 0.5 mg/kg/day
4. 메틸프레드니솔론 D22 − D25: 0.25 mg/kg/day
5. 메틸프레드니솔론 D26 − D28: 0.125 mg/kg/day

참고문헌

1. Papazian L, Aubron C, Brochard L, et al. Formal guidelines: management of acute respiratory distress syndrome. Ann Intensive Care 2019;9:69.

2. Ranieri VM, Rubenfeld GD, Thompson BT, Ferguson ND, Caldwell E, Fan E, et al. Acute respiratory distress syndrome: the Berlin Definition. JAMA 2012;307(23):2526-33.

3. Bellani G, Laffey JG, Pham T, Fan E, Brochard L, Esteban A, et al. Epidemiology, patterns of care, and mortality for patients with acute respiratory distress syndrome in intensive care units in 50 countries. JAMA 2016;315(8):788-800.

1-2. 복와위법(Prone position)

1) 작용 기전

(1) 가스교환에 미치는 효과

복와위는 급성 호흡곤란증후군 환자 대부분(70–80%)에서 산소화를 개선시키며 중증 저산소혈증에 대한 구조치료로 효과적이다.

앙와위에서는 심장과 복부 장기의 무게에 눌려서 등쪽의 흉막압이 증가한다. 심장은 심장보다 뒤에 있는 등쪽 폐에 약 5 cmH_2O의 압력을 가하게 된다. 복강내압 또한 중력의 영향으로 배쪽 보다 등쪽 폐 부분에 미치는 영향이 더 크다. 이렇게 증가한 흉막압 때문에 등쪽 폐 부분의 경폐압(기도 개방 압력 – 흉막압)이 줄어든다. 한편, 급성 호흡곤란증후군 환자에서는 폐부종에 의해 폐 질량이 증가하여 배쪽과 등쪽 사이의 흉막압 경사가 증가하며 등쪽 부분 폐의 국소 환기가 배쪽에 비해 더 감소한다. 이러한 요인들 때문에 등쪽의 눌리는 폐 부분에서 허탈이 잘 발생하게 된다. 반면 혈관 압력에 작용하는 중력 경사에 의해 폐의 관류는 눌리는 폐 부분으로 더 많이 간다. 그 결과 등쪽 폐에 단락이나 환기–관류불균형이 심하고 이는 산소불응성 저산소증을 발생시킨다.

이러한 상태의 환자를 복와위로 바꾸면 일부는 중력 효과 때문에 그리고 일부는 폐의 입체형태적인 모양이 흉강과 맞아떨어지는 현상으로 인하여 흉막압 경사가 감소한다. 폐의 기하학적 구조는 배쪽이 뾰족하고 등쪽이 넓은 원뿔 모양으로 비유할 수 있다. 이러한 구조에서 중력에 의해 눌리는 부분이 앙와위에서는 폐포가 많이 있는 등쪽이지만 복와위에서는 폐포가 적은 배쪽이다. 즉 복와위에서는 앙와위에서보다 눌리는 폐포가 적다. 결과적으로 복와위에서는 폐의 환기 및 긴장 분포가 앙와위에서보다 더 균일해진다.

폐 혈류의 국소적 분포는 복와위에서 크게 달라지지 않는다. 정상 폐든지 병든 폐든지 앙와위와 복와위 모두에서 폐 혈류는 등쪽으로 더 많이 간다. 이는 폐의 국소 관류 분포가 중력 외에 폐순환계의 기하학적 구조, 저산소성 혈관수축 감소 등 비중력적인 요인에 의해 많이 결정되기 때문이다. 복와위로 자세를 바꾸면 상대적으로 관류 분포는 유지된 채로 환기가 균일해지기 때문에 폐 단락이 크게 감소하게 된다. 급성 호흡곤란증후군의 경우 복와위를 취하면 단락이 평균적으로 30% 정도 감소한다.

(2) 폐 보호에 미치는 효과

급성 폐손상에서 동맥혈소분압을 상승시키는 치료들이 꼭 생존률 향상으로 이어지는 것은 아니다. 그러나 복와위는 산소화를 개선시키는 효과 외에도 기계환기 치료 중 발생하는 기계적인 폐손상(ventilator−induced lung injury, VILI)을 줄임으로써 생존율을 향상시키는 것으로 여겨진다.

첫째, 복와위는 눌리는 폐 부분을 모집함으로써 눌리는 부분으로의 환기를 개선시킨다. 둘째, 눌리지 않던 폐 부분에서 발생하던 과팽창은 복와위를 취함으로써 줄어든다. 이러한 기전을 통해 폐 전체적으로 환기 정도가 더 균일해져서 국소 전단 긴장이 줄어들고 VILI 발생 위험이 준다.

복와위를 취하는 것과 높은 호기말양압을 적용하는 것은 VILI의 예방에 있어 상호 보완적인 효과를 발휘한다. 급성 호흡곤란증후군에서 호기말양압을 증가시키면 폐포의 탈모집을 예방할 수 있으나 이미 잘 환기되던 폐포에서는 과팽창이 발생한다. 이러한 상황에서 복와위가 호기말양압의 이러한 부작용을 완화시키는 역할을 할 수 있다. 높은 호기말양압을 적용하는데 더해 복와위를 취하면 폐 환기를 증가시키면서 동시에 국소 폐의 과팽창을 줄이고 호흡에 따라 반복되는 소기도의 개방/폐쇄를 예방할 수 있다.

기계적인 효과와 별개로 복와위를 통해 폐렴이 줄어들 수도 있다. 복와위에서는 중력의 이점 때문에 등쪽 폐로부터 기관으로의 분비물 이동이 용이해진다. 이 때문에 앙와위에서 보다 호흡기 분비물의 배액이 촉진되어 기계환기기연관 폐렴 발생이 줄 수 있다.

(3) 폐 이외의 장기에 미치는 효과

복와위는 심장과 복압에도 영향을 미친다. 일반적으로는 복와위에서 심박출량이 변하지 않는다. 그러나 복와위에서는 우심방이 배쪽으로 가게 되어 정맥 환류가 증가하게 된다. 따라서 전부하 증가가 도움이 되는 상황에서는 복와위를 취함으로써 심박출량이 증가될 수 있다. 추가적으로 복와위를 통해 저산소증이 개선되면 저산소성 폐혈관 수축이 풀리면서 우심실 후부하도 줄게 된다. 복와위의 이러한 혈류역학적 효과는 주로 중증 급성 호흡곤란증후군 환자들에서 관찰된다.

비만은 등쪽의 무기폐를 악화시키기 때문에 수술을 받는 정상 폐 비만 환자에서 복와위가 산소화를 개선시킬 수 있다. 그러나 비만한 급성 호흡곤란증후군 환자에서는 복와위를 취하면 복강내 고혈압이 악화되어 신장 및 간 기능부전으로 이어질 수 있다. 따라서 비만한 환자에서 복와위를 시도하는 경우 복강내압을 감시하는 것이 바람직하고 필요하다면 공기 매트리스를 이용하여 그 부작용을 줄이는 것이 필요하다. 복와위에서는 구토가 잘 생겨 장관영양이 어려울 수 있다. 위를 빨리 비우기 위해 위 잔류량을 감시하고, 위 운동성을 향상시킬 수 있는 약물을 사용하거나 복와위 상태에서 역-트렌델렌버그 자세를 취하기도 한다.

2) 적응증

복와위는 PaO_2/FiO_2 비가 150 mmHg 미만인 중증 급성 호흡곤란증후군 환자가 주 대상이다. 복와위는 발병 후 일찍(가능하다면 48시간 이내) 시행하고 하루 16시간 이상 복와위를 적용하며 폐 보호 환기법(특히 적은 일회호흡량 사용)을 함께 적용해야 한다.

3) 복와위 시행 방법

(1) 준비 과정

① 환자가 혈역학적으로 안정적인지 확인한다.

② 주입 중인 관급을 중단한다(체위 변경 과정에서의 기도 흡인 위험을 감소시키기 위함).

③ Air ring 베개, 전극 스티커 3개, 예방적 폼 드레싱 물품, 정맥 도관 고정용 드레싱 물품 등을 준비한다.

④ 끈을 이용하여 기관 내관을 이중으로 고정한다(복와위에서 기관 내관 고정이 느슨해지는 것과 기관 내관의 위치 변화를 예방하기 위함).

⑤ 기관절개 도관을 사용 중인 환자의 경우, Anode 기관 내관(철사로 보강된

flexometallic 기관 내관)으로 바꾼 뒤 복와위를 시행한다(기관절개 도관은 길이가 짧아 복와위에서 탈관의 위험이 더 높고 눌릴 수 있기 때문임).
⑥ 복와위로의 체위 변경 직전 충분한 전산소화를 시행한다.

(2) 시행 과정
① 환의를 제거한다.
② 양쪽 어깨, 장골능/장골극, 가슴 등 압력을 많이 받는 부위에 폼 드레싱 물품을 부착한다(복와위에서 압력이 많이 가해지는 부위의 피부 손상을 예방).
③ 의사는 침상 머리에서 기관 내관과 턱을 잡아 기도를 확보하고 간호사 4명은 침대 양 옆에 두 명씩 위치한다.
④ 모든 삽입 관과 도관의 삽입 위치와 길이를 확인한다: 복와위로의 변경 과정 동안 관과 도관이 꼬이거나 빠지지 않도록 주의해야 하며 필요시 연장선을 이용하여 관과 도관의 길이를 충분히 확보한다.
　ⅰ) 상체에 삽입된 관은 어깨와 평행한 방향으로 확보하여 침상 머리 쪽에 위치시킨다.
　ⅱ) 하체에 삽입된 관은 다리와 평행한 방향으로 확보하여 침대 발치에 위치시킨다.
　ⅲ) 고개를 돌려 기계환기기 회로를 한 쪽으로 당겨서 길이를 확보한다.
⑤ 좌측 또는 우측 침상 끝으로 최대한 환자를 옮겨 신체를 회전시키기에 충분한 침상 공간을 확보한다: 중심정맥관이 있는 경우 중심정맥관이 삽입된 쪽 끝으로 환자를 옮기는 것이 회전에 용이하다.
⑥ 환자의 팔을 상체에 밀착시킨다.
⑦ 전흉부의 전극 스티커를 떼어낸다.
⑧ 동맥관을 감시 장비에서 분리시키고 맥박 산소계측기는 부착한 채로 말초 산소포화도를 감시한다.
⑨ 도뇨관을 잠그고 침상으로 올린다.
⑩ 구령에 맞춰 동시에 환자를 복와위로 돌린다.
　ⅰ) 침상 위쪽에 있는 의사는 기관 내관과 환자의 머리를 함께 붙잡고 지지한다.

ii) 상지 쪽에 있는 간호사는 상지의 침습 관, 팔 관절, 어깨를 지지한다.

iii) 하지 쪽에 있는 간호사는 하지의 침습 관, 도뇨관, 다리 관절을 지지한다.

⑪ 베개를 한쪽 가슴 아래에 넣어 약간의 측와위를 유지하고 베개에 의해 복부가 눌리지 않도록 주의하며, 베개를 넣은 방향으로 고개를 돌리고 같은 쪽의 팔과 다리를 굽힌 후 베개로 지지한다. 반대쪽 팔과 다리는 곧게 편다.

⑫ Air ring 베개를 이용하여 머리를 받친다: 귀에 가해지는 압력을 최소화하기 위하여 air ring 베개의 가운데 구멍에 귀를 위치시킨다.

⑬ 등쪽에 전극 스티커를 부착하고, 분리하였던 동맥관을 감시 장비에 연결하여 심전도와 혈압을 확인한다.

⑭ 기관 내관의 위치와 기계환기기 회로의 연결 상태를 확인하고, 침습 관들이 꺾이거나 눌리지 않도록 드레싱 물품으로 고정한다.

⑮ 상체가 올라가도록 침대 전체의 각도를 15도로 맞추고 시트를 덮는다.

(3) 시행 후 관리

① 복와위로의 체위 변경 직후 기관 내관 분비물 흡인을 시행한다.

② 흉부방사선사진촬영을 통해 기관 내관 위치를 확인한다.

③ 2시간마다 체위 변경 및 압력을 받는 부위의 마사지를 시행하고 피부 손상의 위험이 높은 부위의 피부 상태를 사정한다(뺨, 귀, 앞가슴, 팔꿈치, 장골능/장골극, 무릎): 예방적 드레싱은 체위 변경 시마다 제거하여 피부 상태를 확인한다.

④ 팔과 어깨 관절이 무리하게 꺾이지 않는지 확인한다.

⑤ 근무조당 1회 이상 안구 상태를 관찰하고 필요시 윤활제를 사용하고 눈이 감기도록 테이프를 부착한다(복와위에서 오랜 시간 안구가 눌려 손상되는 경우가 있음).

복와위를 얼마나 길게 적용해야 할지에 대해서는 아직 정해진 바가 없다. 복와위로 산소화가 개선되었다고 조급하게 앙와위로 돌아올 경우 흔히 폐포

탈모집이 발생하고 상태가 다시 악화될 수 있다.

　복와위의 금기증에는 중증 안면 또는 경추 외상, 골반/척추 불안정성, 두개내압 상승(고개를 돌리면 내경정맥이 압박됨), 대량 객혈, 자주 부정맥이 발생하는 경우, 심폐소생술이 필요할 가능성이 높은 경우 등이 있다. 복와위 경험이 많은 기관에서는 임신 셋째 3분기 중, VV−ECMO 시행 중, 침습 두개내압 감시 적용 중에 성공적으로 복와위를 시행한 증례를 보고한 바가 있다.

4) 부작용 및 감시

복와위의 부작용으로는 일시적인 구강 및 기관 분비물의 증가에 의한 기도 폐쇄, 기관 내관의 이동 또는 꼬임(kinking), 비계획적 탈관, 혈관 도관의 꼬임 및 빠짐, 복강내압 상승, 위 잔류량 증가 및 장관영양 어려움, 얼굴의 압력 궤양 또는 부종 발생, 전흉부 압력 궤양, 기관 내관에 의한 입술 외상, 팔 신전에 의한 팔신경 얼기 손상 등이 있다.

참고문헌

1.　Gattinoni L, Taccone P, Carlesso E, Marini JJ. Prone position in acute respiratory distress syndrome: rationale, indications, and limits. Am J Respir Crit Care Med 2013;188(11):1286-93.

2.　Guérin C, Reignier J, Richard JC, et al. Prone positioning in severe acute respiratory distress syndrome. N Engl J Med 2013;368(23):2159-68.

3.　Scholten EL, Beitler JR, Prisk GK, Malhotra A. Treatment of ARDS With Prone Positioning. Chest 2017;151(1):215-24.

4.　Beitler JR, Shaefi S, Montesi SB, et al. Prone positioning reduces mortality from acute respiratory distress syndrome in the low tidal volume era: a meta-analysis. Intensive Care Med 2014;40(3):332-41.

1-3. 폐포동원술(Alveolar recruitment maneuver, ARM)

1) 폐포허탈의 병리학

급성 호흡곤란증후군(ARDS)은 폐내 단락(shunt)에 의한 불응성 저산소증을 특징으로 하며 단락의 해소는 급성 호흡곤란증후군 기계환기법의 가장 중요한 목표이다. 급성 호흡곤란증후군에서 단락의 주 원인은 폐포허탈이며 허탈 폐포를 가스교환 가능 상태로 만드는 것을 폐포모집(alveolar recruitment)이라 한다. 급성 호흡곤란증후군에서 폐포허탈은 단락의 기전일 뿐 아니라 환기기유발폐손상(ventilator−induced lung injury)의 병소가 되는 것으로 알려져 있기 때문에 폐포모집은 환기기유발폐손상을 억제하는 의미에서도 중요하다.

2) 압력−용적곡선 생리학과 급성 호흡곤란증후군폐의 기계적 특성

압력−용적곡선은 호흡기계 팽창과 수축의 정적 역학(static mechanics)을 나타낸다. 폐는 팽창 및 수축 과정에서 기체−조직 경계의 표면 장력이 달라지는 특성이 있어 같은 압력일지라도 팽창 시 용적과 수축 시 용적에 차이가 생긴다. 이러한 것을 이력현상(hysteresis)이라 하며 이력현상은 폐포허탈이 많은 급성 호흡곤란증후군 폐에서 더욱 커지며 이에 따라 팽창곡선과 수축곡선에 분명한 상(phases)이 생기게 된다.

 급성 호흡곤란증후군 폐에서 압력−용적곡선의 팽창각(inflation limb)은 먼저 건강한 폐(preserved normal lung)의 팽창(1상), 대량의 폐포개방(2상), 폐의 탄성적 확장(3상) 및 폐 교원섬유와 흉곽의 과팽창(4상)으로 이루어진다. 수축각(deflation limb)은 폐 교원섬유와 흉곽 과팽창의 해소(1상), 폐조직의 탄성적 수축(2상), 대량의 폐포허탈(3상), 그리고 소기도 폐쇄 및 대량 기체포획(4상)으로 이루어진다.

 일반적으로 정적 압력 0−30(또는 45) cmH$_2$O 범위의 압력에서 얻어지는 팽창 및 수축 두 곡선의 내부를 pressure−volume envelope이라고 일컫는다. Pressure−volume envelope는 생리학적으로 환자 호흡기계의 팽창과 수축의 모든 가능한 압력−용적관계를 포함하는 영역이다. 기계환기 중인 환자에게 제공되는 상시환기의 압력−용적환(tidal pressure−volume loop)은 이 envelope 내 어느 지점에 위치하게 되며 상시 압력—용적환 위치가 수축각에 가까울수록 가스교환이 호전되며 폐포의 주기적 개방—폐쇄 현상이 최소화 된다.

3) 폐단위 허탈 및 허탈 폐단위 개방의 물리학

호기말양압은 호기 시 작용하는 압력으로 흡기 시 이루어진 폐포 개방을 유지해주는 재허탈 억제력(anti-derecruiting force)이다. 따라서 호기말양압이 효과적이기 위해서는 흡기에 의한 폐포모집이 있어야 한다. 폐는 자체의 탄성력, 표면장력, 그리고 환기불량 폐포에서의 흡수성 허탈(absorptive collapse) 등의 이유로 본질적 허탈경향을 갖고 있다. 정상 폐에서 폐포허탈이 억제되는 것은 폐포, 간질 및 교원조직의 탄성조직 공유로부터 발생되는 탄성적 상호의존성(elastic interdependence), 계면활성물질, 측부환기(collateral ventilation) 및 한숨(sigh) 등의 기제가 있기 때문이다. 폐포는 일단 폐쇄되면 표면장력 특성에 의해 폐쇄가 고착화되고 반대로 일단 개방되면 탄성적 상호의존성에 따라 주위 폐포의 개방도 수월해진다.

한편, 기도의 경우 개방되는 데는 폐쇄되는 것보다 더 긴 시간이 필요하다. 또, 중심성 기도는 수 회의 호흡으로 개방되는 반면 허탈된 말초 폐포의 개방은 더디게 일어난다.

4) 폐포모집술(alveolar recruitment maneuver)

(1) 정의

상시환기환이 pressure-volume envelope 팽창각에 있는 상태에서 이를 수축각쪽으로 이동시키고자 할 때는 먼저 폐의 잠재적 용적이 다 개방되어야 한다. 이는 높은 팽창압과 그 압력의 장시간 적용이 요구된다. 기계환기 중 이러한 '충분한 [압력×시간]'이라는 물리학적 항(term)을 적용하는 조작을 폐포모집술(alveolar recruitment maneuver)이라 한다.

(2) 적응증

급성 호흡곤란증후군 진단 24시간 후, 일반적인 인공호흡기 설정에도 PaO_2/FiO_2 ratio < 200 mmHg인 경우이다.

(3) 금기

① 만성 폐질환(chronic lung disease)

② 흉관 삽입 상태(chest tube inserted state)

③ 혈역학적 불안정(hemodynamic instability)

(4) 환자 조건

① 진정제 및 근이완제를 사용하여 완전한 수동적 상태 유지

② 혈역학적 안정성: 필요시 충분한 수액 투여

- Pulse pressure variation (PPV) 또는 stroke volume variation (SVV) < 10%

- 중심정맥산소포화도($ScvO_2$) > 70%

- 중심정맥압(central venous pressure, CVP) > 12 cmH_2O

(5) 폐포모집술 시행 방법(그림 8-2)

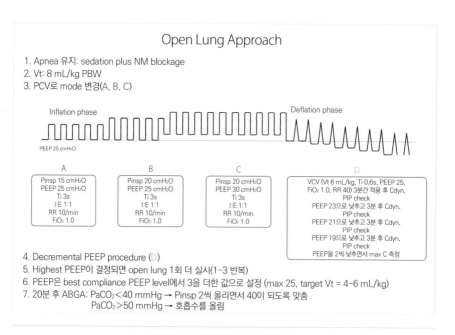

그림 8-2. 폐포모집술 프로토콜 예

① 초기 설정

　　－ 환기양식: pressure control ventilation (PCV)

　　－ 압력(inspiratory pressure): 15 cmH$_2$O

　　－ 호기말양압(PEEP): 25 cmH$_2$O

　　－ 호흡수(respiratory rate, RR): 10회/분

　　－ 흡기 시간(inspiratory time, Ti): 3초

　　－ 흡기 대 호기 비율(I:E ratio): 1:1

　　－ 흡입산소분율(FiO$_2$): 1.0

② 폐포모집

　　－ 표 8-6의 프로토콜에 따라 폐포모집 시행

표 8-6. 폐포모집 시행 방법

Setting	Mode	Pressure (cmH$_2$O)	PEEP (cmH$_2$O)	RR (/min)	Ti (sec)	I:E ratio	FiO$_2$
5 breath	PCV	15	25	10	3	1:1	1.0
5 breath	PCV	20	25	10	3	1:1	1.0
20 breath	PCV	20	30	10	3	1:1	1.0

③ 폐포모집 후 호기말양압 최적화(post-recruitment PEEP titration)

　　－ 폐포모집 후 최고흡기압에서 기도압을 점진적으로 낮추면서 산소포화
　　　도와 폐탄성(lung compliance)이 최적화되는 호기말양압 결정: 폐의 잠
　　　재적 용적이 다 개방된 후 불안정 폐단위의 대량 재허탈을 억제하는 수
　　　준의 압력(압력-용적곡선 상의 수축각의 deflection point)을 호기말양압
　　　(PEEP)으로 삼음

　ⅰ) 방법

　　　－ 환기양식: volume A/C mode

　　　－ 호기말양압(PEEP): 25 cmH$_2$O

　　　－ 일회환기량(tidal volume): 6 mL/kg of predicted body weight

   – 고원부압력(plateau pressure): <45 cmH$_2$O

   (고원부압력을 45 cmH$_2$O 이하로 유지하기 위해 필요한 경우 일회환

   기량을 4–5 mL/kg로 줄임)

   – 호흡수(respiratory rate): <40회/분(auto–PEEP이 생기지 않는 가장 높

   은 호흡수)

   – 흡기 시간(inspiratory time): 0.6초

   – 흡입산소분율(FiO$_2$): 1.0

 ii) 호기말양압 최적화

   – 설정된 변수 중 호기말양압(PEEP)만을 변경

   – 첫 3분간 폐탄성(lung compliance)이 안정되면 동적탄성(dynamic com-

   pliance)과 최대기도압(peak inspiratory pressure)을 기록

   – 이후 매 3분마다 호기말양압(PEEP)을 2 cmH$_2$O씩 줄이면서 동적탄성

   (dynamic compliance)과 최대기도압(peak inspiratory pressure) 기록

   – 호기말양압(PEEP)을 줄이면, 동적탄성(dynamic compliance)이 증가하

   게 되며 더 이상 동적탄성(dynamic compliance)이 증가하지 않는 가장

   높은 호기말양압을 best compliance PEEP level로 설정

   – Best compliance PEEP level + 3 cmH$_2$O가 적정 호기말양압(optimal

   PEEP)임

   – 확인된 적정 호기말양압에서 폐포모집을 1회 더 시행함

(6) 폐포모집술을 중단해야 하는 경우

① 평균동맥혈압(mean arterial pressure)<60 mmHg, 또는 기저치에서 20 mmHg

  이상 감소

② 산소포화도<88%

③ 심장박동수>130회/분, 또는 <60회/분

④ 부정맥 발생

⑤ 중심정맥산소포화도(ScvO$_2$)<65%, 또는 기저치에서 20% 이상 감소

참고문헌

1. Rothen HU, Neumann P, Berglund JE, et al. Dynamics of re-expansion of atelectasis during general anaesthesia. Br J Anaesth 1999;82:551.

2. C M Lim, Y Koh, W Park, et al. Mechanistic scheme and effect of "extended sigh" as a recruitment maneuver in patients with acute respiratory distress syndrome: a preliminary study. Crit Care Med 2001;29:1255-60.

3. Lim, Chae-Man MD; Jung, Hoon MD; Koh, et al. Effect of alveolar recruitment maneuver in early acute respiratory distress syndrome according to antiderecruitment strategy, etiological category of diffuse lung injury, and body position of the patient. Crit Care Med 2003;31:411-8.

4. Eddy Fan, M. Elizabeth Wilcox, Roy G. Brower, et al. Recruitment Maneuvers for Acute Lung Injury A Systematic Review. American Journal of Respiratory and Critical Care Medicine 2008;178:1156-63.

1-4. 기도압해제환기(Airway pressure release ventilation, APRV)

1) 이상기도양압법(bi-phasic positive airway pressure, BiPAP) (그림 8-3)
(1) 구동 원리 및 장점

BiPAP는 환자가 두 수준 양압(P_{high}, P_{low})에서 자발적으로 호흡할 수 있는 환기 방식이다. 기계는 일정 간격으로 circuit 내의 양압 수준을 바꾸어 주고(T_{high}, T_{low}) 환자는 CPAP에서와 같이 자발호흡을 하게 된다. BiPAP은 압력 또는 용적 조절환기법과 비교하여 최고기도압은 낮추면서 평균기도압은 높임으로써 폐 산소화에 유리한 환기방식이다. 환자가 자발호흡을 할 수 있기 때문에 횡격 막 기능을 유지할 수 있고 진정제 사용을 줄일 수 있으며 단일 수준의 높은 호기말양압을 쓰는 것에 비해 낮은 양압(P_{low}) 적용 시간(T_{low})에 정맥환류량이 증가하기 때문에 혈역학적으로 유리하다.

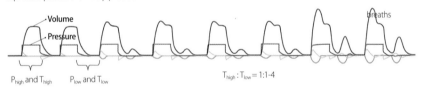

Biphasic positive airway pressure

Volume

Pressure

breaths

P_{high} and T_{high} P_{low} and T_{low} $T_{high} : T_{low} = 1:1\text{-}4$

그림 8-3. 이상기도양압법의 개념

(2) 생리학적 효과

BiPAP은 기본적으로 심각한 저산소증 환자에서 고려해 볼 수 있으며 설정 요소는 P_{high}, P_{low} 두 수준의 양압과 각각의 양압을 유지하는 시간(T_{high}: 높은 수준 양압 유지 시간, T_{low}: 낮은 수준 양압 유지 시간)이다. 이산화탄소의 제거는 양압이 변동될 때 일어나는 환기량과 환자의 자발호흡량에 의해 결정된다.

(3) 설정 방법

P_{low}는 개념적으로 inflection point 정도로, P_{high}는 환자의 고원부압을 파악하여 설정하며 보통 P_{low}보다 12-16 cmH$_2$O 높은 수준으로 시작한다. T_{high}와 T_{low}의 비는 1:1로 시작한다.

저산소증이 문제일 때는 P_{low}를 올리거나 T_{high}를 늘리고, PaCO$_2$를 조절하고자 할 때는 P_{high}와 P_{low}의 격차를 크게 하거나 P_{high}와 P_{low}의 변동 주기를 짧게 한다. 자발호흡을 돕기 위해 pressure support를 추가적으로 설정할 수 있다.

2) 기도압해제환기(APRV) (그림 8-4)

(1) 개념

APRV는 BiPAP의 일종으로서 T_{low}를 매우 짧게 하는 방식이다. 이는 폐허탈이 심각한 환자에서 높은 수준의 호기말양압을 적용하되 환자의 자발호흡을 유지하고자 하는 개념이다.

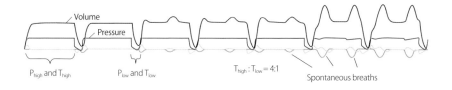

그림 8-4. 기도압해제환기의 개념

(2) 이 방식은 산소화에 유리한 반면 자발호흡이 실질적으로 T_{high} 동안만 일어날 수 있기 때문에 T_{low}가 긴 BiPAP에 비해 이산화탄소 배출은 불리하다.

(3) 설정 방법

APRV에서 T_{low}는 0.6-1초 정도로 설정한다. T_{low}가 2초가 넘으면 APRV의 특성을 잃게 된다. T_{low}를 정하는 원칙은 호기 곡선상 약간의 auto-PEEP이 관찰되

는 정도로 해야 한다. Auto-PEEP이 전혀 없으면 T_{low} 동안에 폐허탈이 생길 가
능성이 있기 때문이다. 호기 시간이 2초 이상으로 오래 걸리는 폐질환을 가진
환자, 즉 COPD, asthma 및 다른 원인으로 기도 저항이 증가된 환자는 APRV의
부적응증이다.

(4) APRV의 weaning

환자 상태가 호전되면 P_{high}를 줄이고 T_{low}를 늘린다. 이와 같이 되면 결국 단일
수준의 CPAP을 적용하는 것과 유사해지며 적절한 시점에 용적 또는 압력 조
절환기법으로 바꾼다.

참고문헌

1. Putensen C, Zech S, Wrigge H, et al. Long-term effects of spontaneous breathing during ventilatory support in patients with acute lung injury. Am J Respir Crit Care Med 2001;164:43.

2. Zhou Y, Jin X, Lv Y, et al. Early application of airway pressure release ventilation may reduce the duration of mechanical ventilation in acute respiratory distress syndrome. Intensive Care Med 2017;43:1648.

3. Mireles-Cabodevila E, Dugar S, Chatburn RL. APRV for ARDS: the complexities of a mode and how it affects even the best trials. J Thorac Dis 2018;10:S1058.

1-5. 호흡부전에서 체외막산소장치 치료(ECMO for acute respiratory failure)

1) 호흡부전에서 체외막산소장치 치료의 적응증

체외막산소장치는 고가일 뿐만 아니라 기술적인 난점들이 있어 효과가 높을 가능성이 많은 환자에서만 적용한다. 환자를 선택하는 기준에는 다변수, 혹은 단일 변수를 이용하는 방법이 있다. 다변수에 근거하는 적응증은 중증이지만 가역적인 호흡부전이다(RESP score −1 이상).

단일 변수를 사용하는 경우는 다음과 같다. 흡입산소 80% 이상이면서 호기말양압 10 cmH$_2$O 이상인 상황에서 다음 중 하나 이상 해당될 때 적용한다. 첫 번째는 3시간 이상 PaO$_2$/FiO$_2$ 50 이하, 두 번째는 6시간 이상 PaO$_2$/FiO$_2$ 80 이하, 세 번째는 6시간 이상 동맥혈 pH 7.25 이하이면서 PaCO$_2$ >60 mmHg인 경우이다.

중증 호흡부전의 경우는 여러 가지 고려할 사항이 많으므로 경험있는 중환자 전문의와 상의를 해서 결정하는 것이 바람직하다. 미국 체외막산소화장치 치료 협회는 ECMO 치료는 매년 20증례 이상의 치료 경험이 있는 센터에서 하도록 권고하고 있다(표 8-7).

2) 상대적 금기증

첫 번째는 장기간 약 7일 이상 높은 수준(최고흡기압 30 cmH$_2$O 이상 유지, 혹 흡입산소 80% 이상)의 기계환기기를 사용한 환자들이다. 두 번째는 뇌출혈이 있는 경우나 항응고제 헤파린 부적응증이 있는 경우이다. 세 번째는 적극적인 치료가 힘든 경우이다. 네 번째는 골수이식 환자의 경우로 이들은 ECMO 치료 예후가 불량한 것으로 알려져 있다.

3) 혈관 접근

대부분은 정맥−정맥을 사용해서 체외막산소화장치(veno−venous ECMO) 치료를 하게 된다. 대표적으로는 대퇴정맥을 통해서 피를 받아서, 산소막을 거쳐서 우측 내경정맥 혹 대퇴정맥을 통해서 다시 순환을 하게 된다. 우심실 부전이나 좌심실 부전이 동반된 경우에는 정맥−동맥 형태로 ECMO (veno−arterial

표 8-7. 체외막산소화장치 예후 예측표

Parameter	Score
Age, yr	
18 to 49	0
50 to 59	−2
≥60	−3
Immunocompromised status*	−2
Mechanical ventilation prior to initiation of ECMO	
<48 h	3
48 h to 7 d	1
>7 d	0
Acute respiratory diagnosis group (select only one)	
Viral pneumonia	3
Bacterial pneumonia	3
Asthma	11
Trauma or burn	3
Aspiration pneumonitis	5
Other acute respiratory diagnoses	1
Nonrespiratory and chronic respiratory diagnoses	0
Central nervous system dysfunction[†]	−7
Acute associated (nonpulmonary) infection[‡]	−3
Neuromuscular blockade agents before ECMO	1
Nitrix oxide use before ECMO	−1
Bicarbonate infusion before ECMO	−2
Cardiac arrest before ECMO	−2
$PaCO_2$, mmHg	
<75	0
≥75	1
Peak inspiratory pressure, cmH_2O	
<42	0
≥42	−1
Total score	−22 to 15

Hospital survival by risk class

Total RESP Score	Risk Class	Survival
≥6	I	92%
3 to 5	II	76%
−1 to 2	III	57%
−5 to −2	IV	33%
≤−6	V	18%

Definition of abbreviations: ECMO = extracorporeal membrane oxygenation; RESP = Respiratory ECMO Survival Prediction.
Online calculator: www.respscore.com

* hematological malignancies, solid tumor, solid organ transplantation, human immunodeficiency virus, cirrhosis
† neurotrauma, stroke, encephalopathy, cerebral embolism, seizure, epileptic syndrome
‡ 폐 외 장기의 bacterial, viral, parasitic, 또는 fungal infection

ECMO)를 하게 된다.

4) 진통, 진정, 신경근육차단제
환자들은 체외막산소장치 치료 이전에 대개 깊은 진정 및 신경근육차단제를 사용하게 되는데 체외막산소장치가 잘 시행되면 얕은 진정, 소량의 진통제만으로 유지될 수 있다. 급성 호흡부전이 심한 경우는 깊은 진정이 요구될 수 있다.

체외막산소장치 치료를 유지하는 기간 동안 적극적으로 재활을 하기 위하여 환자는 깨어있는 것이 좋다. 조기 재활은 중환자의 근육위축 및 섬망을 예방 및 감소시키는데 효과적이다.

5) 기본적인 기계환기기 설정은 다음과 같다(표 8-8).
ECMO시 기계환기기는 환자의 상태에 따라서 설정이 달라져야 한다.

6) 항응고제 사용과 수혈
응고감시는 주로 aPTT (1.2-1.5 times control)를 가장 많이 사용한다. 혹은 ACT (activated clotting time 150-180s)로 감시한다. 출혈 혹은 혈전 등으로 엄격한 조절이 필요한 상황에서는 anti-Xa activity (0.2-0.4 IU/mL, heparin level) 또는 thromboelastography (TEG)를 이용할 수 있다.

헤파린 사용 이후 혈소판 급격히 감소하고 HIT (heparin-induced thrombocyto-penia)가 의심 될 때는 argatroban 또는 bivalirudin으로 대체해 볼 수 있다.

혈색소는 조직 산소화 유지를 위하여 예전에는 정상 수준을 유지하였으나 최근에는 혈색소>7 g/dL을 권고한다.

7) 체외막산소화장치 치료 이탈
정맥-정맥 체외막산소화장치 치료에서 이탈할 때에는 혈액 유량은 현 상태를 유지하면서 가스 유량(ℓ/min)만 4-3-2-1로 점진적으로 낮추고 안정적이면 가스 유량을 0으로 한다. 1-2시간 관찰 후 안정적이면 에크모를 제거한다. 환자 상태가 불안정한 환자는 과정을 중단하고 12시간 관찰한다.

표 8-8. 체외막산소장치 전후의 기계환기기 설정의 예

	Pre-ECLS	During ECLS	Weaning from ECLS	Weaning from ventilation
Ventilator settings				
FiO_2	0.6–1.0	0.2–0.4	<0.5	<0.4
Mode	PCIRV[+]	PCV(또는 PSV)	PCIRV	PSV[‡]
Pi[#]	35	25 (Insp pr 10–15)	25–30	15 → 5
Pe[##]	10–20	10–15	5–10	0–5
I:E ratio	1.5–2:1	2:1	1:1	1:2
Rate (/min)	15–25	10–20	8–12	<20 spontaneous
Blood gases				
SaO_2 (%)	>90	70–80*	>90	>90
$PaCO_2$ (mmHg)	<80	40	<50	<50
Oxygen delivery				
DO_2[**]/VO_2	4:1	>4:1	>4:1	>4:1
Hematocrit (g/dℓ)	>40	24–30	>40	>40
CI (ℓ/min/m²)	>3	>3	>3	>3
SvO_2 (%)	>70	70	>70	>70
Fluid balance	5–10% over dry weight	Dry weight, no edema	Dry weight, no edema	Dry weight, no edema
Calories	30 cal/kg/day	30 cal/kg/day	30 cal/kg/day	30 cal/kg/day
Protein	1 g/kg/day	1 g/kg/day	1 g/kg/day	1 g/kg/day
Position	Prone q 6h	Prone q 6h	Sitting	Sitting
aPTT	normal	40–60 sec[†]	1.5 × normal	normal
Platelet count (/mm²)	normal	>50,000	>100,000	Rebound >300,000
Sedatives	Full anesthesia	Least possible	minimal	none
Paralytics	If needed to ↓VO₂	none	none	none
Airway	ETT[##]	ETT (또는 tracheostomy)	tracheostomy	tracheostomy

† If no lung function, SaO₂ on VV: 80–85% or ↑VO₂, SaO₂: 75%, PCIRV[+]: pressure control inverse ratio ventilation, PSV[‡]: pressure support ventilation, Pi[#]: inspiratiory pressure, Pe[##]: expiratory pressure, ETT[##]: endo–tracheal tube
* If patient is alert & lactate within normal range
** DO₂: non–invasive cardiac index monitoring 시행할 것.

성인 Heparinization Protocol 예

1. 헤파린 초기 부하용량(heparin initial loading dose)
   Heparin 3,000 iu bolus IV

2. 헤파린 초기 유지용량(heparin maintenance dose): 초기 부하용량 종료 후 시작
   Heparin 20,000 iu + N/S 500 cc, 20 cc/hr (800 iu/hr)

3. 헤파린 유지용량 변경법(heparin maintenance dose change)

Standard dose heparin		
aPPT (sec)	주입 속도	aPPT
<40	5,000 iu IV bolus 후 3 cc/hr (120 iu/hr) 증량	6시간 후
40≤ <50	2 cc/hr (80 iu/hr) 증량	6시간 후
50≤ <75	현재속도 유지(no change)	24시간 후
75≤ <85	1 cc/hr (40 iu/hr) 감량	6시간 후
85≤ <110	30분간 주입 중지 후 3 cc/hr (120 iu/hr) 감량	6시간 후
110≤	60분간 주입 중지 후 3 cc/hr (120 iu/hr) 감량	6시간 후
Low dose heparin		
aPPT (sec)	주입 속도	aPPT
<30	1,000 iu IV bolus 후 1 cc/hr (40 iu/hr) 증량	6시간 후
30≤ <35	2 cc/hr (80 iu/hr) 증량	6시간 후
35≤ <40	1 cc/hr (40 iu/hr) 증량	6시간 후
40≤ <60	현재속도 유지(no change)	8시간 후
60≤ <70	1 cc/hr (40 iu/hr) 감량	6시간 후
70≤ <80	2 cc/hr (80 iu/hr) 감량	6시간 후
80≤ <90	3 cc/hr (120 iu/hr) 감량	6시간 후
90≤	60분간 주입 중지 후 3 cc/hr (120 iu/hr) 감량	6시간 후

*출혈 부작용 발생 우려 시 Low dose heparin protocol 사용

※ 주입 속도 조절 후 aPTT 시행

※ aPTT target은 각 기관의 진단검사의학과에서 검증이 필요하며 매년 변경될 수 있음

※ [고려 사항]
  ① Heparin 투약 시 35,000 iu/day (1,400 iu/hr = 35 cc/hr)를 넘을 경우 의사에게 알린다.
  ② Heparin을 1,400 iu/hr 이상 사용해도 target aPTT에 도달하지 못할 경우 antithrombin, anti-Xa, factor assay 추가 검사 및 진단검사의학과 자문을 고려한다.

표 8-9. 체외막산소화장치 이탈

	Weaning trial	Criteria for ECMO weaning
VV ECMO	$F_ECO_2 = 21\%$	Pplat < 25 to 30 cmH$_2$O with Vt around 6 mL/kg and PEEP < 12 cmH$_2$O
	Sweep gas flow 1 L/min or stopped	PaO$_2$ > 70 mmHg on FiO$_2$ < 60% or PaO$_2$/FiO$_2$ > 200 mmHg
	Duration: several hours	pH > 7.3 with PCO$_2$ < 50 mmHg No acute cor pulmonale
VA ECMO	$F_ECO_2 = 21\%$	Pplat < 25 to 30 cm H$_2$O with Vt around 6 mL/kg PEEP < 12 cmH$_2$O
	Sweep gas flow 1 L/min	PaO$_2$ > 70 mm Hg on FiO$_2$ < 60% PaO$_2$/FiO$_2$ > 200 mmHg
	Reduce pump blood flow by steps of 0.5 L/min	pH > 7.3 with PCO$_2$ < 50 mmHg
	Duration: several hours	No acute cor pulmonale, No left ventricular failure: Left ventricular ejection fraction > 25–30% Velocity–time integral > 12 cm

F_ECO_2: fractional content of carbon dioxide

참고문헌

1. Schmidt M, Bailey M, Sheldrake J, et al. Predicting survival after extracorporeal membrane oxygenation for severe acute respiratory failure. The Respiratory Extracorporeal Membrane Oxygenation Survival Prediction (RESP) score. Am J Respir Crit Care Med 2014;189(11):1374-82.

2. Combes A, Hajage D, Capellier G, et al. Extracorporeal Membrane Oxygenation for Severe Acute Respiratory Distress Syndrome. N Engl J Med 2018;378(21):1965-75.

3. Richard C, Argaud L, Blet A, et al. Extracorporeal life support for patients with acute respiratory distress syndrome: report of a Consensus Conference. Ann Intensive Care 2014;4:15.

2-1. 만성 폐쇄성폐질환

1) 서론

만성 폐쇄성폐질환 환자에서 다수는 급성 악화로 중환자실에 입원을 하게 된다.

이런 경우 항생제, 기관지확장제, 스테로이드 등이 기본적인 치료이다. 일반적인 산소 치료로 반응이 없는 경우 우선 고유량비강캐뉼라를 이용한 치료를 하며 이산화탄소가 높은 경우 비침습 인공호흡을 시도한다. 이러한 치료에 반응이 없고 악화되면 기관내 삽관을 해야 한다.

이 때 기계환기기 치료는 호흡일을 감소시키며, 사강 감소, 기도 저항극복 및 가스 교환을 유지하는 역할을 한다. 적절한 객담 배출 및 기관지 저항 감소를 위해서 가능한 내경이 큰 기관 내관으로 삽관을 해야 한다.

다수의 환자는 기계환기기 치료로 호전이 되나 치료에 반응이 없는 경우에는 다른 치료들이 시도될 수 있다. 혈중 이산화탄소만을 감소시키는 체외막형 이산화탄소 제거장치(ECO$_2$R) 또는 혈중 산소까지 같이 호전시키는 체외막산소장치를 이용한 치료 등이 있다.

2) 만성 폐쇄성폐질환 환자에서의 기계환기기 설정

기계환기기 설정 시 가장 중요한 것은 동적과팽창(dynamic hyperinflation)이 발생하지 않게 하는 것이다. 기계환기양식은 용적조절, 압력조절 양식을 다 사용할 수 있으며 과환기 및 알칼리증을 피해야 된다. 폐과팽창 방지를 위해서 일회호흡량은 체중당 5-7 mL/kg, 분당 호흡수는 10-14/min, 혈중 pH는 7.35-7.45를 유지한다. 가능하면 호기 시간을 충분하게 확보하며 호기말양압은 보통 5 cmH$_2$O 이내로 한다.

동적과팽창 발생 시 혈압저하, 인공호흡기-환자 비동조, 호흡일 증가, 압력 손상 등이 발생한다. 자가호기말양압 예방을 위해서는 호흡수 감소, 일회환기량 감소, 흡기유량 증가 등을 고려해야 하고 호흡일에 대한 부작용을 줄이기 위해 호기말양압을 적용해 볼 수 있다.

- Volume-limited or pressure-limited modes
- Small tidal volume: 5-7 mL/kg PBL
- Avoid overventilation and alkalemia
- Respiratory rate: 10-14/min (adjust by pH)
- Inspiratory time: 1 sec
- Inspiratory flow rate: 60 L/min
- PEEP 0-5 cmH$_2$O

참고문헌

1. Celli BR, MacNee W, ATS/ERS Task Force. Standards for the diagnosis and treatment of patients with COPD: a summary of the ATS/ERS position paper. Eur Respir J 2004;23:932.

2. Evans TW. International Consensus Conferences in Intensive Care Medicine: non-invasive positive pressure ventilation in acute respiratory failure. Intensive Care Med 2001;27:166.

3. Brochard L, Mancebo J, Wysocki M, et al. Noninvasive ventilation for acute exacerbations of chronic obstructive pulmonary disease. N Engl J Med 1995;333:817.

2-2. 자가호기말양압(Auto-positive end-expiratory pressure)

기계환기법 중의 자가호기말양압(auto-PEEP)은 기계환기의 호기가 끝나는 시점의 폐포압과 기계환기기 상 설정된 호기말양압 사이의 압력 차이를 말한다. Auto-PEEP은 기도 저항이 증가된 천식이나 만성 폐쇄성폐질환의 악화로 인한 호흡부전 환자에서 흔히 관찰된다. Auto-PEEP이 있는 환자에서는 환자유발 흡기가 시작되기 위해서는 먼저 자신의 auto-PEEP을 극복한 후 치료자가 설정한 흡기 유발역치(triggering sensitivity)을 넘어서야 가능하다. 따라서 흡기를 유발하기 위한 호흡일(work of breathing)이 증가하게 되며 이는 기도 저항이 증가된 호흡부전 환자들의 환자-기계 비동조(dyssynchrony)의 흔한 원인이다.

흡기유발민감도가 -2 cmH$_2$O인 경우 환자의 자가호기말양압이 6 cmH$_2$O라면 환자가 흡기를 유도하기 위해서는 우선 6 cmH$_2$O의 자가호기말양압을 극복하고 또한 2 cmH$_2$O의 흡기 민감도를 모두 극복(총 8 cmH$_2$O)하여야 기계환기에서 흡기가 시작된다. 즉 자가호기말양압이 없는 경우보다 흡기 유발을 위한 호흡일이 증가하고 흡기의 시작도 호흡중추의 흡기 시점보다 늦어지기 때문에 비동조가 잘 생긴다.

기계환기 중 동적과다팽창(dynamic hyperinflation)은 폐포압이 기저압력 수준으로 돌아가지 못하고 폐용적이 기저치보다 증가하는 상태이다. 이는 기도 저항이 증가되었거나 폐탄성이 감소되었거나 분시환기량이 많은 경우, 또는 호기 시간이 충분하지 않는 경우에 발생한다. 동적과팽창은 호흡역학과 혈류순환(15쪽 2-1 심폐상호작용 참조)에도 영향을 미친다. 즉 동적과팽창은 호흡근육의 혈류공급을 감소시키고 흉곽의 움직임을 저해하며 횡격막의 수축 효율을 떨어뜨린다. 또한 흉곽내압을 증가시켜 정맥환류량(venous return)을 감소시킨다. 동적과팽창이 발생하면 환자가 기계환기 중에도 호흡곤란을 느낄 수 있다. 자가호기말양압이 있는 지 여부는 기계환기기의 감시창에서 압력-시간 혹은 유량-시간의 그래프에서 호기가 기저치에 도달하기 전에 다음 흡기가 시작되는지 관찰하면 알 수 있다(그림 8-5). 동적과팽창을 완화하기 위해서 중요한 것은 분시환기량을 줄이는 것이다. 그리고 호기 시간을 충분히 확보하여야 하고(예를 들어 I:E 비율을 1:3) 기도확장제나 필요시 스테로이드를 투여하여 기도 저항을 줄여준다. 그리고 자가호기말양압이 있는 환자의 흡기유발 역치를 줄여주기 위해서는 낮은 수준의 호기말양압을 제공하면 도움이 된다.

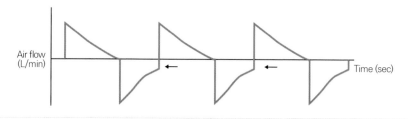

그림 8-5. 자가호기말양압을 보여주는 유량-시간 그래프
호기 유량이 0에 닫기 전에 다음 흡기(화살표)가 시작되는 것이 자가호기말양압을 시사한다.

참고문헌

1. Tuxen DV, Lane S. The effects of ventilatory pattern on hyperinflation, airway pressures, and circulation in mechanical ventilation of patients with severe air-flow obstruction. American Review of Respiratory Disease 1987;136:872-9.

2. Koh Y. Ventilatory management in patients with chronic airflow obstruction. Critical care clinics 2007;23:169-81, viii.

3. Marini JJ. Dynamic hyperinflation and auto-positive end-expiratory pressure: lessons learned over 30 years. Am J Respir Crit Care Med 2011;184:756-62.

3. 제한성 폐질환

1) 서론

간질성 폐질환, 신경근육질환, 고도비만 등 제한성 환기 장애를 초래하는 질환들이 해당이 된다. 이 질환들도 환기기유발폐손상이 발생할 수 있으며 따라서 폐보호환기법을 따르는 것이 중요하다.

2) 제한성 환기 장애를 가진 환자에서의 인공호흡기 설정

인공호흡기 모드는 용적조절 혹 압력조절모드를 사용하며 일회호흡량은 체중당 5−7 mL/kg이 권고된다. 이산화탄소 축적에 의한 산증에 대해서는 인공호흡기 압력을 높이기보다는 호흡수를 높여 대처하는 것이 바람직하다. 분당 호흡수는 20−30/min 설정을 하되 혈중 pH 7.35−7.45를 유지한다. 흡기 및 호기 비율은 1:1−2:1, 호기말양압은 폐산소화 상태를 보아 정하되 보통 5−10 cmH$_2$O로 설정을 한다.

- Volume−limited or pressure−limited modes
- Small tidal volume: 5−7 mL/kg PBL
- Avoid respiratory acidosis and minimize intrathoracic pressure
- Respiratory rate: 20−30/min (adjust by pH 7.35−7.45)
- Inspiratory to expiratory ratio: 1:1 to 2:1
- PEEP 5−10 cmH$_2$O

참고문헌

1. Neumann P, Rothen HU, Berglund JE, et al. Positive end-expiratory pressure prevents atelectasis during general anaesthesia even in the presence of a high inspired oxygen concentration. Acta Anaesthesiol Scand 1999;43:295.

2. Hedenstierna G, Edmark L. The effects of anesthesia and muscle paralysis on the respiratory system. Intensive Care Med 2005;31:1327.

3. Musch G, Harris RS, Vidal Melo MF, et al. Mechanism by which a sustained inflation can worsen oxygenation in acute lung injury. Anesthesiology 2004;100:323.

4. 심부전

심부전의 유병율 증가와 함께 기계환기가 필요한 심부전 환자도 증가하고 있다. 급성 심부전 환자의 90% 이상에서 폐부종이 동반되며 그 중 많은 환자들이 기계환기 치료를 필요로 하게 된다. 심부전 환자의 기계환기법은 기계환기기의 장단점을 알고 적용을 해야 부작용을 최소화하면서 환자에게 도움을 줄 수 있다.

1) 심부전과 호기말양압(Positive end-expiratory pressure, PEEP)

심부전 악화의 경우 기계환기는 후부하를 줄여서 좌심실의 산소요구량을 줄이고 심박출량을 호전시킬 수 있다. 또한, 환자의 호흡일을 줄여서 심박출량 요구량을 줄여주고 저산소증에 의한 폐혈관 수축을 개선시켜 주며 심근의 산소 공급을 향상시켜 줄 수 있다.

(1) 호기말양압의 장점

호기말양압에 의한 흉곽압의 증가는 우심방압을 증가시키고 정맥 유입을 줄여준다. 이는 우심실의 전부하를 줄여주며 이로 인해 좌심실의 전부하, 좌심방압 및 폐부종을 감소시켜 준다. 호기말양압은 또한 폐정맥의 정수압(hydrostatic pressure)에 대응하여 폐포와 간질의 압력을 증가시켜 체액을 혈관내로 다시 보냄으로써 혈관외 폐 체액을 직접적으로 감소시켜 준다(그림 8-6).

호기말양압은 또한 좌심실의 후부하를 줄여줌으로써 심박출량을 증가시켜 준다. 좌심실의 후부하는 좌심실 수축기 전벽 압력(transmural pressure)과 비례하는데, 좌심실 수축기 전벽 압력은 심내압(좌심실 수축기압)과 흉곽압(주로 흉강압)의 차이로 정의한다. 호기말양압은 이중 흉강압을 증가시켜 좌심실 수축기 전벽 압력을 줄여줌으로써 결과적으로 좌심실 후부하를 감소시킨다. 심박출량이 감소되어 있는 심부전 환자에서는 이러한 후부하의 차이에 민감하기 때문에 호기말양압을 통해 후부하를 조절하는 것이 중요하다. 급성 심부전 환자에서 지속기도양압(continuous positive airway pressure, CPAP)은 삽관율을 줄이고 중환자실 체류기간을 줄이며 원내 사망률도 줄인다.

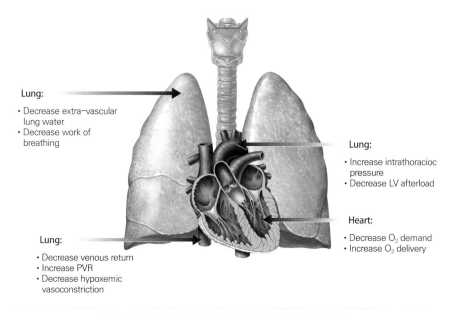

Lung:
- Decrease extra-vascular lung water
- Decrease work of breathing

Lung:
- Increase intrathoracioc pressure
- Decrease LV afterload

Heart:
- Decrease O_2 demand
- Increase O_2 delivery

Lung:
- Decrease venous return
- Increase PVR
- Decrease hypoxemic vasoconstriction

그림 8-6. 호기말양압이 심장 및 폐에 미치는 생리학적 효과

(2) 호기말양압의 단점

호기말양압은 정맥 유입을 줄여서 전부하와 심박출량을 줄이고 말단 장기의 허혈을 악화시킬 수도 있다. 호기말양압이 높으면 폐혈관저항을 증가시키며 따라서 우심부전이 주가 되는 심인성 쇼크에서는 악영향을 미칠 수도 있다. 따라서 체액부족이 있거나 이완기 심실크기가 작은 경우 저혈압의 위험이 있기 때문에 호기말양압에 의한 전부하 감소를 특히 조심해야 한다. 호기말양압을 적용할 때에는 5 cmH_2O 정도의 낮은 호기말양압에서 15-30분 간격으로 2-3 cmH_2O씩 점진적으로 늘려 가면서 혈압 및 말단 장기 관류저하가 생기는지 확인해야 한다.

2) 흡기보조와 일회호흡량

심부전으로 인해 폐 탄성(compliance)이 떨어지고, 부종이 동반된 폐를 환기시키기 위해서는 더 많은 호흡노력이 필요하다. 이런 환자에서 적은 양의 압력보조도 큰 도움이 될 수 있다.

(1) 폐부종

심인성 폐부종은 폐모세혈관과 주변 간질 조직 사이의 정수압이 증가하여 혈관 외 조직으로 체액이 축적된 것이다. 좌심실 부전의 경우 좌심실 이완기압이 증가하여 폐정맥 고혈압이 발생하며 폐모세혈관의 정수압을 증가시키게 된다. 이 경우 폐 탄성의 감소, 저산소혈증, 호흡일의 증가를 유발하게 된다. 따라서 적절한 흡기 보조가 호흡일을 줄여주는 데 도움이 된다. 기계환기 초기에는 충분한 흡기보조를 위해 압력이든 용적이든 조절환기법을 적용하는 것이 필요하다.

(2) 일회호흡량

심부전 환자들에서도 심한 산증이나 뇌내압력 증가 등의 금기가 없는 한 일회호흡량을 6-8 mL/kg로 하는 것이 기계환기기에 의한 폐손상을 줄일 수 있다.

폐포 허탈 부위 개방 압력(transpulmonary pressure, TPP)는 폐포압과 흉강압의 차이로 정의된다. TPP는 폐포가 늘어날 수 있는 압력을 의미하는데 흉강압을 측정하기 어려워서 고원압(plateau pressure)을 측정하여 대체하여 쓴다. 고원압은 흡기말 호흡정지 시 측정하며 흉수, 복수 등 폐 이외의 조건에 따라 영향을 받기 때문에 해석에 주의가 필요하다. 고원압은 일반적으로 25-30 cmH_2O 이하로 유지하는 것이 권장된다.

3) 저산소증에 의한 혈관 수축과 산소 공급

저산소증과 산증은 폐혈관 수축을 유발하며 폐혈관 수축은 환기-관류 불균형을 최소화시키는 방어 기제이다. 그러나 심부전의 경우 폐포의 저산소증이나 폐포 허탈로 폐혈관 수축이 발생하면 이는 폐혈관 저항 증가 및 우심실 부전을 유발할 수 있다. 기계환기를 통해 저산소증을 호전시키면 이러한 혈역학적 악영향을 줄여줄 수 있다.

호기말양압이나 일회호흡량을 조절하는 것 이외에도 FiO_2를 높여 산소 공급을 증가시켜 주는 것이 급성 저산소증을 개선시켜 줄 수 있는 가장 손쉬운 방법이다. 그러나 과도한 산소 공급은 환기-관류 불균형 및 심실 이완 기능의 악화를 유발하고 좌심실 이완기압을 증가시킬 수 있다. 심정지 환자들에서 과도한 수준의 PaO_2는 사망을 증가시킬 수 있다. 따라서 산소 공급은 과도하지 않아야 하고 산소포화도를 92-96% 정도를 목표로, FiO_2는 가급적 50% 이하로 하는 것이 권장된다.

4) 기계환기 이탈

얕고 빠른 호흡지수(rapid shallow breathing index)와 자발호흡시도가 환기보조 이탈을 하는 데 있어서 가장 일반적인 지표이나 모든 자발호흡시도가 일률적인 조건에서 이루어지는 것은 아니다. T-자 관을 이용한 방법이나 최소 압력보조환기(일반적으로 호기말양압 5 cmH_2O, 압력보조 ≤8 cmH_2O)를 이용해서 시행될 수 있다. 두 가지 방법의 이탈 성공률은 비슷한 것으로 알려져 있다. 그러나 심부전 환자에서는 낮은 수준의 압력보조나 호기말양압도 혈역학적으로 큰 영향을 미칠 수 있다. 호기말양압을 줄일 경우 폐부종이 악화되는 경우도 있고, 압력보조를 줄였을 때 호흡일의 증가로 이탈에 실패하는 경우도 있다. 따라서 심부전 환자에서의 이탈 시도는 좀 더 엄격한 기준으로 하는 것이 바람직하다. T-자 관을 이용한 방법은 환기보조 이탈 전 충분히 환자가 견딜 수 있는지를 확인할 수 있고 탈관 전후 전부하, 후부하의 변동을 크게 초래하지 않는 장점이 있다.

(1) 이탈 실패의 예측 인자

약 10-20%의 환자가 환기보조 이탈에 실패한다. 이탈에 실패하면 사망률이 증가하는 것이 알려져 있다. 심부전 환자의 경우 무엇보다 환기보조 이탈 전 충분한 체액 감량이 중요하다. 이탈 실패를 미리 예측하기 위해 여러 방법들이 이용된다. BNP (B type natriuretic peptide)가 높은 경우 이탈 실패 확률이 높다. 특히 좌심실 박출률 저하 심부전에서 BNP를 참조하여 치료할 경우 기계환기 기간을 줄일 수 있다. 심초음파에서의 E/E′과 같은 좌심실 이완기 지표가 성공적인 이탈을 예측하는 데 도움이 되기도 한다. 폐초음파에서 B 라인 유무를 확인하는 것도 도움이 된다.

(2) 이탈 전후 환자 관리

심부전 환자에서 이탈 실패를 예방하기 위해 비침습 양압환기를 적용하기도 한다. 이탈 첫 48시간 동안 하루 8시간 이상 적용했을 때 사망률을 10%까지 줄일 수 있다. 그러나 이탈 후 심한 호흡부전이 발생한 환자에서는 신속한 기계환기 적용이 더 중요하다. 또한, 심부전 환자에서는 이탈 방법보다 이탈 전 충분한 체액 감량이 더 중요한 예측인자이다. 따라서, 혈압과 말단 장기의 조직관류가 유지되는 범위 내에서는 전부하, 후부하의 조절이 무엇보다 중요하며 이를 위해 적절한 이뇨제와 강심제 사용이 필요하다.

참고문헌

1. Ponikowski P, Voors AA, Anker SD, et al. 2016 ESC Guidelines for the diagnosis and treatment of acute and chronic heart failure: The Task Force for the diagnosis and treatment of acute and chronic heart failure of the European Society of Cardiology (ESC) Developed with the special contribution of the Heart Failure Association (HFA) of the ESC. Eur Heart J 2016;37(27):2129-200.

2. Kuhn BT, Bradley LA, Dempsey TM, et al. Management of Mechanical Ventilation in Decompensated Heart Failure. J Cardiovasc Dev Dis 2016;3(4):33.

3. Om SY, Hyun J, Nam KH, et al. Early decongestive therapy versus high-flow nasal cannula for the prevention of adverse clinical events in patients with acute cardiogenic pulmonary edema. J Thorac Dis 2019;11(9):3991-9.

5. 신경계 질환(뇌압이 상승한 환자)

1) 신경계의 호흡 조절(Neural control of respiration)

호흡은 의식하지 않더라도 신경계에 의해 신체의 요구량에 맞추어 폐포 환기량(alveolar ventilation)의 빈도와 깊이가 조절된다. 이러한 중추조절을 통해 운동 혹은 산소 요구량이 증가하는 여러 상황에서도 동맥 내 산소 분압(PO_2)과 이산화탄소 분압(PCO_2)이 일정하게 유지된다.

중추신경계 내에 호흡중추(respiratory center)는 연수(medulla oblangata)와 교뇌(pons)에 위치하는 신경세포군으로 이루어져 있다. 연수 내 호흡중추는 dorsal respiratory group과 ventral respiratory group으로 나뉜다. Dorsal respiratory group은 흡기를 유발하는 respiratory generator로서의 역할을 하며, ventral respiratory group은 호기를 유발하는 역할을 한다. 교뇌 호흡중추는 교뇌 상부(parabrachial nucleus)에 위치하는 pneumotaxic center와 하부에 위치하는 apneustic center로 구성되어 있다. Pneumotaxic center는 흡기 시간을 조절함으로써 호흡의 횟수와 깊이를 조절한다. 이와는 별개로 하부 교뇌에 위치하는 apneustic center는 흡기의 끝을 결정하여 alveolar wall의 과다 팽창을 예방한

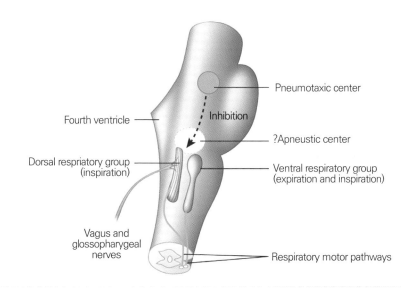

그림 8-7. 호흡중추의 구성

다. 연수 내에 위치하는 dorsal respiratory group은 vagus nerve의 afferent central nucleus인 solitary nucleus로부터 신호를 받게 되는데 이는 목동맥토리(carotid body)로부터의 산소 분압(PO_2), 이산화탄소 분압(PCO_2)를 감지하여 신체 내의 호흡요구량을 감지하게 된다. 이를 바탕으로 dorsal respiratory group은 호흡의 기저 리듬(basic rhythm)을 결정하는 역할을 한다(그림 8-7).

호흡의 화학적 조절(Chemical control of respiration)

호흡의 궁극적인 목적은 조직 내에서 적절한 산소, 이산화탄소, 수소이온(H^+) 농도를 유지하는 데 있다. 혈액 내의 높은 이산화탄소 또는 높은 수소 이온 농도는 호흡 중추를 자극하여 호흡량을 늘리도록 한다. 반면에 낮은 혈중 산소 분압은 호흡 중추에 대한 직접적인 효과는 없고 목동맥 및 대동맥소체(carotid and aortic body)에 위치하는 화학수용체(chemoreceptor)를 통해서 호흡중추를 자극한다.

　연수와 교뇌에 위치한 respirator group은 이산화탄소와 수소이온을 직접 감지하지 않는다. 대신 연수의 배쪽 표면(ventral surface) 2 mm 가량 아래 위치하는 chemosensitive area는 PCO_2, H^+를 직접 감지하여 연수의 dorsal respiratory group으로 신호를 전달한다.

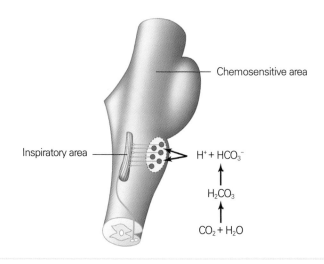

그림 8-8. 연수 흡기 중추의 자극: 연수의 chemosensitive area에서 신호를 받는다

2) 뇌병변에 따른 특징적인 호흡 패턴

중추신경계 내의 병변에 따라 다양한 형태의 병적 호흡이 발생할 수 있다. 대사성 뇌병증, 마약성 약물 급성 중독, 일산화탄소 중독 등 양측성 대뇌 반구의 광범위한 손상이 있을 경우에는 중추신경계의 기능이 전반적으로 저하된다. 이러한 경우에는 신경계에 의한 호흡(neural control of respiration) 조절은 저하되고 PCO_2에 의해 호흡이 조절된다(PCO_2-dependent respiration). 신경계로부터의 호흡 동력이 저하되면 폐환기량이 점차 감소(decrescendo)하게 되며 혈중 PCO_2는 증가된다. PCO_2가 증가하면 이에 맞추어 호흡이 점차 증가(crescendo)하게 된다. 증가된 호흡으로 인해 혈중 PCO_2는 다시 감소하게 되고 이에 따라 다시 호흡이 감소하게 된다. 이와 같이 혈중 PCO_2에 의존하여 호흡량이 변하는 호흡 패턴을 Cheyne-Stoke respiration이라고 한다.

교뇌 상부에 영향을 미치는 병변이 있는 경우에는 pneumotaxic center에 영향을 미치게 된다. Pneumotaxic center는 흡기의 시간을 조절하여 호흡수와 깊이를 조절하는데, 초기 손상 시에는 신경 발화가 증가하여 흡기 시간이 짧아지면서 호흡수가 증가하게 된다(central hyperventilation).

교뇌 하부의 apneustic center는 흡기의 끝을 결정하는 역할을 하는데 이 부

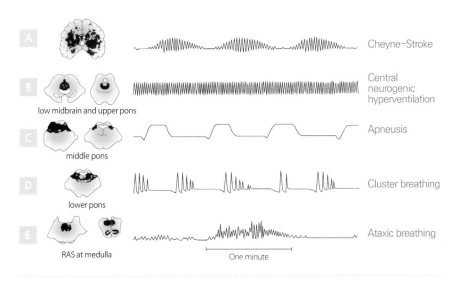

그림 8-9. 뇌병변 부위에 따른 호흡양상

위의 손상이 있는 경우에는 흡기가 지속되며, 이는 Hering−Breur reflex에 의해 reflexive chest wall recoil이 될 때까지 지속된다(apneustic respiration).

Medulla에 위치한 호흡 중추의 손상은 불안정한 호흡 유발을 초래하여 헐떡 호흡(gasping)과 연관이 있으며 극단적인 경우에는 실조성 호흡, 또는 호흡 정지에 이른다(그림 8-9).

3) 신경중환자 호흡 치료 시의 고려 사항

외상성 뇌손상, 뇌출혈, 뇌지주막하 출혈, 경막하 출혈, 경막외 출혈, 뇌종양, 뇌수두증, 염증성 뇌질환, 뇌경색 등 다양한 뇌질환에서 호흡 이상으로 인한 기계환기기 치료를 필요로 할 수 있다. 뇌질환에 의해 직접적 호흡 중추 침범으로 호흡 이상이 발생할 수 있지만 대부분의 경우는 뇌압 상승으로 인한 호흡 중추 압박, 전반적인 중추신경계 기능 저하에 따른 호흡 유발 저하로 나타난다. 실제 중증 뇌손상 환자의 30%에서 급성 폐손상(ALI, acute lung injury)이 발생하며, 급성 폐손상의 위험은 뇌손상의 정도와 비례하고 이는 불량한 예후로 이어진다.

뇌질환 환자에서 호흡기 치료의 일반적인 원칙은 폐의 상태에 따라 기계환기기 치료가 이루어져야 한다는 것이다. 다만 이 원칙은 뇌압이 정상인 환자에서 적용되며 뇌압이 높은 환자 및 중증 뇌손상 환자에서는 인공호흡기 사용으로 인한 뇌압 상승이 유발되지 않도록 유의해야 한다. 뿐만 아니라 뇌질환을 가지고 있는 환자는 아래와 같은 요인으로 호흡기 치료의 어려움이 있다.

(1) 기침 반사 저하로 침이나 기도 분비물에 대한 기도 방어가 원활히 이루어 지지 않기 때문에 흡인의 위험성이 높다.

(2) 의식 저하로 인한 irritability뿐만 아니라 특정 뇌간 부위 손상으로 인한 특징적인 호흡 패턴과 환자−환기기 비동조(patient−ventilator asynchony) 구분이 어려울 수 있다.

(3) 뇌압 상승으로 인한 중추신경 교감신경 과항진(increased sympathetic out-flow), endothelin 유리 증가로 뇌 유래−심폐 합병증이 생긴다(neurogenic

stunned cardiomyopathy, neurogenic pulmonary edema).

(4) 뇌압 상승 시에 발생할 수 있는 SIADH에 의해 free water retention이 흔하게 발생하며 이는 폐부종이나 흉수(pleural effusion) 발생 등의 원인이 될 수 있다.

(5) 급성 호흡곤란증후군에 대한 기계환기기 치료 전략으로서 허용성 고탄산 증(permissive hypercapnia)이 뇌압 상승을 일으킬 수 있다.

(6) 높은 호기말양압 적용 시 흉강 내압이 증가하고 이에 따라 뇌 정맥의 순환 장애가 발생할 수 있다. 이는 뇌 정맥량을 증가시켜 뇌압을 올릴 수 있다.

인공호흡 치료에서 이루어졌던 주요 연구들에서 뇌손상 환자들은 제외되 었기 때문에 현재 폐보호환기치료 지침을 뇌손상 환자들에게 적용하는 데 한 계가 있다. 또한 뇌압이 상승된 뇌질환과 폐질환을 치료하는 전략에도 아래 와 같이 상충하는 요소들이 있다.

Brain-directed strategy	Lung-protective ventilation
Avoid volume depletion	Avoid volume overload
Avoid hypercapnia	Permissive hypercapnia
Minimize PEEP	Favor high PEEP

뇌 보호 전략으로 가장 중요한 것은 저산소혈증을 피하면서 일정 수준 이 상의 뇌관류를 유지하는 것이다. 뇌관류압은 아래와 같이 정의된다.

$$CPP = MAP - ICP$$

CPP, cerebral perfusion pressure; MAP, mean arterial pressure; ICP, intracranial pressure

뇌압상승 환자에서는 CPP ≥ 65 mmHg을 유지해야 되며 이를 위해서는 1) 저 혈압이 되지 않도록 적절한 혈압상승제 사용이 필요하며 동시에 2) 뇌압을 감 소시키기 위한 전략이 필요하다(그림 8-10). 이와 더불어 과호흡으로 인한 3) 과도한 저탄혈증을 피해야 된다. 저탄산혈증은 뇌동맥 수축을 일으켜 뇌허혈을 유발할 수 있기 때문이다.

팽창성이 없는 단단한 두개골(skull vault) 내에 뇌실질(brain parenchyme), 혈액, 뇌척수액이 존재하면서 일정한 압력 내에서 유지된다. 위 세 가지의 구성요소 중 한 요소가 증가하면, 다른 요소를 감소시키면서 일정 압력을 유지하려는 경향이 있다(Monro-Kellie doctrine).

Monro-Kellie doctrine

$$V_{csf} + V_{blood} + V_{brain} = V_{intracranial\ space} = Constant$$

뇌압 상승 상황에서는 일반적으로 뇌척수액을 통한 압력 보상이 가장 먼저 이루어지고 다음으로 혈액 요소를 감소시키는 보상이 이루어진다. 혈액 요소를 뇌 내에서 감소시키는 보상은 두개강 내로의 동맥혈 유입 감소와 연관 있어 이차성 뇌허혈을 유발할 수 있다. 갑작스러운 상부 천막 뇌척수액의 증가

Therapy steps	Levels of evidence[+]	Treatment	Risk
8	Not reported	Decompressive craniectomy	Infection or delayed hematoma Subdural effusion Hydrocephalus and syndrome of the trephined
7	Level II	Metabolic suppression (barbiturates)	Hypotension and increased number of infections
6	Level III	Hypothermia	Fluid and electrolyte disturbances and infection
5	Level III	Induced hypocapnia	Excessive vasoconstriction and ischemia
4	Level II	Hyperosmolar therapy Mannitol or hypertonic saline	Negative fluid balance, hypernatremia, renal failure
3	Not reported	Ventricular CSF drainage	Infection
2	Level III	Increased sedation	Hypotension
1	Not reported	Intubation Normocarbic ventilation	Coughing, ventilator asynchrony, ventilator-associated pneumonia

그림 8-10. 뇌압 상승 환자에서의 단계적 치료 전략
Level of evidence[+]: I; high, II; moderate, III; low

(폐쇄성 수두증), 두개강 내 공간 병소의 갑작스러운 증가(뇌내 출혈 등)는 뇌
실질의 하행 탈출(herniation)을 초래한다.

위의 요소 중에서 인공호흡기 치료와 연관이 있는 두개골 내의 구성요소
는 두개강 내 혈액량이다. 혈액 중의 높은 이산화탄소는 뇌혈관의 강력한 혈
관 확장을 유도하며 두개강 내 혈액량을 증가시킴으로써 뇌압 상승을 초래한
다. 또한 지나치게 높은 호기말양압은 흉강 내압을 상승시켜 두개강 내의 정
맥의 순환을 저해하여 두개강 내 혈액량을(venous pooling) 증가시킴으로써 뇌
압을 증가시킬 수 있다.

4) 뇌압 상승 환자에서의 기계환기기 치료

뇌압 상승은 호흡 중추를 억제하여 호흡 불안정을 유발하며 이는 기계환기를
요하는 주요 원인이 된다. 또한 뇌압 상승은 이차성 뇌손상을 유발하여 기계
환기로부터의 이탈을 어렵게 한다. 뇌손상을 동반한 기계환기 환자는 뇌손상
을 동반하지 않은 환자와 비교하여 3배 이상의 사망율을 보인다. 뇌압상승 환
자의 기계환기기 치료에 있어서 주의를 기울여야 할 두 가지 지표는 PCO_2와
PEEP이다.

(1) 뇌손상과 호흡부전이 동반된 환자에서 안전한 이산화탄소분압의 한계는 어디까지인가?

뇌조직에서 이산화탄소는 뇌혈관을 확장시키는 강력한 혈관확장제로 작용한
다. $PaCO_2$ 1 mmHg 증가마다 뇌혈류량이 2% 증가한다(그림 8-11). 위중한 뇌압상
승 시에는 뇌압 조절을 위해서 과호흡을 통해 hypocapnia($PaCO_2$ 32−34 mmHg)
을 유도하여 뇌압을 감소시키는 데 이용하기도 한다(Class III). 다만 이는 일시
적으로 사용할 수 있는 방법으로 지속적인 hypocapnia는 동맥혈의 수축을 유
발하여 이차성 뇌허혈을 초래할 수 있다. 따라서 외상성 뇌손상이나 뇌출혈
환자에서 예방적 목적의 과호흡은 더욱 불량한 예후로 이어진다.

$PaCO_2$ 증가에 의한 뇌혈류량 증가 시 뇌압이 즉각적으로 오르지는 않는데
이는 혈관주변 공간(perivascular space)이 완충 역할을 하기 때문이다. 그러나
이 공간을 통한 완충의 한계를 넘어서면 $PaCO_2$ 증가에 의해 혈류량 증가 및

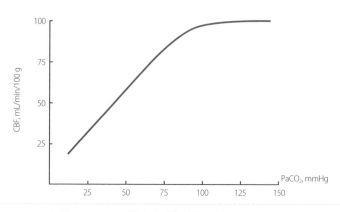

그림 8-11. PaCO$_2$ 증가에 따른 뇌혈류량(CBF)의 증가

뇌압상승이 생긴다.

정상 뇌조직에서는 용적 변화에 따른 뇌압 변화가 크지 않지만 뇌압이 높은 환자에서는 작은 용적 변화로도 뇌압이 크게 상승한다. 즉 PCO$_2$ 증가에 의한 뇌혈류량 증가가 많지 않아도 큰 뇌압 상승을 초래할 수 있다. 따라서 뇌압이 이미 높을 것으로 판단되는 뇌손상 환자에서는 PCO$_2$ 증가가 생기지 않도록 매우 유의해야 한다(그림 8-12).

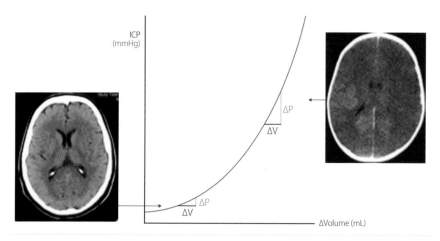

그림 8-12. 정상뇌(좌)와 뇌압이 상승된 뇌(우)에서의 뇌압의 Volume-Pressure 변화의 차이

동맥혈의 높은 이산화탄소 분압은 뇌압 상승을 초래하고 지나치게 낮은 이산화탄소 분압은 허혈성 뇌손상을 유발하므로 뇌손상 환자에서는 eucapnia 를 유지하는 것이 가장 이상적이다.

정상적인 뇌 환경에서는 $PaCO_2$ 100 mmHg까지는 뇌손상이 나타나지 않으며 $PaCO_2 > 100$ mmHg에서는 그 자체로 뇌부종 및 뇌손상을 유발한다.

ARDS 시 권장되는 protective lung ventilation 전략(low tidal volume, high PEEP) 에서는 높은 PCO_2가 불가피하게 동반되기도 한다(permissive hypercapnia). 이 때 뇌손상 환자에서 허용할 수 있는 hypercapnia level에 대해서는 아직 확립된 지침이 없다.

대략 $PaCO_2$ 50 mmHg까지는 정상적인 뇌혈류량(50 mL/min/100 g)이 유지되기 때문에 뇌압 상승 환자에서는 가급적 $PaCO_2 < 50$ mmHg로 유지해야 한다.

표 8-10. 급성 뇌손상과 ARDS가 함께 있는 환자에서의 치료 전략

	Tidal volume	PEEP	Prone position	ECMO	Ventilatory target
Acute brain injury	−Low evidence −Vt 6−9 mL/ kg PBW (not over 9 mg/kg) −Pplat < 30 cmH_2O	−Safe in PEEP ≤8 cmH_2O −Could impair venous return −>8 cmH_2O guided by neuromonitoring	−No evidence −Might increase ICP −Relative contraindication	−No evidence	−PaO_2 >75 mmHg −Normocapnia −Not recommended prophylactic hyperventilation
ARDS	−Strong recommendation −Vt 6 mL/kg PBW −Pplat < 30 cmH_2O	−FiO_2/PEEP table (ARDS network)	−Strong recommendation in severe ARDS	−Could be used as rescue therapy	−PaO_2 55−80 mmHg −Any $PaCO_2$ if pH > 7.25
Final Recommendation ABI+ARDS	−Protective Vt −Avoid hypercapnia in severe ABI or IICP −Increase RR to prevent hypercapnia	−Individualize PEEP based on cerebral and lung compliance −>8 cmH_2O guided by neuromonitoring	−Could be considered with neuromonitoring	−Only in specific case as rescue therapy −Be careful heparinization, with neuromonitoring	−PaO_2 >75 mmHg −Protective ventilation −Normocapnia or permissive hypercapnia based on neuromonitoring and pH

ABI: Acute brain injury, IICP: increased intracranial pressure

(2) 뇌손상과 호흡부전이 동반된 환자에서 안전한 호기말양압(PEEP)의 한계는 어디까지인가?

ARDS 환자에서 흔히 사용되는 protective lung ventilation에서 low tidal volume, high PEEP을 사용하는 것이 산소화 및 예후를 개선하는 것이 밝혀졌다. 한편 뇌압 상승 환자에서 흔히 사용되는 high tidal volume (>9 mL/kg)는 급성 폐손상 발생을 증가시키는 것으로 알려져 있다.

높은 수준의 PEEP은 이론적으로 ① 뇌정맥혈의 배액을 방해하고 ② 흉강내압의 증가로 뇌압 상승을 유발할 수 있으며 ③ 심박출량 감소로 인한 뇌혈류량 감소로 뇌압 상승 환자에서 불리하게 작용할 수 있다.

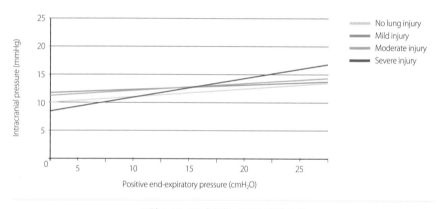

그림 8-13. ICP (뇌압) - PEEP 관계 곡선

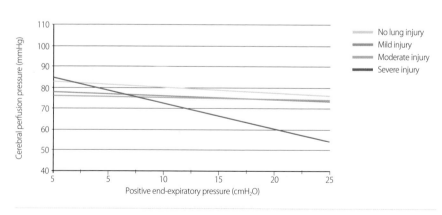

그림 8-14. CPP (뇌관류압) - PEEP 관계 곡선

실제로는 호흡계(respiratory system)의 탄성에 의해서 PEEP의 혈역학적 효과가 완충되기 때문에 특별한 제한없이 적용가능하다. 다만 완충의 정도와 뇌압 상승에 대한 취약성을 고려했을 때 취약성이 더 크게 판단될 때에는 PEEP 사용에 대한 주의가 필요하다. 일반적으로 PEEP≤8 cmH₂O 수준에서는 뇌압 상승에 미치는 영향은 수용할 만하며 뇌관류압에 미치는 영향도 제한적이어서 뇌압 상승 환자에서 적용가능하다(그림 8-13, 14). 높은 뇌압을 보이는 환자에서는 PEEP>8 cmH₂O을 적용하게 되면 EEG monitoring, ICP monitoring을 통해 추가 뇌 손상이 발생하지 않는지 관찰이 필요하다.

참고문헌

1. Shirin K. Frisvold, Chiara Robba & Claude Guérin. What respiratory targets should be recommended in patients with brain injury and respiratory failure? Intensive Care Medicine 2019;45:683-6.

2. Myles D Boone, Sayuri P Jinadasa, Ariel Mueller, et al. The Effect of Positive End-Expiratory Pressure on Intracranial Pressure and Cerebral Hemodynamic. Neurocritical Care 2017;26(2):174-81.

3. Luciana Mascia, Elisabeth Zavala, Karen Bosma, et al. High tidal volume is associated with the development of acute lung injury after severe brain injury: An international observational study. Critical Care Medicine 2007;35(8):1815-20.

6. 복부 수술 및 흉부 외상 환자의 기계환기 치료

1) 복부수술 후 환자

수술후폐합병증(post-operative pulmonary complications, PPC)은 수술 후 발생하는 흔한 합병증 중 하나이다. 수술후폐합병증은 복부수술 특히, 상복부 수술 후 환자에서 20-60%까지 보고되며 수술 후 1-3일에 가장 많이 발생한다. 수술 후 환자에서 기계환기 적용은 수술에 따른 호흡기계 생리학적 변화를 이해하여 설정해야 하며 기계환기 적용으로 인한 이차적 폐손상이 발생하지 않도록 유의하여야 한다.

(1) 수술로 인한 호흡기계의 변화

전신마취 후에는 기능잔기용량(functional residual capacity), 강제폐활량(forced vital capacity) 및 1초간 강제호기량(FEV1)이 감소한다.

(2) 수술로 인한 횡격막 기능부전

수술에 의한 횡격막 기능부전은 수술 후 호흡기능저하의 중요한 원인이며 그 기전은 아래와 같다.

① 횡격막 직접적 손상: 상복부 수술 혹은 흉부수술 시행 시 횡격막에 직접적인 시술이나 조작을 하고, 수술시야 확보를 위해 장시간 횡격막이 눌리거나 견인기로 당겨지게 되면 횡격막 기능저하 혹은 마비가 발생한다. 이것은 수술 후 호흡기능저하를 초래하는 주 원인이며 수일에서 수개월까지 지속될 수 있다.

② 복근기능저하: 복근과 횡격막은 원심성, 구심성 신경분포로 인해 상호간에 영향을 미친다. 수술 후 통증 혹은 절개에 의한 복근의 과도한 수축 및 불수의적 운동은 횡격막 기능을 떨어뜨려 호흡부전을 초래하는 원인이 된다.

(3) 수술 후 폐손상

① 수술 중 높은 일회호흡량으로 인한 폐포과팽창(alveolar overstretch)과 폐포
의 주기적인 개폐(opening and closing)는 폐손상을 유발할 수 있다.

② 수술과 관련된 조직손상, 출혈 및 체액소실, 염증반응, 허혈재관류 손상
(reperfusion injury) 등은 수술 후 급성 폐손상을 유발하는 원인이 된다.

2) 기계환기 적용법

수술 후 환자에서의 기계환기치료는 기본적으로 폐보호환기 전략을 따르는
것이다.

(1) 기계환기양식

수술 직후 기계환기를 적용하는 경우 대부분 환자는 마취에서 미처 깨지 않은
상태에서 중환자실로 전실되는 경우가 많기 때문에 ACMV에서 시작한다. 수술
직후 심폐기능을 유지를 위한 스트레스를 최소화하기 위해 일단은 환자를 안
정시키고 혈역학 및 폐기능을 점검한 후 기계환기 이탈여부를 결정한다.

(2) 일회호흡량

수술 후 기계환기에 의한 폐손상이 발생하지 않도록 작은 일회호흡량(6-8
mL/kg PBW)을 적용한다.

(3) PEEP

수술 후 기능잔기용량(functional residual capacity)를 유지하기 위해 환자의 폐
기능에 맞춰 PEEP을 최소 5 cmH$_2$O 이상 유지한다. 그러나 과도한 PEEP은 혈역
학적 불안정을 초래하여 수술 직후 조직관류에 지장을 줄 수 있으므로 유의
하여야 한다.

(4) FiO$_2$

PaO$_2$가 80 mmHg가 유지되는 정도의 FiO$_2$를 유지한다. 불필요하게 높은 농도의
산소가 공급되지 않도록 한다.

3) 복압이 증가된 환자

(1) 복강내고압(intraabdominal hypertension)

복압이 12 mmHg 이상으로 증가되는 복강내고압상태가 되면 복부 내 간, 신장의 기능은 물론 복강 외 폐, 심혈관, 뇌 기능에도 악영향을 미친다. 특히 복압 상승은 인근 흉강에 직접적인 영향을 미친다. 이에 대한 생리학적 변화를 이해하고 복압이 상승한 환자의 호흡부전 시 기계환기 적용법을 숙지한다.

(2) 호흡기계의 변화

① 상승된 복압이 횡격막을 흉강으로 받쳐 올리면서 폐용적(lung volume)이 줄고 흉벽 탄성(chest wall compliance)은 감소된다.

② 복압이 흉강으로 전달되는 압력(abdominal−thoracic transmission, ATT)은 복압의 20−60% 정도이며, ATT는 기도압(airway pressure)과 흉강압(pleural pressure)을 모두 증가시킨다. 따라서 비록 기도압이 높아지더라도 급성 폐손상을 초래하는 지표 중 하나인 폐경유압(transpulmonary pressure)에 미치는 효과는 그만큼 상쇄된다.

③ 사강환기(dead space ventilation), 단락(shunt), 환기−관류 불균형(ventilation−perfusion mismatch)을 증가시켜 환기 기능 및 산소화를 저하시킨다.

④ 폐단위(lung units)의 반복적 개폐로 인한 환기기유발폐손상(ventilator induced acute lung injury) 가능성이 높다.

(3) 기계환기 적용법

복강내고압 환자는 대부분 중환자이며 폐보호환기전략에 따라 기계환기를 적용한다.

① 일회호흡량: 일반적으로 6−8 mL/kg PBW를 사용한다. 특히 복압이 증가된 환자는 급성 폐손상 동반 가능성이 높은 중환자로 저일회호흡법을 적용한다.

② PEEP: PEEP은 복압 증가에 따른 폐용적과 흉벽탄성 감소를 완화시킬 수 있지만 적절한 PEEP에 대해 연구된 바는 없다. 환자별 폐기능에 따라 호흡기

탄성을 최적화시킬 수 있는 PEEP을 찾도록 한다.

③ 구동압력(driving pressure): 14 cmH₂O를 넘지 않도록 한다.

④ 고원압(plateau pressure, P_{plat}): 폐보호전략에서 고원압을 30 cmH₂O로 제한하는 것은 폐경유압(tranapulmonary pressure)를 최소화하기 위한 전략으로 P_{plat} 에는 복압이 포함되어 있다. 복압이 높은 환자는 복압이 기도압과 흉강압을 모두 증가시키므로 높은 기도압에 비해 폐경유압에 미치는 영향은 크지 않다. 따라서 복압이 증가된 환자에서 고원압은 기준보다 높아지는 것을 허용한다. 아래 식은 복압이 높은 환자에서 목표한 고원압을 유지하기 위한 실제 고원압을 구하는 식이다.

Plateau pressure target (cmH₂O) = 7 + 0.7 × IAP (mmHg)

(4) 대안치료법

복벽 탄성 감소 방법

① 진정, 진통제를 충분히 사용하여 복벽의 탄성을 증가시킨다.

② 근이완제는 복압을 감소시키므로 복압이 매우 높은 경우 짧은 기간의 근이완제는 복압감소에 도움이 된다.

③ 체위변화는 복압상승에 직접적인 영향을 미친다. 복압이 상승된 환자는 상체거상을 피하도록 한다.

(5) 위장관내용물 배액

① 비위관/직장관 삽관: 위장관이 팽창되어 있는 경우 상부위장관은 비위관을, 하부위장관은 직장관을 삽입하여 적극적으로 감압을 시도한다.

② 위장운동촉진제(prokinetic drug): 대부분 장운동감소로 인해 장마비가 동반된 경우가 많다. 따라서 위장운동촉진제를 사용하여 복압이 감소되도록 한다.

③ 복강내체액 배액: 복강내 복수 및 혈액이 있는 경우 경피적복수배액술 등을 시행한다.

④ 수액치료: 제한적 수액요법을 시행하며 수액투여 시에는 가능한 교질액(colloid)을 사용한다.

⑤ 장기기능보존: 적극적 소생법을 통해 장기로 충분한 관류압을 유지하도록 한다.

4) 흉부외상환자

(1) 늑골골절

늑골골절 때문에 기계환기를 요하는 경우는 많지 않다. 그러나 통증조절이 잘 안되는 경우 가래배출이 적절하지 못하고 폐허탈로 인해 저산소증이 발생할 수 있으므로 보존적치료가 필요하다.

(2) 동요가슴(flail chest)

다발성 늑골골절 시 흉곽(rib cage)이 불안정해지고(flail chest) 환기장애가 발생하게 된다. 극심한 통증, 흉부의 모순운동(paradoxical movement), 폐허탈 등으로 인해 저산소증 및 환기장애가 발생할 수 있다. 환자의 중증도는 늑골골절 및 동반된 폐타박상의 정도에 따라 결정된다. 대부분은 적절한 통증조절로 극복할 수 있으나 중증의 경우 고유량비강캐뉼라 혹은 (비)침습 인공호흡기치료가 필요하다. 흉벽의 불안정성이 큰 경우 늑골고정술이 필요할 수 있다.

(3) 폐타박상(pulmonary contusion)

타박상을 받은 폐포공간으로 피나 삼출물이 차면 폐조직 기능이 손상받게 된다. 단독 폐손상만으로는 기계환기 적용없이 보존적치료만으로도 회복되지만 폐타박상이 심하고 부위가 광범위한 경우 ARDS에 준한 치료가 필요할 수 있다.

(4) 기관기관지손상(tracheobronchial injury)

기관주위 손상에 의해 기흉이 발생한다. 손상부위가 작은 경우 저절로 치유되기도 하나 기흉의 정도가 큰 경우 수술적 치료가 필요할 수 있다.

표 8-13. Initial ventilator setting in patients with chest trauma

Mode	ACMV
Control variable	Pressure/Volume
FiO$_2$	1.0
Tidal volume	6–8 mL/PBW (4–8 mL/PBW with ARDS) Plateau pressure $\leq$ 30 cmH$_2$O
Inspiratory time	$<$ 1s
PEEP	5 cmH$_2$O No PEEP with severe air leaks Titrate PEEP with ARDS

PBW: predicted body weight (86쪽 참조)

(5) 심근손상(myocardial injury)

심근손상으로 인해 부정맥이 발생할 수 있으나 심부전으로 이어지는 경우는 많지 않다. 흉부손상이 커서 심근손상과 함께 흉부쪽의 동반손상이 큰 경우에도 기계환기 적용이 필요하다.

참고문헌

1. Adrian Regli, Paolo Pelosi, Manu L.N.G. Malbrain Ventilation in patients with intraabdominal hypertension: What every critical care physician needs to know. Annals of Intensive care 2019;9:52.

2. Dean R. Hess, Robert M. Kacmarek Essential of mechanical ventilation. 3rd ed. USA: McGraw Hill; 2017.

3. Sabrine N T Hemmes, Marcelo Gama de Abreu, Paolo Pelosi. The PROVE Network Investigators Clinical Trial Network of the European Society of Anaesthesiology High versus low positive end-expiratory pressure during general anesthesia for open abdominal surgery (PROVHILO trial): a multicenter randomized controlled trial. Lancet 2014;384(9942):495-503.

09. 중환자실 진통, 초조, 섬망 평가 및 조절

1. 서론

중환자는 기관 내관 삽관 등 여러 가지 시술 등으로 대부분 통증을 겪으며 여러 가지 스트레스 상황 때문에 진정제를 사용해야 되는 경우가 많다.

진통제 및 진정제는 종류가 다양하며 적절하게 잘 사용하면 환자 치료에 큰 도움을 준다. 환자의 상태에 따라서 선택을 달리해야 하며 용량 등도 자주 조절해야 한다.

2018 PADIS (pain, agitation sedation, belirium, immobility, sleep disruption) 가이드라인에 따르면 ABCDEF 묶음은 중환자실 퇴원률 및 생존률을 모두 향상시킨다.

ABCDEF 묶음은 다음과 같다.

- A (Assessment, prevention and management of pain): 주기적으로 통증을 사정하고 중재하는 것이 첫 번째로 중요하다.
- B (Both spontaneous awakening trials and spontaneous breathing trials): 가능하면 하루에 한 번은 환자의 의식을 깨우며 자발호흡 시도를 (압력보조모드 혹은 T-piece 이탈)하는 것이다. 이를 위해서는 얕은 진정을 하고 있어야 하며 진정제 및 진통제를 감소하거나 중지해야 될 수도 있다.
- C (Choice of sedation and analgesia): 상기 상태를 만들고 유지하기 위해서 환자의 상태에 적절한 진정제 및 진통제 사용을 하는 것을 말한다. 진정 정도를 RASS와 같은 평가 도구를 이용하여 사정하고 필요시 약물을 사용한다.

- D (Delirium assessment, prevention, and management): 섬망을 특정 도구, 예를 들면 CAM−ICU를 사용하여 평가, 예방 및 치료를 하는 것이다.
- E (Early mobility and exercise): 중환자실 입원 이후 혈역학적으로 안정되면 조기에 재활 운동을 시행한다(226쪽 15장 중환자재활 참조).
- F (Family engagement and empowerment): 가족들이 함께 중환자 치료를 이해하고 적극적으로 치료에 참여하도록 한다.

2. 중환자실의 진통, 진정, 섬망 조절

중환자에서 적절한 진통, 진정제 사용은 재원기간과 기관절개술 필요를 감소시킨다. 이러한 진통, 진정제 사용의 가장 큰 원칙은 다음과 같다: 1) 가능한 진통제만으로 안정 상태를 유도하며, 2) 진정제 사용은 최소화하고, 3) 진정제를 쓰는 경우 지속적 투여보다 간헐적 투여를 선택하며, 진정제 투여 시 매일 중단을 시도하며, 그리고 4) 설정된 치료목표를 따라 약물 조정하도록 한다.

  중환자 치료과정에서 다양한 요인(중환자실 환경, 자신의 불안정한 신체 상태 등)으로 인하여 통증, 불안 및 안절부절이 발생하기에 중환자실에 입실한 모든 환자에서 진통, 진정, 섬망의 조절이 필요하다. 중환자실에서는 여러 시술로 인한 통증이 발생하며 기계환기 치료 중인 환자에서 심리적 불안감과 동반된 통증, 불편감은 기계환기기와 비동조를 초래할 수 있다.

3. 통증

조절되지 않은 통증은 환자의 에너지 소모 증가와 면역기능장애를 유발할 수 있고 장기적으로 외상 후 스트레스 장애의 위험을 증가시킨다. 통증 사정 도구로는 numeric rating scale (NRS)와 critical care nonverbal pain scale (CNPS) 등이 있다.

  통증관리 목표는 NRS ≤ 3점 혹은 CNPS ≤ 2점 이하로 유지하는 것이다.

1) NRS: 의사소통이 가능하고 수 개념을 이해하는 환자를 대상으로 하며 통증이 없는 0에서 상상할 수 없을 정도의 극심한 통증인 10까지의 숫자로 통증 강도를 직접 말하게 하여 기록한다.

2) CNPS: 의사소통이 불가능하거나 NRS 이해가 불가능한 19세 이상의 성인 환자를 대상으로 환자의 얼굴 표정, 신체반응, 기계호흡 순응도 또는 언어반응을 1분간 관찰한 후 가장 높은 점수로 평가하여 기록한다.

표 9-1. 통증 사정 도구

	지표	점수	설명
1	얼굴표정	0	표정변화 없음, 자연스러운 표정 유지
		1	미간을 찡그림, 눈살을 찌푸림, 눈물을 글썽임
		2	눈을 꽉 감음, 눈을 번쩍 뜸, 눈물을 흘림, 입을 씰룩거리며 눈 주위를 찡그림
		3	이를 악 묾, 얼굴이 우거지상으로 일그러짐, 기관 내관을 밀어내거나 깨묾
2	신체반응	0	움직임이 없음, 편안한 자세 유지, 저항 없이 이완됨
		1	느리고 조심스러운 움직임, 몸을 뒤척임, 일부 근육이 긴장됨
		2	통증부위를 만지려고 하거나 문지름, 고개를 흔들거나 사지의 움직임이 증가함, 온몸에 힘을 줌
		3	온몸을 흔들거나 비틀며 심하게 움직임, 공격적인 행동을 보임, 근육이 뻣뻣해지고 활처럼 휨, 침대난간(side rail)을 치며 발버둥을 침
3	기계호흡 순응도 (기계호흡없이 기관내 삽관만 시행한 경우 포함)	0	경보가 울리지 않고 인공호흡기에 잘 적응함, 기침 없음
		1	경보가 울리지만 곧 멈춤, 간헐적으로 기침을 함
		2	경보가 자주 울림, 기계호흡에 저항함, 기계호흡과 맞춰 쉬지 못하여 호흡수가 증가함, 기침을 주기적으로 함
		3	기계환기기와 심한 부조화(fighting)를 보임, 지속적으로 기침을 하고 환기가 차단됨
	발성 (발관 환자)	0	정상적인 말투, 신음 소리를 내지 않음
		1	끙끙대며 신음소리를 냄, 앓는 소리를 냄(아-, 으-, 음-, 아야-), 한숨을 내쉼
		2	훌쩍거리거나 소리 내어 흐느껴 움, 불편함이나 통증을 짧은 단어로 표현함(아파, 왜이래, 치워…)
		3	큰 소리를 지름, 폭언을 함, 울부짖음

4. 진정

시술 및 치료는 고통, 두려움 및 불안을 초래하므로 적절한 진정이 필요하다. 사정 도구로는 Riker sedation – agitation scale (SAS)와 Richmond agitation – sedation scale (RASS) 등이 있다. 진정 수준 목표는 보통 SAS 3~4, RASS 0~−2이지만 환자 상태와 치료목표에 따라 달라질 수 있다.

표 9-2. 진정 사정 Richmond Agitation-Sedation Scale (RASS)

점수	용어	정의
+4	폭력적임 (Combative)	과도하게 폭력적이거나 난폭함, 의료진에게 즉각적인 위협 (combative, violent, immediate danger to staff)
+3	매우 흥분 (Very agitated)	튜브나 카테터를 잡아 당기거나 의료진을 향해 흥분된 행동을 보임 (pulls to remove tubes or catheters, aggressive)
+2	흥분 (Agitated)	자주 목적 없는 움직임이 보이거나 인공호흡기와 부조화를 보임 (frequent non–purposeful movement, fights ventilator)
+1	안절부절 (Restless)	불안해하거나 염려함, 그러나 움직임이 활발하거나 격렬하지 않음 (anxious but movements not aggressive or vigorous)
0	명료하고 차분함 (Alert and calm)	보호자, 의료진에게 자연스럽게 집중함 (spontaneously pays attention to caregiver)
−1	기면 (Drowsy)	완벽히 명료하지 않지만, 목소리에 눈맞춤을 하고, 지속적으로(10초 이상) 깨어있음 (not fully alert, but has sustained awakening to voice: eye opening & contact ≥10 sec))
−2	경미한 진정 (Light sedation)	목소리에 눈맞춤을 하고 잠시 동안(10초 이내) 깨어 있음 (briefly awakens to voice: eyes open & contact <10 sec)
−3	중등도의 진정 (Moderate sedation)	목소리에 움직임 있음(그러나 눈맞춤은 없음) (movement or eye opening to voice but no eye contact to physical stimulation)
−4	깊은 진정 (Deep sedation)	목소리에 반응이 없지만, 신체적 자극에 움직임이 있음 (no response to voice, but movement or eye opening to physical stimulation)
−5	깨지 않음 (Unarousable)	목소리나 신체적 자극에 아무 반응이 없음 (no response to voice or physical stimulation)

5. 섬망(Delirium)

섬망은 주의력 결핍을 동반한 인식 장애, 인지 변화 또는 지각 장애로서 수 시간에서 수 일의 시간 사이에 발생하며 하루에도 몇 번씩 변화를 보이는 신경정신병적 증후이다. 중환자실 입실 중에 20-84%의 환자가 섬망을 경험하는 것으로 알려져 있다. 섬망은 환자가 기관 튜브나 주사 등을 임의로 제거하게 하기도 하고 중환자실 입실기간이나 사망률을 증가시키는 요인이 된다.

섬망 위험 요인으로는 고령, 인지기능의 저하, 낮은 기능 수준, 영양부족 또는 낮은 알부민 수치, 감각 박탈, 골반 골절, 만성 통증, 질환의 중증도, 거동 제한, 신체 억제, 입원당시 골절, 감염, 다수의 동반 질환, 섬망의 과거력, 알코올 중독 등이다. 섬망 유발 요인으로는 수술, 수술 시간, 항콜린성 약물, 벤조디아제핀 투약, 진정의 정도와 기간, 기계 호흡, 메페리딘 등이 알려져 있다.

1) 섬망 유형

과활동형(hyperactive)은 급성으로 발생하며 공격적이고 자극에 과도한 반응을 보이므로 가장 쉽게 인지되는 유형이다. 저활동형(hypoactive)은 대부분 수면 상태에 있거나 깨어 있더라도 집중력 저하와 무기력증을 보여 진단과 치료가 늦어질 수 있으므로 과활동형에 비해 예후가 안 좋다. 혼합형(mixed)은 과활동형과 저활동형이 혼합되어 나타나는 것이다.

2) 섬망 평가

섬망의 예방 및 조기 발견, 적절한 중재를 위해 가장 중요한 것은 조기 진단을 위한 선제적인 감시와 중환자실 의료진의 섬망에 대한 인식과 정확한 사정이다. 섬망 사정 도구로 민감도와 특이도가 높은 CAM-ICU (confusion assessment method for the ICU)는 인공 기도관(endotracheal tube, T-cannula) 때문에 의사소통이 어려운 환자뿐만 아니라 중환자실 모든 환자에게 적용 가능하다. CAM-ICU 적용은 2단계 평가로 이루어지는데, 1단계는 환자의 진정 정도를 평가하여 Richmond Agitation - Sedation Scale (RASS) -3점 이상의 환자에게, 2단계는 섬망 유무를 4가지 수준으로 평가한다. 섬망 평가는 매 근무 조마다, 필요시, 환자의 의학적 상태나 의식의 변화가 있는 경우 시행하는 것이 권고된다.

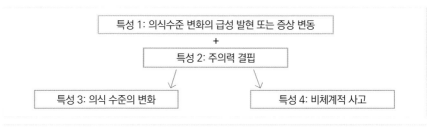

그림 9-1. CAM-ICU를 이용한 섬망 평가 방법

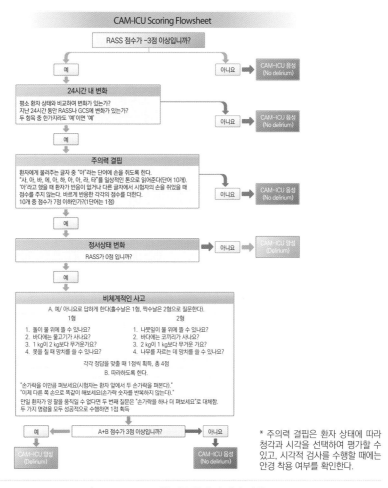

그림 9-2. CAM-ICU를 이용한 섬망 평가 방법

환자에게 step 1 그림을 한 장씩 3초간 보여준 후 step 2 그림을 보여주며 "이 중 일부는 이전에 보았던 그림이고 몇 개는 처음 보시는 겁니다. 먼저 보신 그림인지 아닌지 고개를 끄덕이거나 고개를 저어서 알려주세요."

그림 9-3. 시각을 이용한 평가

3) 섬망의 예방 및 중재

(1) 섬망의 예방

섬망을 예방하기 위해서는 위험요인을 최소화해야 된다. 돋보기 또는 안경, 보청기 등을 제공하여 환자의 감각 결손을 보완하고 인지 기능을 도와줄 도구(시계, 달력, 스케줄 표)를 제공하고 설명한다. 지적, 환경적 자극을 위해서 가족 사진과 같은 물품들을 제공하고 음악이나 텔레비전 시청은 환자가 병원 환경을 친근하게 느낄 수 있도록 도와준다. 조기 기동을 위해서 주간에는 가족과 친구들의 정기 방문으로 정서적 지원과 조기 재활을 시행한다. 불필요한 카테터와 억제대는 가능한 빨리 제거한다. 수면 환경 조성을 위해서 야간에는 시술이나 처치를 최소화하고 귀마개, 눈가리개, 소음감소 등 비약물적 방법을 적용하여 자극을 줄이고 수면제 사용은 최소화한다.

(2) 섬망의 중재는 상기 비약물적 중재를 먼저 하고 반응이 없으면 약물적 중재를 한다.

6. 통증, 진정 및 섬망의 약물의 선택 및 조절

환자의 통증, 불안, 섬망에 대해 사정이 되면 목표로 하는 통증조절 및 진정 수준에 따라 약물 치료를 시작하고 용량을 조절한다. 진통제, 진정제, 항정신 병제 사용 시 각 약물의 특성을 이해하여 환자의 기저질환, 투여 적응증, 장기 부전 여부, 예상 투여기간, 제형, 가격 등을 고려하여 약물을 선택해야 된다.

7. 국내 병원 현실에서 고려할만한 내용

중환자실 의사 및 간호사 인력이 불충분한 현실에서는 진통제 단독만 사용하면서 자주 환자의 상태를 사정하고 대응하기에는 어려운 점이 있다. 환자가 불안정한 초기에는 진통제 및 진정제를 사용해서 RAAS −1~−2 정도로 유지하고, 안정되는 1−2일 뒤에는 RAAS 0~−1 정도로 하며 이때 진통제 단독 사용도 고려해 볼 수 있다. 초기 지나치게 깊은 진정은 환자 예후를 악화시키므로 피하는 것이 권고된다.

혈역학적 변동이 적은 진통제 및 진정제는 remifentanil, fentanyl, ketamine이 있다. 전통적으로 morphine, fentanyl, midazolam을 많이 사용했으나 작용 시간이 길어 깨우는 데 시간이 걸리는 경우도 있다.

환자를 깨우는 데 편리한 약물로는 remifentanyl, propofol, dexmedetomidine 등이 있지만 고가인 단점이 있다. Remifentanil은 초속효작용의 약리학적 특성 때문에 용량을 줄일 때 opioid−withdrawal syndrome이 잘 생긴다.

다른 기저질환 치료 및 환경 치료 등으로 섬망 조절이 어려울 때 seroquel, haloperidol같은 약물이 시도되지만 크게 효과가 없는 것으로 알려져 있고 고용량에서는 오히려 섬망을 조장하거나 의식저하 및 호흡저하의 부작용이 생길 수 있다. 이런 경우 propofol, dexmedetomidine 약물 요법 혹은 가족 지지 요법을 고려해 볼 수 있다.

중환자실에 입원하는 환자 중 다수는 근육이완제 혹은 깊은 진정이 처음부터 필요하지 않다. 급성기 치료 1−2일 이후에 적극적으로 ABCDEF를 적용하

	PAIN	AGITATION	DELIRIUM
ASSESS	Assess pain ≥4x/shift & prn Preferred pain assessment tools: • Patient able to self−report → NRS (0−10) • Unable to self−report → BPS (3−12) or CPOT (0−8) Patient is in significant pain if NRS≥4, BPS>5, or CPOT ≥3	Assess agitation, sedation≥4x/shift & prn Preferred sedation assessment tools: • RASS (−5 to +4) or SAS (1 to 7) • NMB → suggest using brain function monitoring Depth of agitation, sedation defined as: • agitated if RASS = +1 to +4, or SAS = 5 to 7 • awake and calm if RASS = 0, or SAS = 4 • lightly sedated if RASS = −1 to −2, or SAS = 3 • deeply sedated if RASS = −3 to −5, or SAS = 1 to 2	Assess delirium per shift & prn Preferred delirium assessment tools: • CAM−ICU (+ or −) • ICDSC (0 to 8) Delirium present if: • CAM−ICU is positive • ICDSC ≥4

TREAT	Treat pain within 30' then reassess:
	• Non−pharmacologic treatment−relaxation therapy
	• Pharmacologic treatment:
	  − Non−neuropathic pain → IV opioids +/− non−opioid analgesics
	  − Neuropathic pain → gabapentin or carbamazepine + IV opioids
	  − S/p AAA repair, rib fractures → thoracic epidural
		Targeted sedation or DSI (Goal: patient purposely follows commands without agitation): RASS = −2−0, SAS = 3−4
		• If under sedated (RASS>0, SAS >4) assess/treat pain → treat with/sedatives as needed (non−benzodiazepines preferred, unless ETOH or benzodiazepine withdrawal is suspected)
		• If over sedated (RASS <−2, SAS <3) hold sedatives until at target, then restart at 50% of previous dose
			• Treat pain as needed
			• Reorient patients; familiarize surroundings; use patient's eyeglasses, hearing aids if needed
			• Pharmacologic treatment of delirium:
			  − Avoid benzodiazepines unless ETOH or benzodiazepine withdrawal is suspected
			  − Avoid rivastigmine
			  − Avoid antipsychotics if ↑ risk of Torsades de pointes

PREVENT	• Administer pre−procedural analgeia and/or non−pharmacologic interventions (e.g., relaxation therapy)
	• Treat pain first, then sedate
		• Consider daily SBT, early mobility and exercise when patients are at goal sedation level, unless contraindicated
		• EEG monitoring if:
		  − at risk for seizures
		  − burst suppression therapy is indicated for ↑ ICP
			• Identify delirium risk factors: dementia, HTN, ETOH abuse, high severity of illness, coma, benzodiazepine administration
			• Avoid benzodiazepine use in those at ↑ risk for delirium
			• Mobilize and exercise patients early
			• Promote sleep (control light, noise; cluster patient care activities; decrease nocturnal stimuli)
			• Restart baseline psychiatric meds, if indicated

그림 9-4. 통증, 초조, 섬망 요약

NRS: numeric rating scale, BPS: behavioral pain scale, CPOT: critical care pain observation tool, NMB: neuromuscular blockade, ICDSC: intensive care delirium screening checklist, DSI: daily sedation interruption, ETOH: ethanol, SBT: spontaneous breathing trial, HTN: hypertension

면 환자 예후에 도움이 된다. 소수의 중증 환자는 근이완제 사용, 복와위 요법, 체외막산소공급 등의 이유로 초기에 깊은 진정이 필요할 수 있다. 이런 환자는 임상 상태가 충분히 안정이 된 후에 ABCDEF 적용이 가능하다.

진정 및 통증에 관련된 많은 지침이 모든 환자에게 똑같이 적용될 수는 없다. 기본적으로 사용할 약들을 결정하되 반응이 없을 때 한 가지 약을 고용량으로 사용하는 것은 좋지 않다. 여러 계통의 약들을 복합 요법으로 사용하는 전략이 추천된다.

1) 진통 및 진정제 사용 예를 소개하면 다음과 같다.

(1) 혈압이 안정적인 경우: morphine ± benzodiazepine (or propofol)*

(2) 혈압이 불안정한 경우: fentanyl (or remifentanil) ± benzodiazepine (or pro-pofol)*

(3) (1), (2)에 불충분하거나 반응이 없을 때: ketamine + benzodiazepine (or pro-pofol)*

2) Benzodiazepine 사용

(1) 급성 초조: 지속적 midazolam 정주

(2) 지속되는 초조(>48hr): 간헐적 lorazepam

3) Propofol* 투여 고려하는 경우

(1) 간, 신장 장애가 심한 경우

(2) 두강내 압력을 조절해야 하는 경우

4) 지속적으로 초조가 나타나는 경우 benzodiazepine 대신에 antipsychotics으로 변경

(1) Haloperidol

(2) Atypical antipsychotics: quetiapine, risperidone, olanzapine

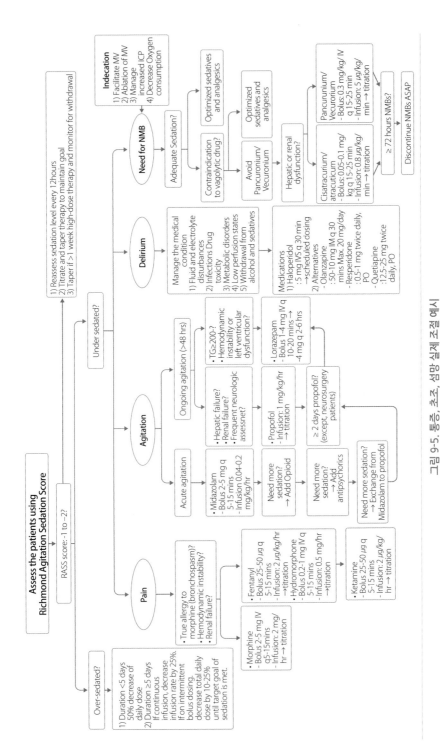

그림 9-5. 통증, 초조, 섬망 실제 조절 예시

NMB: neuromuscalar blocker, MV: mechanical ventilation, ASAP: as soon as possible

표 9-3. 중환자에서 사용 가능한 진통제

진통제 종류	동통 진통 용량(mg)		IV Onset (min)	IV Duration	반감기	상용량 (속도단위 주의 요함)	특징
	IV	PO					
						Opiate analgesics	
Morphine	10	30	5–10	4–5 hr	2–4 hr	Maintenance: 0.8–35 mg/hr	- 혈압저하가 흔함 - 부작용: 장운동 저하, 기관지 연축(bronchospasm) - Active metabolite 생성, 신부전/간부전 시 약효 시간 연장 - 가격 저렴
Hydromorphone	1.5	7.5	5–15	3–4 hr	2–3 hr	0.5–3 mg/hr	- Morphine/fentanyl 내성 환자 투여 고려 - 신부전/간부전 시 약효 시간 연장
Fentanyl	0.1	N/A	1–2	0.5–1 hr	2–4 hr*	IV bolus: 25–50 mcg Maintenance: 1–10 μg/kg/hr	- Morphine에 비해 혈압저하가 적게 발생 - 신부전 시 약물 축적에 의해 약효 시간 연장 - 고용량 투여 시 흉벽 경직 발생 가능 *Context sensitive half life: 장기간 지속주입 시 반감기 연장됨
Remifentanil	N/A	N/A	1–3	0.5–1 hr	3–10 min	Maintenance: 0.1–0.2 μg/kg/min	- Ultra-short acting: 1) 반감기가 매우 짧고, 신부전/간부전 있어도 약물 축적되지 않음 2) Opioid withdrawal syndrome 잘 생김 - 인공호흡기 이탈 시 빨리 의식 회복 가능 - 부작용: 혈압저하, 서맥 - 과체중 환자(ABW>IBW×130%) IBW 사용 고려
Ketamine			0.5	5–10 min	2–3 hr	Loading: 0.5–1 mg/kg Maintenance: 5–20 μg/kg/min	- 다른 진정제에 비해 혈압감소가 적고, 기관지 확장 효과가 있음 - 부작용: 심혈관계 자극(BP, HR↑: 관상동맥 질환 환자 주의), ICP 상승, 환자 유발 - Active metabolite 생성 - 급성 Opioid 내성 발생 감소

표 9-3. 중환자에서 사용 가능한 진통제(계속)

진통제 종류	동등 진통 용량(mg)		IV Onset (min)	IV Duration	반감기	상용량 (속도단위 주의 요함)	특징
	IV	PO					
						Non-opiate analgesics	
Acetaminophen PO 속효성			30-60		2-4	325-1000 mg q 4-6 hr (Max. 4g/day)	- 중증 간부전 환자에서 투여 금기 - Fever masking
IV			5-10	4-6 hr	2 hr	650 mg q 4hr 1 g q 6hr (Max. 4h/day)	
Ketorolac (IM/IV)			10	4-6 hr	2.4-8.6 hr	30 mg IM/IV, 이후 15-30 mg IM/IV q 6 hr (최대 5일)	- 신중 투여: 신부전, 위장관 출혈, 혈소판 이상, ACEI/ARB 병용, 울혈성 심부전, 간경화, 천식 환자 - 투여 금기: CABG 수술 후 통증 조절 목적
Ibuprofen IV			N/A	N/A	2.2-2.4 hr	400-800 mg IV q 6 hr (30분 이상 투여) (Max 3.2 g/day)	
PO			25	N/A	1.8-2.5 hr	400 mg PO q 4 hr (Max 2.4 g/day)	
Gabapentin (PO)			N/A	N/A	5-7 hr	100 mg TID 시작 유지용량 300-1200 mg TID	- 부작용: 진전, 혼돈, 현기증, 운동실조 - 심부전 시 용량 감량 - 갑작스런 중단 시 withdrawal syndrome, seizure 발생
Carbamazepine (PO) 속효성			240-300	N/A	25-60 → 12-17 hr	50-100 mg BID 시작 유지용량 100-200 mg q 4-6 hr	- 부작용: 안구진탕, 현기증, 복시, 무기력 - 드물게 재생불량성 빈혈, 무과립구증

표 9-4. 중환자실에서 사용 가능한 진정제

진통제 종류	종류	IV Onset (min)	Duration	반감기	상용량 (속도단위 주의 요함)	특징
Benzodiazepine (BDZ) − 호흡억제 − 저혈압 − 섬망 유발위험	Diazepam	2–5	N/A	20–120 hr	Loading: 5–10 mg Maintenance: 0.03–0.1 mg/kg q 0.5–6 hr PRN	− 호흡억제, 저혈압 − 말초정맥 투여 시 Phlebitis 주의 − 단기간 사용 목적에만 추천됨
	Midazolam	2–5	<2 hr (dose-dependent)	2–7 hr	IV bolus: 0.02–0.08 mg/kg Maintenance: 0.04–0.2 mg/kg/hr	− 호흡억제, 저혈압 − Rapid onset, short duration − Active metabolite 생성 − 신부전/간부전 시 약물 축적에 의한 진정 효과 연장 − 단기간 사용 목적에만 추천됨
	Lorazepam	15–20	6–8 hr	8–14 hr	1–4 mg q 2–6 hr IV bolus	− 호흡억제, 저혈압 − 간대사 후 Inactive metabolite로 변환 − 다른 벤조다이아제핀 약물보다 신부전 영향 적음 − Propylene glycol-related acidosis − 지속 주입 투여하지 않음/간헐적 투여 권장
Non-BDZ − BDZ계열보다 선호	Propofol	0.5–1	3–10 min (dose-dependent)	4–7 hr (장기간 지속 투여 시 연장)	Loading: 0.5–1 mg/kg Maintenance: 0.3–5 mg/kg/hr	− 진통 효과 없음 − 단기간 사용 시에는 약물 축적되지 않고 short acting − ICP 저하에 효과적 − 열량: 1 kcal/mL − 부작용: 호흡억제, 저혈압, triglyceride 상승, 췌장염, 알러지 − Propofol infusion related syndrome (PRIS): 고용량 (>5 mg/kg/hr), 장기간(>48 hr) 투여 시 위험도 증가
	Dexmedetomidine	5–10	1–2 hr (dose-dependent)	2–3 hr	Loading: 0.5–1 μg/kg (추천되지 않음) Maintenance: 0.2–0.7 μg/kg/hr	− 작용기전: 선택적 α2 작용제로 norpinephrine 분비 억제하여 마취, 진정 − 진통 효과가 약하나 호흡억제가 적음 − Benzodiazepine 계열에 비해 섬망 발생 적음 − 부작용: 심혈관계 부작용(혈압변화, 서맥)

표 9-4. 중환자에서 사용 가능한 진정제(계속)

항정신병제 종류		Onset (min)	Duration (hr)	반감기 (hr)	[성명] 용량	특징
1세대 항정신병제	Haloperidol	IV 3–20 IM 30	IV 3–24 IM 2	IV 14–26 IM 20	시작: 2.5–5 mg IV (off-label route) /IM 안정될 때까지 15–30분 간격으로 반복 투여 → 투여되면 총 용량을 q 6hr로 분할 투여	– 작용기전: 시냅스후막 중간변연계에 작용하여 도파민수용제 억제 – 진정효과 약함 – 부작용: EPS*, QT 연장 (특히 IV 투여, ≥35 mg/day 시 주의)
비정형 항정신병제	Olanzapine	N/A	N/A	30 hr	5–10 mg QD, PO (Max. 20 mg/day)	– 작용기전: 도파민 보다 세로토닌 수용체를 더 선택적으로 억제 – Haloperidol 보다 진정 효과 강하고 EPS 부작용 발생 적음 – Histamine H₁ 수용체 억제로 인한 진정 효과: Olanzapine, Quetiapine > Risperidone – 부작용: 혈압저하, 이상지하, 변비, 입마름 등 (항콜린성 효과: Olanzapine, Questiapine > Risperidone)
	Quetiapine	N/A	N/A	6 hr	25–50 mg q 12 hr, PO	
	Risperidone	N/A	N/A	20 hr	0.5–2 mg, BID, PO	

*EPS, extrapyramidal syndrome

참고문헌

1. Devlin JW, Skrobik Y, Gélinas C, et al. Clinical Practice Guidelines for the Prevention and Management of Pain, Agitation/ Sedation, Delirium, Immobility, and Sleep Disruption in Adult Patients in the ICU. Care Med. 2018;46(9):e825-e873.

2. Pun BT, Balas MC, Barnes-Daly MA, et al. Caring for Critically Ill Patients with the ABCDEF Bundle: Results of the ICU Liberation Collaborative in Over 15,000 Adults. Crit Care Med 2019;47(1):3-14.

10. 신경근차단제는 언제 어떻게 사용해야 하나?

1. 신경근차단제의 사용 목적

중환자 치료에서 신경근차단제의 사용은 장단점이 있다. 기계환기기를 적용 중인 환자에게 진통제나 진정제와 함께 사용 시 흉벽 탄성의 호전, 기계환기기 비동조(ventilator dyssynchrony) 감소, 복압 감소, 저체온요법 중 또는 가온 (rewarming) 시의 오한 방지 등의 효과가 있다. 그러나 장기간 사용 시 기계환기기 치료 기간이 길어지고 근위약(ICU-acquired weakness)을 유발할 수 있다.

2. 적응증

임상 현장에서 신경근차단제가 사용되는 경우는 기관삽관 시, 급성 폐손상/급성 호흡곤란증후군에서 기계환기기 적용 시, 천식지속상태, 뇌압이 상승된 경우, 복압이 상승된 경우, 심정지 후 저체온 요법 시, 산소소모를 줄여야 하는 상황 등이다.

1) 신속 기도 확보
석시닐콜린(succinylcholine)은 빠른 효과(rapid onset), 짧은 지속시간(short duration)으로 신속기도확보 시 가장 우선시 사용되는 약이다. 고용량 로큐로니움 (rocuronium)도 신속기도삽관 시에 사용되는 약이나 석시닐콜린에 비해 지속시간이 길어서 저산소증으로 마스크 환기(mask ventilation)를 해야 하거나 어려운 기도 삽관에서는 주의가 필요하다.

2) 급성 폐손상/급성 호흡곤란증후군

급성 폐손상/급성 호흡곤란증후군 환자에서 기계환기의 목적은 호흡부전의
원인을 치료하는 동안 기계환기기유발폐손상을 최소화하면서 적정 산소포화
도를 유지하는 것이다. 호흡근마비의 유도는 기계환기기 비동조의 감소, 염
증지표의 감소, 과팽창 감소, 산소 소모량 감소 등의 효과가 있다.

3. 신경근차단제의 종류와 특징

신경근차단제의 종류로는 석시닐콜린, 아트라큐리움(atracurium), 시사트라
큐리움(cisatracurium), 판큐로니움(pancuronium), 로큐로니움, 베큐로니움(ve-
curonium)이 있다(표 10-1). 석시닐콜린은 아세틸콜린 수용체에 결합하여, 초기
근육 수축 후 이완성 마비(flaccid paralysis)를 유발한다. 일부 환자에서 악성 고
체온(malignant hyperthermia)을 유발할 수 있고 혈중 칼륨 농도를 올릴 수 있으
므로 신부전이 있거나 고칼륨혈증 환자에게는 상대적 금기이다. 다른 신경근
차단제들은 니코틴 수용체에 경쟁적 길항제로 작용하여 아세틸콜린의 작용을
억제한다. 베큐로니움이나 로큐로니움은 신기능 장애나 간기능 장애 시 체내
에서 제거가 잘 되지 않아서 작용지속시간이 길어지는 문제가 있어 중환자실
에서는 이 약물들보다는 아트라큐리움이나 시사트라큐리움이 선호된다.

신경근차단제의 효과는 중환자실에서 사용되는 약물들과의 상호작용을
통해 영향을 받을 수 있다. 페니토인, 라니티딘, 카바마제핀, 테오필린 등은
신경근차단제의 효과를 떨어뜨리는 반면, 흡입마취제, 마그네슘, 저칼륨혈증,
스테로이드, 사이클로스포린, 프루세미드, 베타차단제, 칼슘채널차단제, 항생
제(aminoglycoside, clinidamycin, vancomycin) 등은 작용지속시간을 연장한다.

표 10-1. 임상에서 사용되는 신경근차단제(neuromuscular blocker, NMB)의 종류와 작용기전

NMB agent	pancuronium	vecuronium	rocuronium	atracurium	cisatracurium	succinylcholine
NMB type	Aminosteroid (nondepolarizing agent)			Benzylisoquinolinium (nondepolarizing agent)		Depolarizing agent
Acting	long acting	Intermediated	intermediate	intermediate	intermediate	short
Time to maximal blockade (min)	2–3	3–4	1–2	3–5	2–3	<1
Duration of action (min)	60–100	20–35	20–35, 60–80 with rapid sequence dose	20–35	30–60	5–10
Dose						
Bolus	0.05–0.1 mg/kg	0.08–0.1 mg/kg	0.6–1 mg/kg (1–1.2 mg/kg for rapid sequence)	0.4–0.5 mg/kg	0.1–0.2 mg/kg	1–1.5 mg/kg
Continuous	0.8–1.7 μg/kg/min	0.8–1.7 μg/kg/min	8–12 μg/kg/min	5–20 μg/kg/min	1–3 μg/kg/min	–
Elimination	45–70% renal, 15% hepatic	10–50% renal, 35–50% hepatic	33% renal, <75% hepatic	5–10% renal, Hofmann elimination	5–10% renal, Hofmann elimination	plasma cholinesterase
Side effect	bronchospasm	bronchospasm		flushing, low blood pressure, allergic reaction		bronchospasm
Reverse neuromuscular blockade		sugammadex	sugammadex	neostigmine, pyridostigmine	neostigmine, pyridostigmine	

4. 부작용

장기간 사용 시 부동(immobilization)과 관련된 근쇠약/위축이 생긴다. 신경근
차단제는 최소한의 용량으로 최소한의 기간만 사용해야 한다. 사용 적응증과
근마비 심도를 매일 확인하여 가능한 조기에 중단하고 각성상태에서 조기 재
활을 시작하도록 해야 한다. 적절한 진정, 진통 프로토콜에 따른 약제의 용량
조절이 병행되어야 한다.

심부정맥혈전증, 눈꺼풀 감기(eyelid closure)와 눈깜박반사(blink reflex)의 소
실에 의한 각막 건조 및 손상이 발생할 수 있다.

드물지만 IgE-mediated allergic reaction이 발생할 수 있으며 산소포화도의
감소, 기관지연축, 환기량 감소 등의 증상이 보이면 이를 의심해야 한다. 병력
외에 피부반응 검사, 혈중 트립테이즈(tryptase) 농도를 측정하는 것이 진단에
도움이 된다.

5. 감시

신경근차단의 심도를 감시하는 방법에는 자발호흡 여부, 눈깜박임 등을 사용
하지만 용량을 조절하는 데는 도움이 되지 않는다. 현재 사용되고 있는 방법
은 손의 말초 신경을 자극한 뒤 근육의 반응을 보는 것으로 train of four (TOF)
의 패턴을 모니터링하면서 신경근차단제의 효과를 확인한다(그림 10-1)

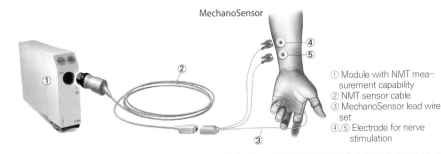

MechanoSensor

① Module with NMT mea-
　surement capability
② NMT sensor cable
③ MechanoSensor lead wire
　set
④,⑤ Electrode for nerve
　stimulation

그림 10-1. Train of four 감시장치
NMT: neuromuscular transmission

TOF 수는 4번의 자극 시 측정되는 근육의 반응 수이다. TOF%는 첫 번째 반응에 대한 4번째 반응의 비로 중환자실에서 많이 사용되는 아트라큐리움이나 시사트라큐리움 같은 비탈분극 신경근차단제들에서 관찰되는 fade 타입인 경우 사용된다(그림 10-2).

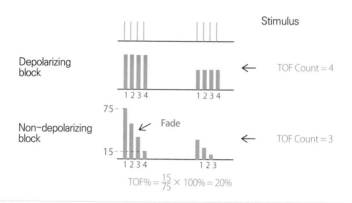

그림 10-2.

1. Reference measurement
   (unrelaxed patient)

2. During critical care
   (TOF count를 보면서 optimal level
   유지)

3. When to intubate
   (모든 반응이 없음)

참고문헌

1. Greenberg SB, Vender J. The Use of Neuromuscular Blocking Agents in the ICU: Where Are We Now? Crit Care Med 2013;41:1332-44.

2. Murphy GS, Brull SJ. Residual neuromuscular block: Lessons unlearned. Part I: Definitions, incidence, and adverse physiologic effects of residual neuromuscular blockade. Anesth Analg 2010;111:120-8.

11. 기계환기기 이탈은 어떻게 하나?

기계환기 치료는 호흡부전 환자의 폐기능이 회복될 때까지 충분히 이루어져야 하나 기계환기기 사용에 연관된 합병증 또한 심각하므로 기계환기기로부터의 이탈(이하: 이탈)은 가능한 조기에 이루어져야 한다. 반면 섣부른 이탈로 인한 이탈 실패는 병원성폐렴의 발생빈도를 증가시키거나 사망률을 증가시킬 수 있다. 이탈 과정은 기계환기기에 의한 환기상태에서 환자의 자발호흡으로의 전환이다. 그러므로 이탈이 성공하기 위해서는 환자의 호흡기계가 환기를 위해 요구되는 호흡일을 감당할 수 있어야 한다. 임상에서는 호흡부전을 유발한 기저질환이 호전되고 FiO_2 0.35–0.50에서 $PaO_2 > 60$ mmHg이면서 혈압이 안정되어 있으면(소량의 혈압상승제 사용하는 경우 포함) 호흡근 상태 등을 고려하면서 이탈을 시작하게 된다. 총환기 시간(total ventilation time)이 짧은 경우는 급속 이탈이 가능하나 72시간을 넘은 경우에는 서서히 기계환기기 의존도를 줄여가는 점진적 이탈방식이 선호된다. 최근에는 기계환기기 이탈프로토콜을 이용하는 이탈방식도 추천되고 있다. 또한 진정 진통제 이탈지침서를 통한 환자의 의식 회복과 자발호흡 유도법은 이탈 시간을 감소시키고 환자의 장기 예후에도 효과적이다.

1. 이탈 대상환자의 평가와 점검 사항

이탈을 고려하는 환자는 우선 호흡부전을 유발한 원인이 치료되어야 한다. 그리고 기계환기기 사용에 따른 진정진통제의 사용을 중지하거나 환자와 소통을 할 수 있는 수준으로 최소화되어야 한다. 특히 근이완제나 호흡억제 작용이 큰 propofol은 끊고 이탈을 시작해야 한다. 섬망이 심한 환자들은 이탈에 앞서 섬망을 조절하여야 한다. 또한 환자의 총환기 시간과 혈역학상태 등을 고려하여 이탈 방식을 결정하여야 한다. 표 11-1에 제시된 사항들의 상태가 이탈을 하기에 적합하여야 한다.

표 11-1. 이탈을 고려할 때 검토해야 하는 사항들

산-염기 균형	혈중 헤모글로빈
체온	영양상태
전해질 상태	전신 근력
체내수액 균형	혈역학 상태
혈당치	신기능
통증	감염의 정도
섬망	수면 장애
의식 수준	

2. 이탈 성공 예측 지표들

이탈 성공 예측 지표는 섣부른 이탈시도나 불필요한 지연을 방지하고 이탈 과정에 의사 개개인의 능력에 대한 의존성을 줄이며 이탈 과정의 길잡이로서 이용될 수 있다. 그러므로 이상적인 이탈지수(weaning index)라 함은 이탈 성적을 정확하게 반영할 수 있어야 하고, 쉽게 측정할 수 있어야 하며, 환자의 자각적인 노력이 크게 필요치 않으면서, 재현성(reproducibility)이 높으며, 측정하고자 하는 기능을 양적으로 나타낼 수 있어야 하겠다. 그러나 이러한 지표들의 활용이 이탈성적에 영향을 향상시킨다는 증거는 부족하다. 임상에서 흔히 사용되는 이탈 성공 예측 지수들은 다음과 같다.

1) 산소화 지표

- FiO_2 0.35−0.40 미만에서 $PaO_2 > 60$ mmHg
- Alveolar−arterial PO_2 gradient at FiO_2 1.0 < 350 mmHg
- PaO_2/FiO_2 비 > 200 mmHg

2) 최고흡기압(maximal inspiratory pressure, PI max)

- PI max < −30 cmH_2O

3) 분시환기량(minute ventilation, V_E)

- V_E < 10 l/min

4) 빠르고 얕은 호흡지수(Rapid shallow breathing index, RSBI)

1분간 자가호흡하는 동안의 호흡 횟수(횟수/분)와 일회호흡량(tidal volume; liter)을 측정하여 RSB (R/VT) > 100이면 이탈 실패의 예측 지표로 사용된다. 예를 들어 환자의 호흡수가 20회이고 일회호흡량이 400 mL이면 RSBI는 20/0.4로 50이며 이는 이탈성공 가능성이 높다고 여겨진다. 자가호흡 시작 시에 측정한 것보다 자가호흡 종료 시에 측정한 RSBI가 이탈지표로서 보다 더 유용하다.

3. 이탈 과정

기계환기기 이탈은 아래의 3단계가 있다. 환자의 상태에 따라 달성할 수 있는 단계가 다르다. 예를 들어 기계환기기는 이탈하였으나 객담을 배출하지 못하는 환자는 기관절개튜브를 제거할 수 없다.

1) 기계환기 치료로부터의 이탈

(1) 양압 환기치료로부터의 이탈

(2) 호기말 양압치료로부터의 이탈

2) 기관 내관 혹은 기관절개튜브의 제거(208쪽 13장 참조)
3) 산소요법으로부터의 이탈

4. 이탈방법

1) 급작이탈(abrupt weaning)과 점진적 혹은 계획된 이탈(gradual or planned weaning)

급작이탈은 수술 후 환자와 같이 총환기 시간이 짧은 경우 이용되는 방법으로 환자가 이탈 가능한 상태로 판단되면 기계환기기를 떼고 일정시간을 관찰한 후 기관 내관을 제거하는 것이다. 급작이탈은 이탈시간을 줄일 수 있고 이탈 과정이 간편하다는 장점이 있으나 실패한 경우 환자의 상태를 악화시킬 수 있어 유의하여야 한다. 급작 이탈을 고려할 때는 환자의 상태에 따라 어떤 방식을 취할 것인지 치료자가 잘 판단하여야 한다. 한 가지 방식을 예시하면 다음과 같다.

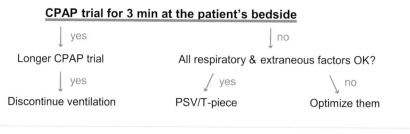

그림 11-1. 3분 CPAP적용법
CPAP; continuous positive airway pressure, PSV; pressure support ventilation

2) 점진적 혹은 계획된 이탈 시 사용되는 방법들

(1) T-piece 혹은 continuous positive airway pressure (CPAP)

(2) Synchronized intermittent mandatory ventilation (SIMV)

이탈 방법들 사이의 장단점을 요약하면 표 11-2와 같다.

표 11-2. 이탈방식으로서 T-Piece, SIMV 및 PSV의 차이점

	T- Piece	SIMV	PSV
Work quantity	All or none	Adjust by number of mandatory breaths	Adjust by level of applied pressure
Work characteristics	Fixed as high P/V by ET tube and disease	Fixed as high P/V by ET tube and disease	P/V reduced by applied pressure
Synchrony	Regular periods of constant loads; variable is determined by patient	Irregular loads; Vt of mandatory breaths set by clinican	Regular loads; patient interracts with applied pressure to determine Vt
Minute ventilation	Variable	Mandatory breath rate to guarantee minimum minute ventilation	Variable

P/V, pressure–volume relationship; ET, endotracheal. Vt; tidal volume

    T-piece 방식을 사용 시 T-piece에 연결하는 흡기가지(inspiratory limb)의 가스 유량은 적어도 환자의 분시환기량의 2배는 되어야 환자의 최대흡기유량에 대응할 수 있다. T-piece 방식을 적용할 때 호기가지(expiratory limb)의 길이는 30 cm 정도는 되어야 흡기 시 방안 공기가 섞이지 않는다. 압력보조환기(PSV)양식은 환자와의 동조성(synchrony)이 우월한 장점이 있으나 이때도 부동조(dyssynchrony)가 일어날 수 있다. 압력보조환기법은 기관 내관이나 환기기 연결로(circuit)에서 발생하는 부가적인 호흡일을 감소시킬 수 있고 T-piece 이탈법에 비하여 흉곽내압력의 변화가 적다는 장점이 있다. 즉 압력보조 환기법으로 이탈 시의 흉곽내압력은 여전히 양압 상태이나 T-piece를 통한 자발호흡시는 음압 상태로 바뀌게 된다. 심기능이 떨어진 환자들의 경우 T-piece 시의 이러한 변화에 따른 혈역학의 부하를 감당하지 못할 수 있다. SIMV법은 T-piece법이나 PSV법에 비해 이탈 성적이 좋지 않다. T-piece에서 자가호흡이 잘 유지되지 않으면 PSV로 이탈을 시도하는 것이 권고된다. 기계환기의 연결로 등에 의해 발생하는 호흡일을 상쇄시키는 압력보조 수준을 최소압력보조(minimal PSV, PSVmin)라 하는데 이는 마치 기계환기가 없는 상태에서의 환자의 호흡이 어떨 것인지 예측해 볼 수 있다는 개념이다. PSVmin의 수준은 환자마다 차이가 있으나 보조압력 8 cmH_2O 정도이다. 그러므로 PSV로 이탈을 하는 경우는 호기말양압이 5 cmH_2O 이하이면서 보조압력이 8 cmH_2O 수준에서 환자의 호흡이 안정되어 있으면 기계환기기를 이탈시킨다. 이탈점검표를 만들

어 이탈 과정을 수행하면 성공율을 높일 수 있다. 이탈점검표에는 이탈 대상 환자의 선정, 진정 및 진통제 사용 수준(목표 Richmond Agitation-Sedation Scale 0~-1점) 등을 기록한다.

3) 이탈지침서를 이용한 이탈

(1) 임상적 유용성

이탈지침서를 사용하여 호흡치료사 혹은 간호사가 수행한 이탈(이하 지침군) 성적이 의사가 진행한 환자들의 이탈(이하 대조군) 성적에 비하여 우월하거나 또는 차이가 없다. 기계환기기 치료 중 안정되는 대로 매일 자발호흡을 시도하면 총환기 시간이 줄고 기계환기기 관련 합병증이 줄며 치료비용도 절감된다.

이탈시도를 위해 혈액학적으로 안정이 되어야 하는데 저용량의 norepi-nephrine에서 혈압이 안정되어 있는 경우에는 자발호흡 시도를 할 수 있다.

(2) 문제점

이탈지침서는 기계환기 치료를 받고 있는 환자의 다양한 임상 상태를 모두 망라할 수 없다. 그러므로 환자 상태의 변화를 인지하지 못한 채 지침서에 나타난 검사치나 활력지표 값에만 의존하여 이탈을 진행하면 환자의 상태를 악화시킬 수 있다. 이러한 약점을 극복하기 위해서는 중환자실 의료진들이 함께 팀으로서 교육하고 심리적 지지도 해주어야 한다.

(3) 이탈지침서를 이용한 이탈법

우선 대상환자가 표 11-3 혹은 아래 표 11-4에 기술된 조건을 만족해야 한다. 환자의 자발호흡 능력은 T-piece나 PSV를 이용하여 매일 점검한다. T-piece가 PSV법이나 SIMV법에 비하여 이탈을 위해 요구되는 환자의 능력을 가장 잘 반영해 주지만 심기능이 저하된 환자에게는 PSV로 자발호흡 상태를 관찰하는 것이 더 안전할 수 있다. T-piece를 사용한 자발호흡 능력 검증 시간은 30분에서 2시간 이내로 하는데 검증 시간 길이에 따른 성공률의 차이는 없다. 흔히 T-piece 1시간 동안 안정된 호흡상태를 보이면 기관 내관을 발관한다. 좌심부전이 있는 환자에서는 양압환기에서 자발호흡으로 바꾸는 경우 흡기 시 흉곽

표 11-3. 자발호흡 시도를 위한 기준

Variables	Criteria
PaO_2/FiO_2	≥ 200 mmHg
PEEP	≤ 5 cm of H_2O
f/VT	< 105 breaths/min/L
Adequate cough during suctioning	
No vasopressors or sedatives+	

+Dopamine<5 μg/kg/min and intermittent sedative dosing is allowed. PEEP; positive end-expiratory pressure, f/VT; rapid shallow breath index

표 11-4. 1시간 자발호흡 시도를 위한 기준

Stable hemodynamics with minimal vasopressor use (Norepinephrine < 5 μg/min)
O_2 saturation $> 90\%$ on $FIO_2 < 0.45$
PEEP < 5 cmH$_2$O
RSBI < 105 breaths/min/L

RSBI; rapid shallow breath index

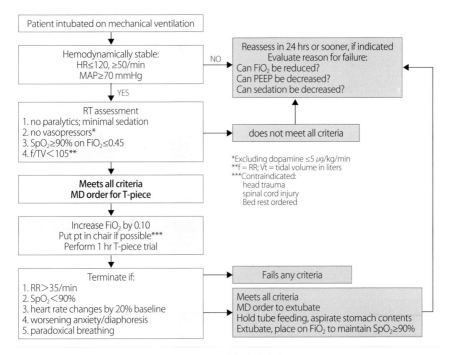

그림 11-2. 이탈 진행 지침

RT; respiratory therapist, HR; heart rate, MAP; mean arterial pressure, PEEP; positive end-expiratory pressure, f/VT; rapid shallow breath index, RR; respiratory rate, MD; medical doctor

내압이 음압으로 바뀌면서 폐부종이 발생할 수 있다. 이 현상은 특히 호기말 양압을 적용하고 있던 환자에서 더 잘 발생할 수 있는데 이런 경우에는 T-piece를 통한 자발호흡 시도 전에 이뇨를 시키는 것도 고려해야 한다. PSV로 이탈을 하는 경우는 최소보조환기(PSVmin) 수준인 8 cmH$_2$O에서 환자의 호흡이 안정되어 있으면 기계환기를 이탈하고 기침이 가능하거나 기도분비물이 적은 환자는 바로 발관을 한다. PSVmin 수준에서 추가적으로 1-2시간 T-piece를 한 후 기도내관을 발관하는 것과 PSVmin에서 바로 발관한 것 사이의 차이는 없다. 이탈을 고려하는 환자는 시도 전날 밤에 충분한 수면을 취하도록 해야 한다. 이탈지침서의 한 예는 그림 11-2와 같다.

(4) 이탈지침을 이용한 이탈법 예

① 대상자: 표 11-4의 조건을 만족하는 환자
② 담당의사가 대상환자를 결정하면 담당간호사는 그림 11-2의 이탈지침에 따라 이탈을 수행한다.
③ 자발호흡 시도의 중지: 표 11-5와 같은 상태에서는 이탈 과정을 중지하고 다시 기계환기로 전환한다.

표 11-5. 자발호흡 시도를 중단해야 하는 지표들

RR > 35/min
O$_2$ saturations declines despite an increase in FIO$_2$ by 0.10 from the pre-wean ventilator setting
Heart rate changes by 20% from pre-wean baseline
Patient anxiety, diaphoresis, or paradoxical breathing

RR; respiratory rate

④ 이탈 과정을 의무기록에 남긴다.
⑤ 기관 내관 발관: 기관 내관 발관은 담당의사가 판단하여 수행한다. 기관 내관 발관은 특별한 이유가 없는 한 1시간 동안 안정된 상태로 자발호흡을 수행한 환자는 즉시 발관한다. 기도내관 발관 후 적어도 6시간 이상은 금식한다. 만약 즉각 발관할 수 없는 상황이라면 PSV로 환기 보조를 하여 긴 시간 T-piece상태로 인한 근육 피로를 초래하지 않도록 주의한다.

4) 발관과 재삽관 지침

기관 내관의 발관은 발관지침을 사용하거나 의사가 판단하여 결정할 수 있다. 기관발관 후 재삽관은 약 13%까지 발생한다. 기관 내관의 재삽관을 하게 되면 병원성폐렴의 발생률이 증가하며 사망위험도도 증가하게 된다. 발관지침을 이용할 경우 재삽관률을 줄일 수 있다. 발관이 지연되어 환자 스스로가 기관 내관을 제거하는 경우가 있는데 이런 경우 약 50%에서 재삽관이 필요없는 것이 알려져 있다. 이러한 권고는 뇌질환이 있는 환자에서도 동일하며 특히 Glasgow Coma Scale이 8점 이상인 경우는 즉시 발관하도록 한다. 재삽관도 지침을 만들어 재삽관 지연으로 인한 저산소증 뇌손상 등이 초래되지 않도록 해야 한다.

5) 기관절개가 이탈에 미치는 영향

기계환기기 치료기간이 길어지는 경우 흔히 기관 내관 삽관 7-10일에 기관절개를 시행한다. 14일 이상 인공환기가 필요하다고 판단되는 일부 환자에서 인공환기 시작 후 2일 이내에 기관절개를 시행하는 것이 환자의 예후를 개선시킬 수 있다. 기관절개를 미루다 기계환기기 치료 21일 이후에 시행하면 임상경과가 악화될 수도 있다.

6) 이탈 과정에 도움을 주는 보조 요법

발관 후 재삽관의 위험성이 높은 환자, 특히 기저질환이 만성 폐쇄성폐질환인 경우 발관 후 비침습 기계환기법이 재삽관율을 감소시킬 수 있다. 고유량비강캐뉼라(High-flow nasal cannula)는 venturi mask 등을 이용한 전통적 산소요법을 하는 경우에 비하여 재삽관률을 낮출 수 있다. 고유량비강캐뉼라는 비침습적양압환기적용과 비교하여 재삽관방지의 유용성은 동등하며 환자가 더 쉽게 적응하는 장점이 있다. T-piece를 성공적으로 수행하여 발관 대상이 되는 환자들에서 발관 전 1시간 기계환기기 보조를 해 줄 경우 재삽관율을 줄일 수 있다. 기관 내관 발관 12시간 전에 methylprednisolone 20 mg 정맥내주사를 4시간 간격으로 투여 시 인후의 부종을 줄이고 재삽관 비율을 줄일 수 있다.

5. 이탈이 어려운 환자들

1) 환자의 적극적인 협조를 유도함.

① 이탈 시작 전에 이탈 과정을 충분히 설명한다.

② 환자의 이탈 과정에 대한 공포심을 제거한다.

③ 환자에게 충분한 휴식을 제공한다. 호흡근의 힘이 소진된 상태로 판단되면 기계적 호흡치료에 완전히 의존시켜(full ventilatory support) 24–48시간을 쉬게 한다.

④ 발견되지 않은 심장 및 내분비질환, 파킨슨병 등과 같은 다른 문제점들은 없는지 찾아본다. 호흡부전 환자들에서 부신기능 저하여부는 조기에 발견해서 부신피질호르몬제를 보충해 주어야 치료의 성공률을 높이고 이탈기간을 단축시킬 수 있다.

⑤ 수액요법과 영양공급 상태를 점검한다. 노인에서 과다한 수액보충은 이탈을 어렵게하므로 수액치료를 조심하여야 한다. 또한 만성 폐쇄성폐질환을 가진 환자에서 지나친 영양공급은 이산화탄소 생성을 증가시키므로 주의하여야 한다.

2) 호흡근 훈련

호흡근의 상태를 최적화시킨다는 것은 근육의 힘과 지구력을 증강시켜 호흡 일을 환자 스스로 감당할 수 있게 만드는 것이다. 흔히 T-piece 적용 시간을 최초 5분에서 점진적으로 증가해 가거나 PSV의 적용 시간을 늘여나가는 방식을 사용한다. 이때 주의할 점은 호흡근이 허탈상태에 빠지게 하면 안된다는 것이다. 호흡근이 허탈상태에 빠질 정도가 되면 근육내 삼인산 아데노신 (adenosine triphosphate)이 많이 소실되고 나아가 근육의 구조적 손상을 초래하여 회복되기까지 많은 시간을 필요로 하기 때문이다. 호흡근을 휴식시킬 때는 PCV나 ACMV로서 완전환기보조(full ventilatory support)가 권장되나 환자가 PSV에서 호흡이 편하면 PSV를 적용해도 된다. 이 과정에서 환자와 진행상황에 대해 대화를 나누고 격려를 해주는 것이 중요하다. 환자의 일회호흡량이

200 mL 이하 정도로 너무 적어서 이탈 과정을 시작하기 어려운 환자들은 SIMV mode에 PSV의 병용요법을 실시하면 환자가 자기호흡 시 압력보조를 받게 되므로 도움이 될 수 있다.

6. 나가는 말

이탈에서 무엇보다 중요한 것은 적절한 이탈 시점을 예측하여 가능한 짧은 시간에 이탈 과정을 진행시키는 것이다. 중환자실 전담의사가 적은 국내 중환자실의 경우 이탈 시점과 이탈 과정의 여러 문제점에 대처하는 방법이 정리된 이탈지침서를 이용하는 것이 기계환기 치료 시간을 줄이고 중환자실 병상 이용률도 개선시킬 수 있다. 이를 위해서는 중환자실간호사들의 병상대 간호사의 비율이 적정해야 하고 환자 상태의 문제가 있을 때 이를 해결할 수 있는 의사들이 가까이에 있어야 한다.

참고문헌

1. Kress JP, Pohlman AS, O'Connor MF, et al. Daily interruption of sedative infusions in critically ill patients undergoing mechanical ventilation. New England Journal of Medicine 2000;342:1471-7.

2. Ely EW, Baker AM, Dunagan DP, et al. Effect on the duration of mechanical ventilation of identifying patients capable of breathing spontaneously. New England Journal of Medicine 1996;335:1864-9.

3. Girard TD, Kress JP, Fuchs BD, et al. Efficacy and safety of a paired sedation and ventilator weaning protocol for mechanically ventilated patients in intensive care (Awakening and Breathing Controlled trial): a randomised controlled trial. Lancet 2008;371:126-34.

4. Roh JH, Synn A, Lim CM, et al. A weaning protocol administered by critical care nurses for the weaning of patients from mechanical ventilation. Journal of critical care 2012;27:549-55.

5. Koh Y, Hong SB, Lim CM, et al. Effect of an additional 1-hour T-piece trial on weaning outcome at minimal pressure support. Journal of critical care 2000;15:41-5.

6. Hernandez G, Vaquero C, Colinas L, et al. Effect of Postextubation High-Flow Nasal Cannula vs Noninvasive Ventilation on Reintubation and Postextubation Respiratory Failure in High-Risk Patients: A Randomized Clinical Trial. JAMA 2016;316:1565-74.

12. 기계환기 이탈이 어려운 환자의 경우 어떻게 해야 하나?

기계환기 환자들 중 첫 자발호흡 시도에서 실패하고 3회 이상 자발호흡 시도가 필요하거나 자발호흡 시도 실패 후 7일 이상 경과한 환자들을 기계환기 이탈이 어려운 환자들로 정의한다. 이러한 환자는 급성 질환으로 기계환기 치료를 받는 환자의 약 40%까지 차지하기도 한다. 기계환기 환자들 중 일부는 기계환기기에 의존하게 되는 상태로 남아있게 된다. 장기적 기계환기(long-term mechanical ventilation, LTMV)가 필요한 환자들은 기계환기 환자 관리가 가능한 일반병동, 장기요양기관, 또는 자택으로 퇴원하게 된다.

1. 장기적 기계환기의 목표

중환자실 이외의 장소 또는 자택에서의 장기적 기계환기의 전반적인 목표는 아래의 내용을 환자에게 제공함으로써 환자의 삶의 질을 향상시키는데 있다.

1) 개인의 잠재적 생활능력 증진
2) 신체정신적 기능의 향상 및 유지
3) 이환률 감소
4) 재원기간 감소
5) 삶의 유지
6) 비용 효과적 관리

2. 장기적 기계환기가 요구되는 환자군

장기적 기계환기 시행 및 관리가 잘 이루어지기 위해서는 질환의 경과와 임상적 안정성, 환자와 가족의 심리적 평가, 재정적 상태 등이 고려되어야 한다. 장기적 기계환기가 요구되는 환자들은 다음과 같다.

1) 급성 질환 또는 급성 호흡부전에서 회복 중인 환자로서 반복된 기계환기 이탈 시도에 실패한 환자: 급성 호흡곤란 증후군, 중증 폐렴 등으로 인해 호흡기계의 주요 손상이 발생한 환자, 만성 폐쇄성폐질환, 고령, 심질환, 전신 감염 등의 만성 기저질환에 더하여 급성 질환이 발병한 환자
2) 하루 중 일부 시간 동안만 기계환기를 필요로 하는 만성 질환 환자: 중증 만성 폐쇄성폐질환, 척주후측만증, 중증 또는 진행성 신경근육병 환자
3) 자발호흡 능력이 없거나 불충분한 환기부전으로 진단되어 지속적인 기계환기 적용이 요구되는 환자: 뇌출혈, 뇌혈관질환, 횡격막 마비, 높은 수준의 척수손상, 말기 폐섬유화, 말기 신경근육병 환자

3. 중환자실 이외의 대체기관에서 환기보조 시 환자 안정성 평가를 위한 기준

중환자실 이외의 장소, 장기요양기관 및 자택에서 환기보조가 필요한 경우 환자들은 임상적으로나 심리적으로 안정되어 있어야 한다. 다음은 이에 대한 평가기준이다.

1) 기계환기에 대한 적응도
2) 양호한 혈액 검사결과
3) 낮은 산소 요구량(일반적으로 $FiO_2 \leq 0.4$)
4) 심리적 안정
5) 수명을 제한하는 동반 질환의 부재
6) 호기말양압 ≤ 10 cmH$_2$O

7) 기침, 흡인 등에 의한 기도 분비물 제거 능력

8) 침습 환기 시 기관절개관 유지

9) 1개월 이내 재입원이 예상되지 않는 경우

4. 가정용 인공호흡기

1) 가정용 인공호흡기 선택 기준

(1) 신뢰성: 사용기간 동안 장비의 문제 발생이 없고 비용 측면에서 유지 가능하며 기계적으로 신뢰할 수 있는 장비여야 한다.

(2) 안전성: 산소가 사용될 수 있는 환경에서 안전하게 구동될 수 있고, 환기 압력, 환자-기계 분리, 장비 이상에 대한 경고 시스템을 갖춰야 한다.

(3) 내외장 배터리 장착 유무: 이동 시에도 구동 및 조절이 가능해야 한다.

(4) 사용의 편리성: 장비에 대한 이해가 쉽고 조작이 편리해야 한다. 또한 인공호흡기 회로는 단순하고 교환이 용이해야 한다.

(5) 환자와 인공호흡기 간의 호흡 동조성: 자발호흡 감지 기능이 있어 환자와 인공호흡기 간의 동조가 잘 이루어져야 한다.

2) 가정용 인공호흡기의 선택

(1) 호흡회로의 종류

가정용 인공호흡기들은 일반적으로 단일 호흡회로로 만들어져 있으며 사용되는 호흡회로는 두 가지 형태가 있다.

① Single limb circuit with a leak port (intentional leak 또는 passive type)

호기누출 포트가 장착된 단일회로는 호흡회로의 저항에 근거하여 추정된 환자의 압력을 보여주며 누출에 대한 보상유량을 제공한다. 이러한 누출 보상 기능 때문에 비침습 양압호흡을 시행하는 경우 호기누출 포트가 장착된 단일회로를 사용하는 Bi-level 기계환기기기(BiPAP)가 주로 사용된다. 이 형태의 호흡회로는 이산화탄소 재호흡의 가능성이 있기 때문에 이산화탄소를 호흡회로에서 적절하게 배출할 수 있도록 EPAP (expiratory positive airway pressure)를 꼭 설정해야 한다.

② Single limb circuit with an active exhalation valve (expiratory valve 또는 active PAP type)

호기밸브가 장착된 단일회로는 근위부의 공기압 감지 연결관과 함께 능동적 호기 장치로 구성되어 있다. 환자의 압력은 직접적으로 측정되며 호흡회로 저항의 변화에 따라서는 영향을 받지 않는다. 이 형태의 호흡회로는 누출에 대한 보상 유량 제공 기능이 없다.

(2) 가정용 인공호흡기 기종

현재 출시되고 있는 가정용 인공호흡기들은 장기요양기관 또는 자택 등에서 사용될 수 있도록 크기가 작고 가벼우면서 대형 기계환기기의 많은 기능들이 탑재되어 있다. 가정용 인공호흡기들 중에는 비침습 환기만 가능한 기종도 있고 침습 환기까지 가능한 기종도 있다. 아래는 인공호흡기들 중 몇 기종에 대한 설명이다.

① Trilogy 100/Trilogy Evo

Trilogy 100 기종은 5 Kg 이상, Trilogy Evo 기종은 2.5 Kg 이상의 소아 및 성인 환자에게 사용 가능하다. 이 기종에는 누출 발생 시 최적의 성능을 유지하기 위한 자발호흡 감지(Trigger)와 호기전환(Cycle)의 자동 알고리즘(Digital Auto-Trak Sensitivity)이 있다.

분류	내용	
인터페이스	침습 환기 및 비침습 환기 모두 가능	
호흡회로 타입	호기누출포트 장착 단일회로 사용 가능 호기밸브 장착 단일회로 사용 가능	
환기 모드	CPAP	Continuous positive airway pressure mode
	S	Spontaneous mode
	S/T	Spontaneous/Timed mode
	T	Timed mode: Only mandatory breaths
	PC	Pressure control mode
	PC-SIMV	Pressure control-Synchronized intermittent mandatory ventilation mode
	CV	Control ventilation mode: Volume control therapy Only mandatory breaths
	AC	Assist control mode: Volume control therapy Assist and mandatory breaths
	SIMV	Synchronized intermittent mandatory ventilation mode
알람 설정	알람 설정 가능	
기타 알람 기능	이상 소견에 대한 알람 기능 있음	
배터리	내장 및 외부 분리 가능 배터리 장착, 최대 8시간 사용 가능	

② Stellar 150

Stellar 150 기종은 13 Kg 이상의 소아와 성인 환자에게 적용 가능하다. CPAP 모드 적용 시 압력을 점진적으로 증가시키는 기능(Ramp)이 있다.

분류	내용	
인터페이스	침습 환기 및 비침습 환기 모두 가능	
호흡회로 타입	호기누출 포트 장착 단일회로만 사용 가능	
환기 모드	CPAP	Continuous positive airway pressure mode
	S	Spontaneous mode
	ST	Spontaneous/Timed mode
	T	Timed mode: Only mandatory breaths
	PAC	Pressure control mode
	iVAPS	intelligent Volume assured pressure support mode
알람 설정	알람 설정 가능	
기타 알람 기능	이상 소견에 대한 알람 기능 있음	
배터리	내장 배터리 장착, 최대 2시간 사용 가능	

③ Astral 150

Astral 150 기종은 체중이 5 Kg 이상인 소아 및 성인 환자에게 적용 가능하다. 호흡회로 타입에 따라 다양한 모드 설정이 가능하고, 감시요소와 알람설정 기능이 타 기종에 비해 많다.

분류	내용		
인터페이스	침습 환기 및 비침습 환기 모두 가능		
호흡회로 타입	호기누출포트 장착 단일회로 사용가능 호기밸브 장착 단일회로 사용가능		
환기 모드	호기누출 포트 타입	CPAP	Continuous positive airway pressure mode
		(S)T	Spontaneous/Timed mode
		P(A)C	Pressure control mode
		iVAPS	intelligent Volume assured pressure support mode
	호기밸브 타입	(A)CV	Assisted volume–controlled ventilation mode
		P(A)CV	Assisted pressure–controlled ventilation mode
		P–SIMV	Pressure synchronized intermittent mandatory ventilation mode
		V–SIMV	Volume synchronized intermittent mandatory ventilation mode
		PS	Pressure support mode
알람 설정	알람 설정 가능		
기타 알람 기능	이상 소견에 대한 알람 기능 있음		
배터리	내장 배터리 장착, 사용 환경에 따라 4–8시간 사용 가능		

5. 장비 소독과 관리

대체기관에서 호흡기계 관리를 받는 환자들은 보호자나 방문자와의 직접 접촉, 오염된 물건과의 간접 접촉 등에 의해 감염에 취약하다. 이러한 감염 노출을 최소화하기 위해서 호흡기계 장비의 소독 지침에 따라 관리되어야 한다. 소독은 각 기관의 지침 또는 제조사의 권고를 따르도록 한다.

6. 장기적 기계환기 적용 시 주의점 및 합병증

1) 의학적 측면
저탄산증, 호흡성 알칼리증, 고탄산증, 호흡성 산증, 저산소혈증, 압력손상, 발작, 혈역학적 불안정, 기도 합병증, 호흡기 감염, 기관지연축, 기저질환의 악화, 질병의 진행

2) 장비 측면
가정용 인공호흡기 고장, 장비의 오작동, 부적절한 가습 기능, 인공호흡기 설정의 부주의한 변경, 인공호흡기로부터 분리, 의도하지 않은 인공기도 발관

3) 심리사회적 측면
우울증, 불안, 보호자 또는 경제적 문제

7. 요양기관 전원 및 자택으로의 퇴원 준비

장기적으로 기계환기가 요구되는 환자가 요양기관이나 자택으로 퇴원 시에는 환자와 보호자의 요구도에 맞출 수 있도록 준비가 필요하다. 특히 자택으로 퇴원할 때에는 필요한 물품과 장비를 미리 구비하는 것 외에 환자와 보호자에게 충분한 교육이 이루어져야 한다.

1) 자택으로 퇴원 시 준비 물품 리스트

가정용 인공호흡기 관련 물품

- 가정용 인공호흡기 본체 및 인공호흡기용 가습기
- 가정용 인공호흡기 호흡회로, 필터 및 인터페이스(마스크 또는 카테터 마운트 등)
- 인공호흡기 모드, 설정요소, 알람, 적용시간, 모니터 값 등에 대한 처방 내용
- 백밸브마스크(Ambu bag)
- 환자용 모니터: 산소맥박측정기 등
- 의사소통 도구
- 인공호흡기 요양비 지급 대상 환자: 건강보험 인공호흡기 급여대상자 등록 신청서, 건강보험 인공호흡기 처방전, 의료급여 인공호흡기 처방전 등 준비
- 가정용 인공호흡기 환자수첩

기도 관리 물품

- 이동형 흡인장비
- 흡인카테터, 흡인장갑, 생리식염수 등 흡인물품
- 기관절개관 관리 물품: 넥밴드, 드레싱 용품 등

산소 관련 물품

- 산소발생기
- 산소튜빙
- 산소공급장치: 비강캐뉼라, T-piece, Tracheostomy collar 등

장비 소독 물품

- 식초/물 1:3, 또는 중성세제 등

기타

- 흡입약제 분무요법 용품, 휠체어 등

2) 보호자 교육

기도 흡인

- 백밸브마스크 사용법: 흡인 전후
- 흡인 방법: 흡인 압력 설정, 흡인 시간, 흡인 절차 등
- 흡인 양상 및 환자의 반응 관찰
- 흡인 물품 세척 및 관리

가정용 인공호흡기

- 처방된 인공호흡기 설정 및 모니터링 확인
- 환자의 호흡양상 및 반응 관찰
- 호흡회로 및 필터 교환, 장비 및 부속품 세척
- 응급상황에 대한 대처
- 호흡 또는 장비 관련 문제발생 상황 대처

기타 관리

- 분무치료 적용
- 흉부물리요법, 호흡재활 등

3) 필요시 가정간호 의뢰

중환자실에서 기계환기 치료를 받는 환자들 중 기계환기 이탈이 어렵고 환기 보조가 필요한 환자들은 장기적 기계환기를 위한 준비가 필요하다. 이러한 환자들은 기계환기기를 적용하면서 중환자실 이외의 병동으로 전동되어 치료를 받거나 장기요양기관으로 전원 또는 자택으로 퇴원하게 된다. 장기적으로 기계환기가 요구되는 환자들은 전문가에 의한 이와 관련된 준비와 교육 등의 절차가 필요하다. 또한 환자와 보호자의 높은 동기부여와 서로 효과적으로 의사소통할 경우 관리가 잘 이루어질 수 있고 삶의 질을 향상시킬 수 있다.

참고문헌

1.   Cairo, J. M. Pilbeam's Mechanical Ventilation: Physiological and Clinical Applications. 5th ed. St. Louis: ELSEVIER; 2012.

2.   Kacmarek, R. M., Stoller, J. K., & Heuer, A. J. Egan's Fundamentals of Respiratory Care. 10th ed. St. Louis: ELSEVIER; 2013.

3.   Anonymous. AARC Clinical Practice Guideline: Long-Term Invasive Mechanical Ventilation in the Home -2007 Revision & Update. Respiratory Care 2007;52(8):1056-62.

4.   Epstein, S. K. & Joyce-Brady, M. F. (2021). Management of the difficult-to-wean adult patient in the intensive care unit. Retrieved Apr 23, 2021, from https://www.uptodate.com/contents/management-of-the-difficult-to-wean-adult-patient-in-the-intensive-care-unit?search=management%20of%20the%20difficult%20to%20wean%20adult&source=search_result&selectedTitle=1~150&usage_type=default&display_rank=1

5.   Philips Trilogy 100 Clinical manual

6.   Philips Trilogy Evo Clinical manual

7.   ResMed Astral 150 User guide

8.   ResMed Stellar 150 User guide

13. 기관 내관 발관

1. 기관 내관 발관은 언제 하나?

발관(extubation)은 기도 내에 삽입되어 있는 기관 내관을 제거하는 것으로 기계환기로부터의 이탈과 동시에 이루어지기도 하고 시차를 두고 이루어지기도 한다. 동시에 이루어지는 경우는 기계환기의 이탈 조건과 기관 내관의 발관 조건을 동시에 만족하는 경우이다. 이 때문에 기계환기의 이탈과 기관 내관의 발관을 동일한 과정으로 오해할 수 있다. 그러나 기계환기의 이탈과 기관 내관의 발관은 서로 다른 임상 상황이며 임상의는 이 두 가지 상황을 구분할 수 있어야 한다. 실제로 임상에서는 환기 보조 목적 외에도 기관내 분비물 제거와 기도 보호를 위해 기관 내관을 유지해야 하는 경우가 자주 있으며 이때에는 기관 내관을 유지하거나 기관절개를 시행해야 한다.

1) 기관 내관의 발관 조건

일반적으로 기계환기의 이탈이 가능한 환자(187쪽 11장 참조)가 다음의 조건을 만족할 때 기관 내관의 발관을 고려할 수 있다(표 13-1).

스스로 기도를 방어하고 기도 분비물을 효과적으로 배출하기 위해서는 적절한 의식 수준과 함께 강하게 기침을 할 수 있는 근력이 필수적이다. 또한 기도 분비물의 양이 많고 점성이 큰 경우에는 이를 배출하는 것이 어렵기 때문에 기도 분비물의 양과 성상도 발관을 결정할 때 고려해야 하는 중요한 요소이다. 약 10%의 환자에서 발관 후 기도 폐쇄로 인한 협착음(stridor)이 청진된다. 이 경우 재삽관하는 비율이 증가하고 기계환기 및 중환자실 치료 기간

표 13-1. 기관 내관의 발관 조건

기도를 유지하고 방어할 수 있다.
기도분비물을 배출할 수 있다.
인공기도가 필요할 수 있는 기도 폐쇄 또는 협착이 없다.

이 늘어나므로 기관 내관의 발관을 결정하기 전에는 기도 폐쇄나 협착의 위험에 대해 면밀하게 평가해야 한다.

2) 안전한 발관을 위한 사전 평가

안전한 발관을 위해 발관 전 환자의 의식 수준, 기침 능력, 객담의 양 및 흡인 빈도, 발관 후 기도 폐쇄의 발생 위험에 대한 평가를 시행한다. 의식 수준 저하, 기침 능력 저하, 객담 양 증가의 세 가지 위험 인자를 모두 가지고 있는 환자는 이러한 위험 인자를 가지고 있지 않은 환자에 비해 발관에 실패할 위험도가 20배 이상 높다. 그러나 모든 조건이 양호하여 발관에 이상적인 환자는 많지 않은 한편 발관의 지연은 환기기연관폐렴(ventilator-associated pneumonia, VAP) 및 재원일수의 증가로 이어지므로 발관을 진행할 것인지 여부는 사례별로 판단해야 한다.

(1) 의식 수준 평가

발관을 하기에 이상적인 환자는 진정제를 사용하지 않으며 의료진의 지시를 원활하게 수행할 수 있는 각성(alert) 상태이어야 한다. 의식 수준이 저하된 환자에서는 발관 실패의 위험이 증가한다.

(2) 기침 능력 평가

① 최대호기유속(peak expiratory flow, PEF) 측정

환기기 회로(ventilator circuit)에 적용할 수 있도록 특수하게 고안된 폐활량계 (spirometer)를 이용하여 기침 시의 최대호기유속을 측정하면 환자의 기침 능력을 객관적으로 평가할 수 있다. 기침 시의 최대호기유속이 60 L/min 이하인 환자들은 재삽관의 위험도가 높다.

② 화이트 카드 테스트(white card test, WCT)
화이트 카드 테스트는 장비 없이 간편하게 환자의 기침 능력을 평가할 수 있는 방법이다. 기관 내관을 환기기 회로로부터 분리한 후 기관 내관의 끝으로부터 1-2 cm 떨어진 곳에 하얀 종이를 대고, 환자가 기침을 하도록 유도한다. 3-4회의 기침 후에도 종이에 분비물이 묻지 않으면 환자의 기침 능력이 저하되어 있음을 의미한다.

(3) 객담의 양 및 흡인 빈도 평가
흡인되는 객담의 양은 임상적으로 쉽게 측정할 수 있는 지표 중 하나이다. 일반적으로 1-2시간마다 객담 흡인이 필요한 환자에서는 발관을 고려하지 않으며 이때에는 객담의 양이 줄어들기를 기다리거나 기관절개술을 고려한다.

(4) 발관 후 기도 폐쇄 위험 평가
발관 후 기도 폐쇄가 생기면 재삽관 비율이 증가하고 기계환기 및 중환자실 치료 기간이 늘어난다. 발관 후 기도 폐쇄의 위험 인자는 표 13-2와 같다. 이러한 위험 인자를 가진 환자에서는 발관 전 공기낭 누출 검사를 시행하여 발관 후 기도 폐쇄 발생의 위험도를 평가하는 것이 도움이 된다.

① 공기낭 누출 검사(cuff leak test)
삽관되어 있는 기관 내관 공기낭을 deflation하여 공기를 빼면 정상적으로는 기관 내관과 후두 사이의 공간을 통해 기관 내관 주위로 공기의 흐름이 발생하는데 이를 공기낭 누출(cuff leak)이라고 한다. 공기낭 누출이 없다는 것은 기관 또는 후두 부종 등으로 인해 기관 내관과 기도 사이의 이격 공간이 없다는 것을 의미하며 이는 발관 후 기도 폐쇄의 위험인자가 된다.
　공기낭 누출 검사를 시행할 때에는 기계환기기를 용적조절환기법(volume-controlled ventilation, VCV)으로 설정하고 삽관되어 있는 기관 내관 공기낭의 공기를 제거한다. 이렇게 하면 흡기 시에는 설정된 일회호흡량(tidal volume)만큼의 공기가 유입되지만 호기 시에는 일회호흡량의 일부가 기관 내관과 후두 사이의 공간을 통해 빠져나간다. 이때 흡기 시 일회호흡량(inspired tidal volume)과 호기 시 일회호흡량(expired tidal volume)의 차이가 공기낭 누출량(cuff leak volume)이다. 공기낭 누출량이 110 mL 미만이거나 흡기 시 일회호흡량의 12-24% 미만일 때 공기낭 누출이 적은 것으로 평가한다.

일반적으로 발관 후 기도 폐쇄의 위험 인자(표 13-2)가 있는 환자에서 충분한 양의 공기낭 누출이 확인된 경우에는 발관을 시도할 수 있다. 그러나 공기낭 누출이 없거나 감소한 경우에는 발관을 미루고 스테로이드를 투여한 후 다시 한 번 공기낭 누출 검사를 시행하여 발관 여부를 결정하는 것이 좋다. 그러나 공기낭 누출 검사는 간편하지만 민감도가 낮은 검사이기 때문에 발관을 이를 결정할 때 기계적으로 적용하는 것은 바람직하지 않으며, 사례별 판단이 필요하다.

표 13-2. 발관 후 기도 폐쇄의 위험 인자

장기간의 기관삽관: 기준 다양(≥36시간, 또는 ≥6일)
고령: >80세
직경이 큰 기관 내관: 남성 >8 mm, 여성 >7 mm
기관 내관의 직경과 전산화단층촬영(CT) 상 후두 직경의 비가 큰 경우: >45%
환자의 키와 기관 내관 직경의 비가 작은 경우
중증도(APACHE II 점수)가 높은 경우
의식 저하: GCS <8
외상기관내 삽관(traumatic intubation)
여성
천식 과거력
불충분한 고정으로 인한 기관 내관의 과도한 움직임
진정 부족
흡인

② 발관 전 스테로이드 투여

환자가 발관 후 기도 폐쇄의 위험 인자를 가지고 있고 공기낭 누출 검사에서 누출량이 없거나 감소되어 있다면 후두 부종을 완화하기 위해 스테로이드 투여를 고려할 수 있다. 가장 많이 알려진 용법은 발관 12시간 전부터 메틸프레드니솔론 20 mg을 4시간 간격으로 총 4회 정주하는 것이다. 또는 발관 하루 전부터 덱사메타손 5 mg을 6시간 간격으로 정주하기도 한다.

3) 발관 과정
(1) 발관은 가급적 경험이 많은 의료진이 상주하는 낮 시간에 시행한다.
(2) 관급은 발관 한 시간 전이나 그 이전에 중단한다.
(3) 재삽관 상황에 대비하여 필요한 기구들을 준비하여 침상 옆에 위치시킨다.
(4) 환자는 상체를 일으켜 세운 자세(upright position)를 유지한다.
(5) 기관 내관 및 구강 흡인을 시행하여 분비물을 제거한다.
(6) 기관 내관이 빠지지 않도록 주의하면서 기관 내관 고정 장치를 푼다.
(7) 환자가 심호흡을 하도록 유도하고 심호흡 끝에(호기 시) 공기낭의 공기를 제거하면서 동시에 발관한다.
(8) 발관 후 곧바로 구강 흡인을 시행하여 분비물이 다시 기도로 흡인되지 않도록 한다.
(9) 발관 후 적절한 산소 치료를 시행하며 필요에 따라 비침습환기(non-invasive ventilation, NIV) 또는 고유량비강캐뉼라(high-flow nasal cannula, HFNC)를 적용한다(아래의 발관 후 관리 참조).

4) 발관 후 관리
대부분의 환자는 발관 후 재삽관의 위험이 크지 않지만 약 15-20%의 환자는 재삽관의 위험 요인을 가지고 있으며 약 14%의 환자는 발관 후 호흡부전이 발생한다.

(1) 재삽관 고위험 환자의 관리

재삽관의 위험 인자는 표 13-3과 같다. 발관을 한 환자들은 중환자실에서 주의 깊게 감시해야 하며 발관 후 동맥혈가스분석 및 흉부 X선 검사를 시행하여 가스교환의 적절성과 무기폐 등 이상 소견의 발생 여부를 확인해야 한다. 고위험 환자에서는 발관 후 재삽관을 예방하기 위한 목적으로 비침습환기 또는 고유량비강캐뉼라의 적용을 고려해야 한다.

표 13-3. 재삽관의 위험 인자

약한 기침: 최대호기유속 ≤ 60 L/min
잦은 객담 흡인: 매 1-2시간마다 객담 흡인, 객담양 > 2.5 mL/h
혼수척도(GCS) < 8점
발관 전 24시간 동안 과도한 수액 투여(positive fluid balance)
삽관 원인: 폐렴
중증 만성 심혈관계/호흡기계 질환을 가지고 있는 65세 이상 노인
공기낭 누출 감소/소실
정신 착란: 섬망

GCS: Glasgow coma scale

① 비침습환기(non-invasive ventilation, NIV)

만성 폐쇄성폐질환 등 고탄산성 호흡부전(hypercapnic respiratory failure)이 있는 일부 고위험 환자에서는 발관 직후 비침습환기를 적용하는 것이 재삽관 위험을 줄일 수 있다.

② 고유량비강캐뉼라(high-flow nasal cannula, HFNC)

일부 고위험 환자에서는 발관 후 비침습환기 대신 고유량비강캐뉼라의 적용을 고려할 수 있다.

발관 후 호흡부전 발생의 고위험군 환자 및 심장 수술을 받은 환자에서 도움이 된다. 복부 수술을 받은 환자에서는 비침습환기를 적용하는 것보다 효과가 적다.

2) 발관 후 발생한 호흡부전에 대한 대처

발관 후 호흡부전의 원인으로는 객담 배출 감소로 인한 무기폐, 심부전, 흡인, 기관지연축, 후두부종 등이 있다. 발관 후 호흡부전이 발생하는 경우에는 즉시 원인을 찾아 교정해야 하며 가능한 빨리 비침습환기 또는 고유량비강캐뉼라를 적용하는 것이 좋다. 재삽관을 피하기 위해 비침습환기 또는 고유량비강캐뉼라를 무리하게 유지하는 것은 재삽관을 지연시켜 사망률을 증가시킬수 있다. 따라서 발관 후 재삽관이 필요한 정도의 호흡부전이 발생한 환자에서는 비침습환기 또는 고유량비강캐뉼라의 사용을 권고하지 않는다.

참고문헌

1. Calvin A brown, et al. The Walls Manual of Emergency Airway Management. 5th ed. USA: Wolters Kluwer; 2017.

2. Martin J. Tobin. Principles and Practice of Mechanical Ventilation. 3rd ed. USA: McGraw Hill; 2013.

2. 기관절개술의 시기

1) 기관절개술은 조기 혹 후기 중 언제 해야 되는가?

기계환기 1주(조기) 또는 3주(후기) 경에 기계환기기 이탈이 어려울 것으로 판단되는 경우 기관절개술을 시행하게 된다. 기관절개술의 장점은 간호 처치가 용이하고 환자가 편안해하고 진정제를 줄일 수 있고 환자와의 소통이 향상된다는 점이다.

후기 기관절개술의 장점은 일부 환자에서 기관절개술을 피할 수 있다는 것이고 단점은 폐렴 발생이 증가될 수 있다는 점이다.

일부 환자에서는 조기 기관절개술이 기계환기 이탈 성공률을 증가시키고 중환자실 퇴원률 증가, 폐렴 발생률 감소 등의 이득을 얻을 수 있다. 기관 절개술 시점은 환자 개개인 상태에 따라서 결정되어야 한다.

참고문헌

1. Teoh WH, Goh KY, Chan C. The role of early tracheostomy in critically ill neurosurgical patients. Ann Acad Med Singapore 2001;30:234.

2. Trouillet JL, Luyt CE, Guiguet M, et al. Early percutaneous tracheotomy versus prolonged intubation of mechanically ventilated patients after cardiac surgery: a randomized trial. Ann Intern Med 2011;154:373.

3. Terragni PP, Antonelli M, Fumagalli R, et al. Early vs late tracheotomy for prevention of pneumonia in mechanically ventilated adult ICU patients: a randomized controlled trial. JAMA 2010;303:1483.

14. 기계환기 치료의 합병증

1. 기계환기기유발폐손상(Ventilator-associated lung injury)

기계환기기 사용 중 폐에 발생하는 폐손상을 (기계)환기기유발폐손상이라 한다. 환기기유발폐손상은 과도한 기도압으로 인한 압력손상(barotrauma), 폐포의 과도한 팽창으로 인한 용적손상(volutrauma), 그리고 폐포의 개폐 시 폐포와 말초기관지 주위에 유발되는 전단손상(shear stress) 등으로 초래된다. 환기기유발폐손상은 폐포파열에 의한 기흉이나 기종 형성, 폐부종 등의 형태로 나타난다. 폐부종은 폐포막과 혈관내피세포의 투과성의 증가와 함께 과환기에 의해 유도된 표면활성제의 이상 및 폐포의 표면장력의 증가 등으로 혈관으로부터의 수액여과가 증가되어 발생한다. 또한 기계환기기 치료 중 폐의 세포들이 기계적인 확장에 의해 세포대사나 유전자 표현에 이상을 초래하여 급성 폐손상의 매개물질을 증가시킬 수 있으며 이를 생물적 손상(biotrauma)이라고 한다. 환기기유발폐손상은 폐의 과팽창 정도와 함께 과팽창된 기간도 연관되어 있다. 기계환기기 환기압이 30−35 cmH$_2$O에서도 폐포−모세혈관막의 손상이 초래될 수 있으므로 급성 호흡곤란증후군 환자에서는 그만큼 폐손상이 쉽게 유발된다. 폐손상의 발생기전에 호기말양압의 역할은 아직 확실히 정립되어 있지 않다. 폐손상을 초래할 수 있는 정도의 기도압에 호기말양압을 적용하고 대신 일회호흡량을 줄이면 같은 최고 기도압 수준에서 폐부종은 줄어든다. 급성 호흡곤란증후군의 경우 고평부압(plateau pressure)에서 호기말양압 값을 뺀 값을 구동압력(driving pressure = plateau pressure − PEEP)이라 하며 구동압력이 적을수록 환자들의 생존률이 높다.

1) 폐보호환기(lung-protective ventilation)

기계환기기 사용으로 환기기유발폐손상이 발생할 수 있으며 이런 경우 치료 성적이 나빠진다. 따라서 기계환기기의 설정을 잘못하는 것은 투약을 잘못하는 것과 마찬가지로 나쁘다. 폐보호환기를 위해 설정 시 유념해야 하는 것은 일회호흡량의 크기, 고평부압, 호기말양압 그리고 구동압력 등이다.

기계환기의 치료목표는 정상 pH나 $PaCO_2$를 유지하는 것이 아니라 적절한 가스교환을 달성하는 것이다. 급성 폐손상 환자에 인공호흡기 적용 시 일회환기량을 적게 적용하고(6-8 mL/kg) 고평부압이 높지 않게(30 cmH_2O 이하)하며 이 과정에 초래되는 과탄산증은 허용한다(permissive hypercapnia). 급성 호흡곤란증후군 환자들에서 폐포를 호기말에 폐쇄가 되지 않도록 하는 것을 소위 'open lung strategy'라 하며 호기말양압을 10 to 15 cmH_2O으로 설정하면서 흡기 고평부압을 감시하는 것이다. 일회호흡량의 설정 수준에 대한 지침은 잘 확립된 반면 호기말양압의 수준을 얼마만큼 유지하는 것이 가장 이상적인지(optimal PEEP)에 대한 문제는 아직까지 해결되지 않았다. 적정한 동맥혈 산소분압을 유지할 수 있는 최저치의 호기말양압(least PEEP), 또는 전신에 산소전달량을 최대로 할 수 있는 수준, 혹은 일회환기량 탄성(tidal compliance)을 최대로 할 수 있는 수준의 호기말양압 등의 개념이 있으나 임상 결과에 큰 차이가 없다. 급성 폐손상 환자에게 호기말양압은 ARDS PEEP table을 적용해 볼 수 있다. 또는 FiO_2가 50% 이상 요구되는 급성 호흡곤란증후군 환자들의 경우는 우선 8-10 cmH_2O 적용하고 이후 2 cmH_2O씩 증가시키면서 최대 혹은 고평부 기도압을 관찰하여 호기말양압을 결정할 수 있다. 호기말양압 증가시킬 때 기도압 증가폭이 이전보다 큰 경우는 폐의 과팽창을 의미하며 이때 산소화정도도 관찰하면서 2 cmH_2O씩 2차례나 증가시켜도 산소화의 개선이 없으면 폐포의 동원은 이미 최대로 된 상태로 간주할 수 있다. 이때는 호기말양압을 올리기 전 상태로 낮추어 준다. 이러한 호기말양압의 수준은 적어도 하루에 한 번씩 재 조정을 하여야 하며(PEEP titration) 치료 시작 후 3-5일 경과된 뒤, 특히 후기 급성 폐손상 시기에서는 산소화상태가 적절하면 호기말양압 치를 서서히 낮추어 주어야 한다. 고평부압은 환자의 흡기말의 폐포내 압력의 평균값을 반영해 주는 것으로 용적환기조절환기 시 흡기중지(inspiratory pause) 시

간을 설정하면 측정할 수 있다. 압력조절환기 시도 기계환기기의 흡기중지단
추를 누르면 고평부압을 측정할 수 있으며 흡기 중 유량이 없는 현상이 있을
때는 이때의 최고기도압이 고평부압에 해당한다. 폐보호환기 설정 시 일회호
흡량과 호기말양압 설정에 따른 고평부압은 환자의 폐탄성(compliance), 기도
저항 그리고 흉곽의 탄성도(elastance) 등에 의하여 결정이 된다. 즉 폐탄성이
나쁜 환자는 동일한 일회호흡량에서도 폐탄성이 좋은 환자에 비하여 고평부
압이 높아진다. 그러므로 폐보호환기 설정 후 고평부압을 참조로 하여 일회
호흡량의 크기 등을 조정하게 된다. 폐보호환기는 기저질환에 상관 없이 모
든 호흡부전환자에게 적용되어야 한다. 즉 만성 기도 폐쇄질환이 있는 호흡
부전환자에서는 낮은 일회호흡량을 적용함으로써 폐의 과팽창과 자가호기말
양압의 발생을 줄일 수 있다.

이상을 요약하면 폐보호환기는 아래와 같이 요약할 수 있다.

(1) 정상폐포의 과확장(overdistension) 방지

−고평부압<30 cmH$_2$O

−낮은 일회호흡량: 6(−8) mL/predicted body weight

(2) 호기말 폐포의 폐쇄(collapse) 방지

−ARDSnet PEEP Table 등을 이용한 적절한 수준의 호기말양압 적용

참고문헌

1. Dreyfuss D, Basset G, Soler P. Intermittent positive-pressure ventilation with high inflation pressures produces pulmonary microvascular injury in rats. Am Rev Respir Dis 1985;132:880-4.

2. Tremblay LN, Slutsky AS. Ventilator-induced injury: from barotrauma to biotrauma. Proceedings of the Association of American Physicians 1998;110:482-8.

3. Kolobow T, Moretti MP, Fumagalli R. Severe impairment in lung function induced by high peak airway pressure during mechanical ventilation. Am Rev Respir Dis 1987;135:312-5.

4. Dreyfuss D, Saumon G. Should the lung be rested or recruited? The charybdis and scylla of ventilatory management. Am J Respir Crit Care Med 1994;149:1066-8.

5. Amato MB, Meade MO, Slutsky AS, et al. Driving pressure and survival in the acute respiratory distress syndrome. N Engl J Med 2015;372:747-55.

6.　Anonymous. Ventilation with lower tidal volumes as compared with traditional tidal volumes for acute lung injury and the acute respiratory distress syndrome. The Acute Respiratory Distress Syndrome Network. New England Journal of Medicine 2000;342:1301-8.

2. 기계환기기 유발 횡격막 장애

1) 기계환기기 유발 횡격막 장애의 정의

조절환기(controlled mechanical ventilation)는 횡격막 구조 및 기능에 악영향을 미치며 이를 기계환기기 유발 횡격막 장애(ventilator-induced diaphragmatic dysfunction, VIDD)라고 한다. VIDD는 기계환기기 이탈 시간을 연장시키며 이탈 성공률, 중환자실 및 병원 사망률, 장기 예후 등에도 영향을 미친다.

2) 발병기전

기계환기는 수 시간 만에도 횡격막 수축력을 감소시킬 수 있다. 기계환기는 근원섬유 단백질 수준을 감소시킴으로써 횡격막 근원섬유의 힘 생성을 저하시킨다. 횡격막 힘의 감소뿐만 아니라 단백질 합성의 감소와 ubiquitin proteasome, caspase 및 calpain에 의한 단백분해 증가로 인한 근섬유 위축이 일어난다. 횡격막의 slow 및 fast-twitch 섬유의 위축은 산화 스트레스와 관련이 있다. 또한 장기간의 기계환기는 산화 스트레스와 더불어 횡격막 자가포식현상을 유발한다. 만성 폐쇄성폐질환, 고혈당, 패혈증과 같은 질환이나 대사스트레스 역시 VIDD에 기여한다.

3) 횡격막 근손상(diaphragmatic myotrauma)

기계환기에 의한 횡격막 근손상에는 네 가지 형태가 알려져 있다. 먼저 over-assistance myotrauma는 기계환기에 의한 과도한 환기로 환자의 호흡 중추가 억제되어 횡격막의 위축이 생기는 것이다. Over-assistance myotrauma는 기계환기 받는 환자에서 흔한 현상이다. Under-assistance myotrauma는 기계환기가 불충분하거나 횡격막의 과부하로 인한 손상이다. 호흡 요구량이 높거나 국소적 폐손상이 있는 경우 환자의 흡기 노력은 소위 펜델루프트(pendelluft) 및 국소 과팽창에 따른 폐손상을 일으킬 수 있다. Eccentric myotrauma는 근육이 늘어나는 동안 생기는 편심성(eccentric) 부하이며 일반적으로 기계환기의 호기 단계에서 발생한다. 여러 형태의 환자-기계 불일치(ineffective triggering, premature cycling, reverse triggering)는 호기 동안 과도한 횡격막 수축을 일으킬 수 있으며 이때 횡격막이 편심성 수축을 할 수 있다. 마지막 형태는 expiratory myotrauma이며 지나치게 높은 호기말양압으로 횡격막의 호기말 길이가 줄어들면 근섬유의 길이에 따른 근절(sarcomere) 수를 감소시켜 종적 위축이 발생할 수 있다.

4) 진단
(1) 전통적 방법
기계환기를 받는 환자의 횡격막 기능을 정확하게 평가하는 것은 어렵다. 최대 흡기압력을 측정하는 것은 비교적 쉬우나 노력 의존성이며 횡격막 외에도 모든 호흡근의 결합된 작용을 나타내며 기저 폐질환의 영향을 받을 수 있다. Transdiaphragmatic pressure는 식도압과 위압을 동시에 기록함으로써 측정할 수 있지만 방법이 용이하지 않고 측정에 환자의 협조가 필요한 것도 제한점이다. 횡격막 신경전도(phrenic nerve conduction)는 횡격막의 기계적 기능을 정량화 하는 표준 검사법이지만 이 방법 역시 환자 노력에 의존하며 전문성과 특수장비를 필요로 하고 시간이 많이 소요되므로 중환자실 환자에게 현실적이지 않다. 횡격막운동은 투시검사나 자기공명영상과 같은 방법으로 적절히 평가할 수 있으나 방사선 노출, 환자 이송에 따른 위험 및 높은 비용 등이 제한점이다.

(2) 초음파
초음파는 환자 이송이나 방사선의 노출을 요하지 않으며 신속한 검사 및 반복 검사가 가능하고 결과의 재현성이 우수하다. 횡격막 초음파는 침상 옆에서 안전하고 쉽게 시행할 수 있을 뿐 아니라 근육의 위축과 같은 형태학적 평가와 함께 기능적 평가도 가능하다. 횡격막 기능을 평가하는 데 사용되는 방법에는 흡기 시 diaphragmatic excursion (DE)을 측정하는 것과 thickening fraction (TF)을 측정하는 것이 있다. DE는 B 모드 또는 M 모드 초음파에서 3–5 MHz probe로 측정할 수 있다. 건강한 사람의 자발호흡 중 평균 흡기 DE는 1.34 ± 0.18 cm이고 성인에서 2.5 cm보다 클 경우 횡격막기능장애를 배제할 수 있다. 그러나 DE는 기계환기 설정 수준이나 PEEP 등에 영향을 받는 단점이 있다.

TF는 B 모드 또는 M 모드 초음파에서 10 MHz 이상의 probe를 이용하여 흉곽에 인접한 횡격막(zone of apposition) 근육이 흡기 시 두꺼워지는 정도를 측정한다. TF는 [(흡기말 두께 – 호기말 두께)/호기말 두께]로 정의된다. 이완기 동안 건강한 사람의 횡격막의 평균 두께는 1.7±0.2 mm이며 전폐 용량(total lung capacity)에서는 4.5±0.9 mm까지 증가한다. 횡격막 두께는 횡격막 수축의 직접적인 지표로 간주될 수 있고 위축을 평가할 수 있는 장점이 있는 반면 폐 용적에 영향을 받는다. DE와 TF 모두 자발호흡 환자에서 종래 횡격막 기능의 지표들과 유의한 상관관계가 있으며 이탈 및 발관(extubation) 성공에 대한 예측 지표가 될 수 있다. DE가 10 mm 미만이면 이탈 실패 가능성이 높고, TF가 30−36%를 초과하면 발관 성공 가능성이 높다.

5) 치료

(1) 기계환기 동안 자발호흡을 유지할수록 VIDD 발생이 적다.

(2) 스테로이드 및 신경근육차단제 사용을 최소화해야 한다.

(3) 항산화제 및 근강화제(테오필린, 디곡신)를 고려해 볼 수 있다: 테오필린 은 기관지확장과 항염증 효과 외에도 호흡기 신경세포 네트워크를 자극하고 횡격막뿐만 아니라 늑간근과 복부근을 포함한 호흡근의 활동을 증가 시킨다. 테오필린이 건강 및 질병 상태에서 호흡근 기능을 개선시키며 그 효과는 VIDD가 있는 횡격막에서 두드러진다.

참고문헌

1. Vassilakopoulos T, Petrof BJ. Ventilator-induced diaphragmatic dysfunction. Am J Respir Crit Care Med 2004;169:336-41.

2. Demoule A, Jung B, Prodanovic H, et al. Diaphragm dysfunction on admission to the intensive care unit. Prevalence, risk factors, and prognostic impact-a prospective study. Am J Respir Crit Care Med 2013;188:213-9.

3. Goligher EC, Brochard LJ, Reid WD, et al. Diaphragmatic myotrauma: a mediator of prolonged ventilation and poor patient outcomes in acute respiratory failure. Lancet Respir Med 2019;7:90-8.

4. Kim WY, Suh HJ, Hong SB, et al. Diaphragm dysfunction assessed by ultrasonography: influence on weaning from mechanical ventilation. Crit Care Med 2011;39:2627-30.

5. Zambon M, Beccaria P, Matsuno J, et al. Mechanical Ventilation and Diaphragmatic Atrophy in Critically Ill Patients: An Ultrasound Study. Crit Care Med 2016;44:1347-52.

6. Murciano D, Aubier M, Lecocguic Y, et al. Effects of theophylline on diaphragmatic strength and fatigue in patients with chronic obstructive pulmonary disease. N Engl J Med 1984;311:349-53.

7. Gauthier AP, Yan S, Sliwinski P, et al. Effects of fatigue, fiber length, and aminophylline on human diaphragm contractility. Am J Respir Crit Care Med 1995;152:204-10.

8. Kim WY, Park SH, Kim WY, et al. Effect of theophylline on ventilator-induced diaphragmatic dysfunction. J Crit Care 2016;33:145-50.

3. 집중치료 후 근쇠약

1) 정의

중환자에서 관찰되는 근쇠약(ICU-acquired weakness, ICU-AW)은 환자의 중증
도와 중환자 치료 외에는 설명할 다른 원인이 없는 신경근육이상을 말한다.
특징적으로 전신적, 양측성, 하지보다 상지가 심한 사지근육과 호흡근의 쇠
약이 관찰된다. 중증질환다발신경병증(critical illness polyneuropathy, CIP), 중증
질환근육병증(critical illness myopathy, CIM), 중증질환신경근육병증(critical ill-
ness neuromyopathy)으로 분류된다.

2) 진단

사지근육 위약의 진단은 전기생리학검사(신경전도검사, 근전도검사)(표 14-1),
초음파(muscle area와 thickness 측정), CT (fat-free skeletal muscle 측정), bioelec-
trical impedence measurement (body composition 측정) 등의 방법이 있고, 호흡
근의 평가는 phrenic nerve stimulation, 흉부 X-선을 이용한 횡격막 위치, 초음
파를 이용한 diaphragmatic excursion (<11 mm), diaphragmatic thickening fraction
(<20%) 등으로 진단할 수 있다.

표 14-1. 중증질환다발신경병증과 중증질환근육병증에서 관찰되는 전기생리학적 검사 소견

	중증질환다발신경병증	중증질환근육병증
CMAP amplitude	감소	감소
CMAP duration	정상	증가
SNAP amplitude	감소	정상
Nerve conduction velocity	정상	정상
EMG at rest	Fibrillation potentials/ positive sharp waves	Fibrillation potentials/ positive sharp waves
MUP voluntary muscle activation	Long duration, high amplitude, polyphasic	Short duration, low amplitude
Direct muscle stimulation	Normal muscle excitability	Reduced muscle excitability

CMAP: compound muscle action potential, EMG: electromyography, MUP: motor unit potential, SNAP: sen-
sory nerve action potential

3) 기전 및 위험인자

집중치료 후 근쇠약은 미세순환 장애, 단백질 감소, 전신적 염증, 장기간 부동(immobilization)과 관련이 있다. 중증질환유발쇠약의 가장 중요한 위험인자는 질환의 중증도 자체이다. 높은 중증도 지표, 패혈증과 전신 염증, 다발성 장기부전, 장기간의 기계환기, 중환자실 재실 기간 등이 관련이 있다. 특히 장기간의 기계환기는 사지근육 위약뿐 아니라 호흡근 위약을 유발하여 기계환기 이탈을 어렵게 하며 이는 다시 기계환기 기간을 연장시키는 악순환을 초래한다. 교정이 가능한 위험인자는 신경근 차단제, 고용량 스테로이드, 고혈당, 고용량의 안정제, 아미노글리코사이드나 반코마이신 같은 항생제 사용 등이 있다.

4) 예후 및 예방전략

집중치료 후 근쇠약의 발생 시 단기적으로는 중환자실/병원내 사망률의 증가, 재원일수, 기계환기 이탈 실패, 연하 장애 등을 초래하고 장기적으로는 중환자실 퇴실 후 사망률 증가, 재활기간 연장 및 신체기능의 저하를 초래한다.

　집중치료 후 근쇠약을 예방하기 위해서는 기저질환의 치료가 가장 중요하나 혈당 조절, 적절한 진통제의 사용으로 섬망 없는 각성 상태 유지, 조기 재활, 적절한 초기 영양 공급(목표열량의 70% 이상 공급)이 병행되어야 한다.

참고문헌

1.　Vanhorebeek I, Latronico N, Van den Berghe G. ICU-acquired weakness. Intensive Care Med 2020;46:637-53.

15. 중환자재활

1. 중환자재활이란?

중환자들이 집중치료를 받으면 질병자체에 의한 합병증 외에도 다양한 원인에 의한 심각한 근육소모가 발생하게 되는데 이를 집중치료 후 근쇠약(ICU acquired weakness)이라고 한다. 특히 입원 전 만성 질환으로 진행하는 쇠약이 있거나 전신근육 감소 및 운동 능력이 감소된 상태를 가진 환자에서 흔하다.

집중치료 후 근육 쇠약의 위험인자로는 패혈증, 다발성장기부전, 고혈당, 스테로이드 사용, 신경근차단제, 침상생활, 영양불량 등이 알려져 있다. 특히 유발 약물들은 치료에 필수 불가결한 경우를 제외하고는 최소한 그리고 적은 용량을 사용하는 것이 바람직하다(166쪽 9장 및 182쪽 10장 참조).

집중치료 후 근육 쇠약은 약화로 인해 기계환기 이탈을 지연시키고 중환자실 재원기간을 장기화시키는 주 원인이 될 뿐만 아니라 장기적으로는 기능저하를 초래하여 중환자실 퇴실 후에도 정상적인 삶으로 복귀하지 못하고 장기간에 걸쳐 삶의 질을 심각하게 저하시키는 원인이 된다.

중환자의 조기재활은 기능저하 및 근육저하를 최소화하는 데 도움이 되며 신체기능 회복은 물론 PICS (post-intensive care syndrome)를 줄이는 데도 유효하다. 프로토콜이 잘 갖춰져 있다면 체외막산소장치 같은 위험한 기계를 적용하고 있어도 안전하게 시행할 수 있다.

중환자 조기재활은 대부분의 중환자들은 중환자실 치료 2-3일 안에 혈역학적으로 안정되므로 안정되는 즉시 재활을 시작하는 것이 바람직하다.

안전하고 효과적인 중환자재활을 위해서는 인력과 장비 외에도 다학제간

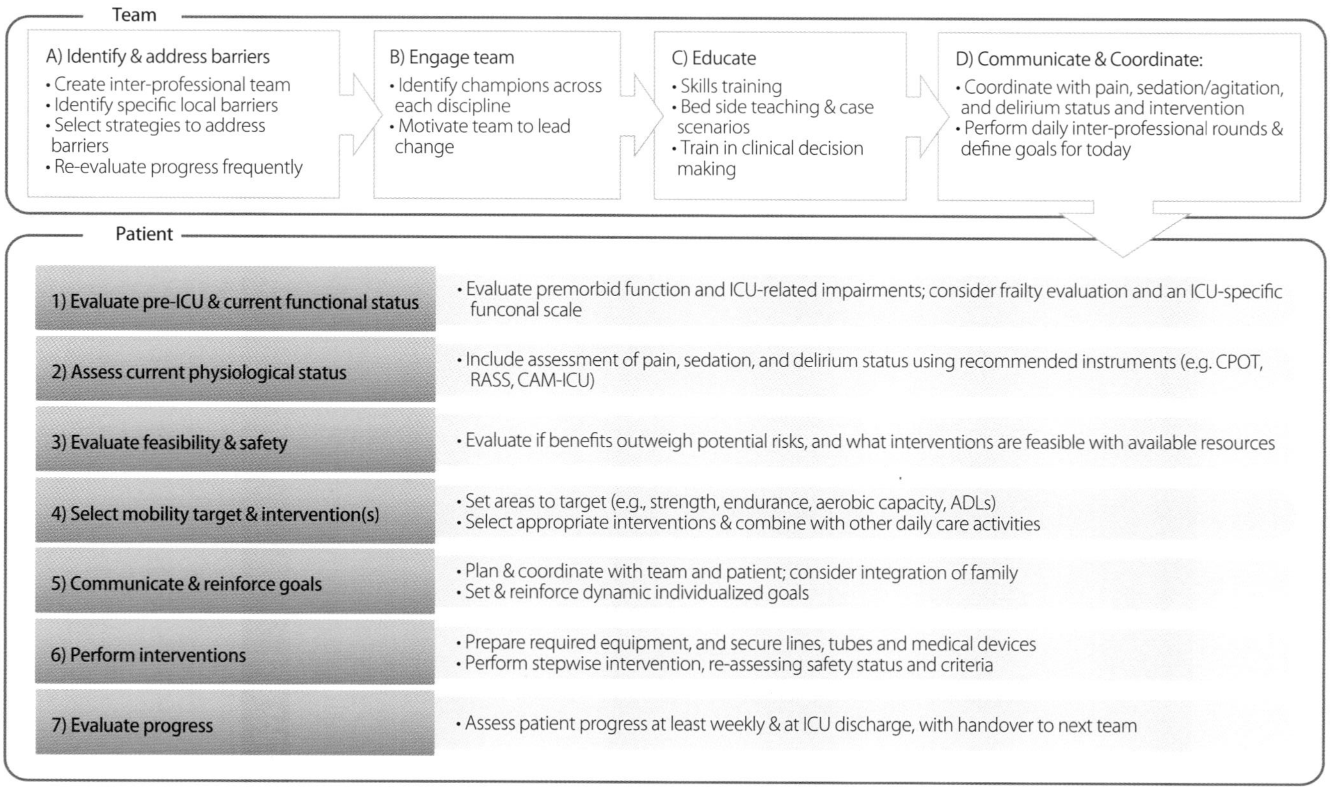

Team

A) Identify & address barriers
· Create inter-professional team
· Identify specific local barriers
· Select strategies to address barriers
· Re-evaluate progress frequently

B) Engage team
· Identify champions across each discipline
· Motivate team to lead change

C) Educate
· Skills training
· Bed side teaching & case scenarios
· Train in clinical decision making

D) Communicate & Coordinate:
· Coordinate with pain, sedation/agitation, and delirium status and intervention
· Perform daily inter-professional rounds & define goals for today

Patient

1) Evaluate pre-ICU & current functional status
· Evaluate premorbid function and ICU-related impairments; consider frailty evaluation and an ICU-specific funconal scale

2) Assess current physiological status
· Include assessment of pain, sedation, and delirium status using recommended instruments (e.g. CPOT, RASS, CAM-ICU)

3) Evaluate feasibility & safety
· Evaluate if benefits outweigh potential risks, and what interventions are feasible with available resources

4) Select mobility target & intervention(s)
· Set areas to target (e.g., strength, endurance, aerobic capacity, ADLs)
· Select appropriate interventions & combine with other daily care activities

5) Communicate & reinforce goals
· Plan & coordinate with team and patient; consider integration of family
· Set & reinforce dynamic individualized goals

6) Perform interventions
· Prepare required equipment, and secure lines, tubes and medical devices
· Perform stepwise intervention, re-assessing safety status and criteria

7) Evaluate progress
· Assess patient progress at least weekly & at ICU discharge, with handover to next team

그림 15-1. 중환자 재활 팀 구성과 과정
CFS: clinical frailty scale, ADLS: activing daily livings

협의를 통해 체계적인 재활프로토콜을 마련하는 것이 필요하다(그림 15-1, 2). 특히 중환자실 담당 의사의 판단 및 의지, 그리고 중환자실 간호사의 참여가 중요하다.

인력이 부족한 경우 회진 시 혹은 면회 시간에 가족들과 함께 시도하는 것도 고려해 볼 수 있다. 또한 중환자 재활을 위해서는 적절한 통증 조절 및 얕은 진정이 매우 중요한 요소이다.

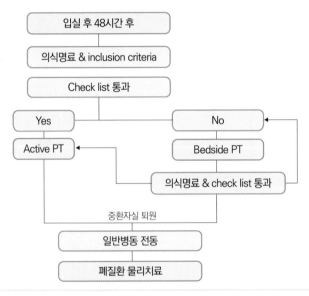

그림 15-2. 내과계 중환자실에서 시행하는 중환자 재활 프로그램 예
PT: physical training

2. 재활 대상 환자

포함 기준

1) 부르는 소리에 눈을 뜬다: RASS −2 ~ +2
2) 상지근력 ≥3/5
3) 침상에서 60도 이상 각도에서 자세 유지됨

운동	1단계 (수동관절운동)	2단계 (능동관절운동)	3단계 (침상끝에 앉기)	4단계 (서기)	5단계 (10m 미만 걷기)	6단계 (10m 이상 걷기)
단계	1단계 (수동관절운동)	2단계 (능동관절운동)	3단계 (침상끝에 앉기)	4단계 (서기)	5단계 (10m 미만 걷기)	6단계 (10m 이상 걷기)
작용종	중환자실 입실 >3일 소생술 종료 이후	중환자실 입실 >3일 소생술 종료 이후 명료한 의식 안전체크리스트: 통과	중환자실 입실 >3일 소생술 종료 이후 명료한 의식 안전체크리스트: 통과 침상머리올리기 가능 >60° 상지 움직임 ≥3점	중환자실 입실 >3일 소생술 종료 이후 명료한 의식 안전체크리스트: 통과 침상머리올리기 가능 >60° 상지 움직임 ≥3점 하지 움직임 ≥3점	중환자실 입실 >3일 소생술 종료 이후 명료한 의식 안전체크리스트: 통과 침상머리올리기 가능 >60° 상지 움직임 ≥4점 하지 움직임 ≥3점 이동식 인공호흡기 사용 가능	중환자실 입실 >3일 소생술 종료 이후 명료한 의식 안전체크리스트: 통과 침상머리올리기 가능 >60° 상지 움직임 ≥4점 하지 움직임 ≥3점 이동식 인공호흡기 사용 가능
프로그램	수동 관절 운동 체위변경 지속적 수동운동 기계(의식이 명료할 경우) 침상 자전거 적용	능동관절운동(주요관절) 흉막확장운동 근력강화운동 목통스트레칭 고무줄 쥐어짜기 침상 자전거 적용	침상끝에 앉기 앉아서 다리 올리기 공게 허리펴기 팔 뻗어서 체중 이동하기 머리 조절하기 침상 자전거 적용	도구를 이용하여 일어나기 침대에 기대서 일어나기 침대에서 의자로 옮겨 앉기 근력강화운동(다리들기, 엉덩이들기, 고무줄 당기기)	중환자실 걷기(10 m 미만) 제자리 걷기(각 10회 미만) 앉았다 일어나기(5회 미만) 발판 오르고 내리기	중환자실 걷기(10 m 이상) 제자리 걷기(각 10회 이상) 앉았다 일어나기(5회 이상) 한 발로 서기
참여자	물리치료사, 가족	물리치료사, 담당간호사 재활전담간호사, 가족	물리치료사, 담당간호사 재활전담간호사	물리치료사, 담당간호사 재활전담간호사	물리치료사, 담당간호사 재활전담간호사	물리치료사, 담당간호사 재활전담간호사

그림 15-3. 중환자 재활프로그램의 예

3. 기준 확인

Respiratory system	FiO_2(%)	≤80
	PEEP (cmH_2O)	<10
	SpO_2(%)	≥90
	Arterial pH	≥7.25
	RR (/min)	≤35
Cardiovascular system	MAP (mmHg)	50–150
	No dysrhythmia	No addition of a new anti-arrhythmic agent
	Vasopressor	No new or increased vasopressor dose in past 2hrs
	levophed	≤0.2 mcg/kg/min
	epinephrine	≤0.2 mcg/kg/min
	Heart rate (/min)	≤120
담당의 동반기준		FiO_2 ≥60, 또는 RR ≥30, 또는 ECMO 적용

4. 제외 기준

복와위
불안정한 허혈성심장질환
두강내혈압상승
척수강 카테터 사용
조절되지 않은 경련
심한 골절

크게 열린 외상
대량출혈
환자 거부
담당의 판단상 불안정 환자
수술 다음날
연명치료 중단

참고문헌

1. Parry SM, Nydahl P, Needham D. Implementing early physical rehabilitation and mobilisation in the ICU: Institutional, clinician, and patient considerations. Intensive Care Med 2018;44:470-3.

2. Tipping C, Harrold M, Holland A, et al. The effects of active mobilisation and rehabilitation in ICU on mortality and function: a systematic review. Intensive Care Med 2017;43:171-83.

3. Morris PE, Goad A, Thompson C, et al. Early intensive care unit mobility therapy in the treatment of acute respiratory failure. Crit Care Med 2008;36(8):2238-43.

16. 기계환기기 관리

1. 기계환기기의 준비

1) 기계환기기 사전점검
(1) 기계환기기 Set up

- 준비 물품: 기계환기기, circuit, bacterial filter, 기종별 전용 부속품, 가습기,
  열선어댑터(heater wire adaptor), 온도탐색자(temperature probe),
  멸균증류수, test lung, 멸균장갑, 알코올솜

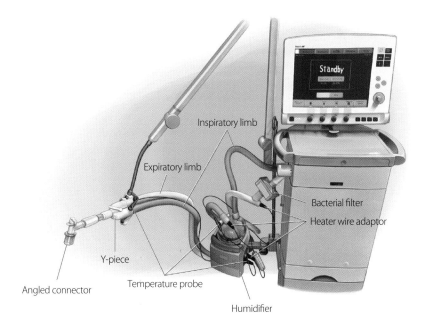

2) 기계환기기 기종별 자동 점검 과정

(1) MAQUET Servo-i: Pre-use check

점검 항목	시행 방법 및 의미
Pre-use check 준비	전원, 가스(O_2, air) 연결 후 기계환기기 On → Stand by Pre-use check → Yes 메시지 창 내용 이행
Internal test	오디오 테스트 및 기타 시스템 내부 메모리 기능과 하드웨어 안정성 테스트
Barometer test	내부 기압계에 의해 대기압을 측정
Gas supply pressure test	내부 가스 공급 압력 센서에 의해 측정된 가스(O_2, air) 공급 압력이 허용 범위(2–6.5bar) 안에 있는지 점검 다른 가스 종류 여부를 체크 흡기 출구, 호기 입구 부분에 테스트용 튜브 연결
Internal leakage test	흡기와 호기 압력 센서를 이용하여 시스템 내부 누설 점검 허용범위: 80 cmH$_2$O에서 10 mL/min
Pressure transducer test	흡기와 호기 압력 센서를 점검하고 교정
Safety valve test	117±3 cmH$_2$O의 압력에 대한 안전 밸브의 동작 여부를 점검하고 교정
O$_2$ cell/sensor test	O$_2$ cell 센서가 21%, 100%에서 맞는지 점검하고 교정 O$_2$ cell의 소모 정도 점검 O_2, air 중 하나가 공급 중단되면 수행되지 않음
Flow transducer test	흡기 flow 센서 점검 호기 flow 센서 점검하고 교정
Battery switch test	배터리 모듈이 장착되어 있는 경우 AC전원(주전원) 차단: AC전원 → 배터리 전환 AC전원 재 공급: 배터리 → AC전원 전환 전원 코드 분리, 재 연결 메시지 이행
Patient circuit test	Pre-use check 대체 불가 흡기와 호기 압력 센서를 이용하여 환자 circuit의 leak, compliance, resistance 점검하고 측정 허용범위: 50 cmH$_2$O에서 80 mL/min 환자 circuit, 가습기 등 부속품을 모두 연결하고 Y-piece 앞부분 막음
Alarm state test	Pre-use check 중에 기술적 에러 알람이 있는지 점검
Pre-use check 종료	점검 항목에 대한 결과 표시 OK → Standby

(2) Puritan Bennett 840: SST (short self test)

점검 항목	시행 방법 및 주의 사항
SST 준비	전원, 가스(O$_2$, air) 연결 후 기계환기기 On Ventilator Startup 화면 SST → 5초 이내 기계환기기 측면 TEST 버튼 누름 환자 circuit 연결, Test lung 연결 금지(환자 wye 열기)
SST Setup	환자 circuit 종류, 가습장치 종류 선택 후 ACCEPT
SST Flow Sensor Test "Connect circuit with insp filter and without humidifier"	흡기필터와 환자 circuit 연결, 가습장치는 연결 제외 연결 후 ACCEPT
SST Flow Sensor Test "Block wye"	환자 wye 막은 후 ACCEPT
SST Flow Sensor Test "Connect humidifier if applicable"	Exhalation flow sensor의 정확성 점검 가습장치를 사용 시 정확한 compliance 보정을 위해서 가습기 물통에 물을 채움 통과 못하면 FAILURE
Circuit Pressure Test	압력 센서들의 기능 확인 통과 못하면 FAILURE
Circuit leak	10초동안 circuit 압력이 감소하는 것이 화면에 보이며 circuit이 압력을 유지할 수 있는지 점검 ALERT를 overriding 할 경우 compliance 보정이 부적절하게 되어 tidal volume의 전달이 부정확 해지거나 autocycling 유발할 수 있음 과도한 leak 시 FAILURE
Expiratory filter "Disconnect at FROM PATIENT port"	Circuit을 expiratory filter에서 분리 후 ACCEPT
Expiratory filter "Connect to FROM PATIENT port"	Circuit 재연결 후 ACCEPT Expiratory filter를 통과할 때 압력 감소를 나타냄 ALERT를 overriding 할 경우 환자 압력 추정치가 부정확해 질 수 있음 FAILURE의 경우 해당 테스트 재시행하거나 filter 교체
Circuit Resistance "Unblock wye"	환자 wye 연 후 ACCEPT
Circuit Resistance	Circuit의 저항 테스트 ALERT를 overriding 할 경우 환자 압력 추정치가 부정확해 질 수 있음 FAILURE의 경우 해당 테스트 재시행하거나 circuit 교체
Compliance calibration "Block wye"	환자 wye 막은 후 ACCEPT
Compliance calibration	Circuit의 compliance를 나타냄 ALERT를 overriding 할 경우 compliance 보정이 부적절하게 되어 tidal volume의 전달이 부정확해짐 FAILURE의 경우 해당 테스트 재시행하거나 circuit 교체
Compliance calibration "Unblock wye"	환자 wye 연 후 ACCEPT
SST 종료	SST status 결과 확인 EXIT SST 누른 후 ACCEPT

SST 결과	의미
PASSED	모든 테스트를 통과함
ALERT	결과가 이상적이지 않으나 매우 심각한 것은 아님 SST가 정지됨 다음 중 하나를 선택 후 ACCEPT RESTART TEST (SST 다시 시작) REPEAT(해당 테스트 반복) NEXT(다음 테스트로 넘어감)
FAILURE	매우 심각한 문제가 감지됨 불합격된 테스트가 통과하기 전에 SST가 완료되지 않음 다음 중 하나를 선택 후 ACCEPT RESTART TEST (SST 다시 시작) REPEAT(해당 테스트 반복)

(3) Hamilton G5: Flow sensor calibration, Tightness test, O_2 cell calibration

점검 항목	시행 방법 및 의미
Flow sensor calibration	Sensor type: Adult/Pediatric Circuit resistance compensation 측정 Disconnect patient → Turn the flow sensor → Turn the flow sensor → Flow sensor calibrated OK ☑ 테스트 통과 ☒ 테스트 실패
Tightness test	환자 circuit의 누출 점검 50 cmH$_2$O까지 압력 상승 Disconnect patient → Tighten patient system → Patient system tight ☑ 테스트 통과 ☒ 테스트 실패
O_2 cell calibration	Oxygen monitoring 활성화, 가스(O_2, air) 연결 유지 2분 소요 → O_2 cell calibrated OK ☑ 테스트 통과 ☒ 테스트 실패

* 자동 점검 과정 종료 후 수동 점검 과정(manual pretest) 시행 필요함

(4) Dräger Evita V300: System check (Device check, Breathing circuit check)

점검 항목	참고사항
Device check	Start → 테스트 결과 확인 ◑ 테스트 진행 ◐ 테스트 통과 ● 테스트 실패 ○ 테스트 미수행
Auxiliary acoustical alarm	보조 경보, 전력 실패 경보 시험
Breathing circuit connection	Breathing circuit의 시각적 검사
Inspect humidifier	Breathing gas humidifier의 시각적 검사
Calibration of expiratory flow sensor	
Test lung connection	
Gas supply sensors: Calibration	2분 소요, 3개월마다 수행
O$_2$ supply	
Air supply	
Pressure sensor calibration valve	안전관련 테스트, 통과 후 사용
Expiratory valve	안전관련 테스트, 통과 후 사용
Safety valve	안전관련 테스트, 통과 후 사용
O$_2$ sensor: Calibration	
Nebulizer	약물 분무 조절 점검

Breathing circuit check
  Leakage of the breathing circuit
  Compliance of the breathing circuit
  Inspiratory resistance
  Expiratory resistance
	Leakage [mL/min]
	허용 범위: 60 cmH$_2$O에서 300 mL/min

3) 사용자의 수동 점검 과정(Manual pretest)

점검 항목
모드별 설정 값과 측정 값 차이
PEEP (positive end-expiratory pressure)을 포함한 pressure level
TV (tidal volume), MV (minute volume)
RR (respiratory rate), trigger function, FiO_2 등
Alarm (pressure, volume, RR, apnea, FiO_2 등) 기능

VCV (volume-controlled ventilation) mode	
기본 설정	TV 400 mL, RR 20 bpm, I:E ratio 1:2 또는 PF (peak flow) 45 L/min, PEEP 0 cmH_2O, FiO_2 0.21, Trigger sensitivity −10 cmH_2O
점검 과정	PEEP 0, 5, 15, 20 cmH_2O 변경 FiO_2 0.21, 1.0, 0.65 변경
확인 사항	Inspiratory TV, Expiratory TV 적절성 PEEP level, 압력 그래프와 화면의 수치 일치 여부 PEEP 조절에 따른 TV 변화 FiO_2 조절에 따른 TV 변화
허용 오차	Pressure ±1 cmH_2O, TV ±10%, FiO_2 ±4%
PCV (pressure-controlled ventilation) mode	
기본 설정	PC 20 cmH_2O, RR 20 bpm, I:E 1:2, PEEP 0 cmH_2O, FiO_2 0.21, Trigger sensitivity −10 cmH_2O
점검 과정	PEEP 0, 5, 15, 20 cmH_2O 변경
확인 사항	PEEP, PAP (peak airway pressure) 일치 여부 압력 그래프와 화면의 수치 일치 여부
허용 오차	Pressure ±1 cmH_2O

4) 의공학과 의뢰 기계환기기 점검

의공학과 점검 항목
Air inlet filter, oxygen cell 교체
Expiratory valve, flow sensor 교체
Calibration: pressure, flow, O_2 concentration

Function check
  pressure level, tidal volume, minute volume, trigger function, alarm,
  leakage test, safety valve, gas supply system, battery operation

Electrical safety test of ventilator security of all cables and fasteners

5) 기계환기기 circuit 연결 및 교체
(1) 기계환기기 circuit 연결 모식도

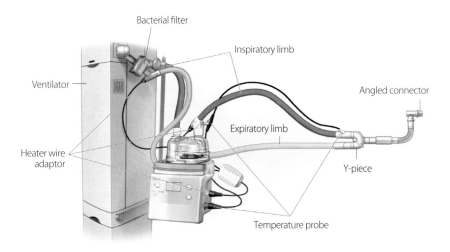

(2) 기계환기기 circuit 연결 방법

Circuit 연결 방법

순서	연결 순서 및 참고사항
Step 1	물품을 준비한다. 준비 물품: 기계환기기, circuit, bacterial filter, 기종별 전용 부속품, 가습기, 열선어댑터(heater wire adaptor), 온도탐색자(temperature probe), 멸균증류수, test lung, 멸균장갑, 알코올솜 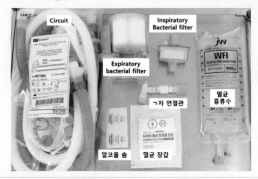
Step 2	손을 씻는다.
Step 3	멸균장갑을 착용 후 기계환기기에 circuit을 연결한다. • 기계환기기에 설치된 가습기에 가습기통을 장착한다. • Bacterial filter를 기계환기기의 흡기와 호기 부분에 연결한다. *흡기 bacterial filter가 불필요한 기종도 있다(예: Servo-i). *전용 호기 bacterial filter 연결이 필요한 기종도 있다(예: PB840, V300). 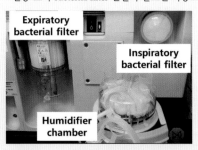 • 파란색 짧은 circuit을 기계환기기 흡기 부분과 가습기통에 연결한다. • 파란색 긴 circuit을 가습기통에 연결한다. • 흰색 긴 circuit을 기계환기기의 호기 부분에 연결한다. 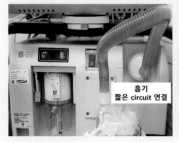

순서	연결 순서 및 참고사항
Step 3	• 가습기에 부착된 온도탐색자를 알코올솜으로 소독 후 파란색 긴 circuit에서 환자 쪽 포트와 가습기통 쪽 포트에 연결한다. • 가습기에 부착된 열선어댑터를 파란색 긴 circuit 뒷 부분과 하얀색 긴 circuit 뒷 부분에 연결한다.

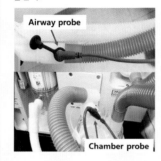 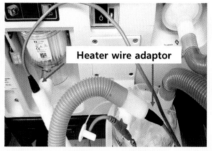

MAQUET Servo-i: 전용 expiratory cassette 필요, 연결 시 사진 참조

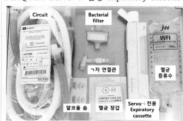 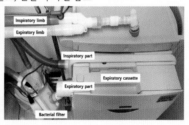

Puritan Bennett 840: 전용 expiratory bacterial filter 필요, 연결 시 사진 참조

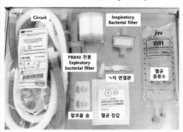 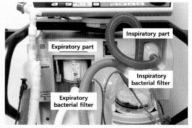

Hamilton G5: 전용 flow sensor, expiratory valve가 필요, flow sensor 연결 시 사진 참조

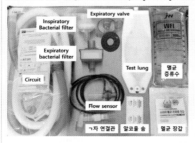 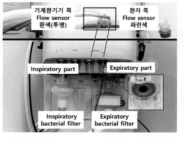

순서	연결 순서 및 참고사항
Step 3	Dräger Evita V300: 전용 expiratory valve, expiratory bacterial filter 필요, 연결 시 사진 참조
Step 4	기계환기기 기종별 사전점검 과정을 시행 후 환자에게 적용한다.

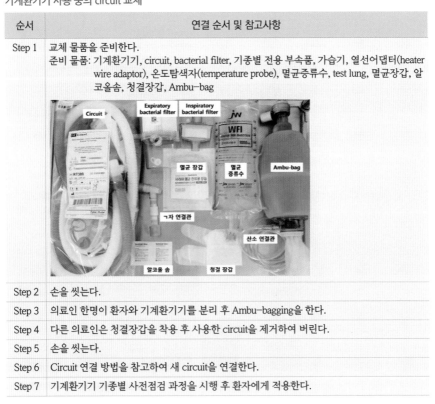

기계환기기 사용 중의 circuit 교체

순서	연결 순서 및 참고사항
Step 1	교체 물품을 준비한다. 준비 물품: 기계환기기, circuit, bacterial filter, 기종별 전용 부속품, 가습기, 열선어댑터(heater wire adaptor), 온도탐색자(temperature probe), 멸균증류수, test lung, 멸균장갑, 알코올솜, 청결장갑, Ambu-bag
Step 2	손을 씻는다.
Step 3	의료인 한명이 환자와 기계환기기를 분리 후 Ambu-bagging을 한다.
Step 4	다른 의료인은 청결장갑을 착용 후 사용한 circuit을 제거하여 버린다.
Step 5	손을 씻는다.
Step 6	Circuit 연결 방법을 참고하여 새 circuit을 연결한다.
Step 7	기계환기기 기종별 사전점검 과정을 시행 후 환자에게 적용한다.

6) 기계환기기 물품관리

구분	교체 주기 및 관리 방법
기계환기기	내부: 주기적으로 멸균하거나 소독 필요 없음. 외부: 각 기관 규정에 따른 환경소독제로 매일 소독 　　　(예시: 400배 희석 애니오설프 프리미엄, Clinell universal wipes) Cooling fan filter: 7일마다 물로 세척 후 건조
Circuit	제조사의 권장사항(예시: RT380: 14일, AquaVENT: 14일)
Bacterial filter	흡기: 7일마다 호기: 24시간마다 또는 기종별 제조사 권장사항에 따름 　　　수분, 분무요법으로 인한 약제 침착으로 호기 저항이 커진 경우 즉시 교체
기타 기계환기기 소모품	Expiratory cassette (Servo-i), Expiratory valve membrane/cover 및 flow sensor (Hamilton G5), Expiratory valve (Dräger Evita V300) 등의 소모품들은 제조사의 권장사항에 따라 소독
멸균증류수	가습기 수위는 자동 주입 시스템(auto feed system)으로 조절됨 폐쇄 상태가 유지된 경우 가습기통의 남아있는 증류수는 멸균 상태이므로 소진 전에 교체

2. 기계환기 중 가습

1) 가습의 중요성

기계환기 시 부적절한 가습은 저체온, 기관지상피세포의 손상, 점액섬모운동의 장애, 무기폐, 기도 폐쇄, 기관지저항 등을 유발할 수 있으므로 적절한 가온, 가습장치를 사용하고 유지 및 관리해야 한다. 임상에서 사용 가능한 가온, 가습장치는 가열가습기(heated humidifier)와 열수분교환필터(heat and moisture exchanger, HME)가 있다.

2) 가열가습기(Heated humidifier)

(1) 흡입가스에 열과 수증기를 적극적으로 증가시켜 공급하는 방식으로 100% 상대습도(37°C, 44 mg/L)를 제공할 수 있다.

(2) 구조 및 기능

아래는 MR850 (F&P Health Care 사)를 기준으로 한 설명이다.

그림 16-1. 가열가습기 구조

① 기도탐색자(Airway probe): 기도 진입 전 가스 온도 측정
② 가습기통탐색자(Chamber probe): 가습기통 통과 후 가스 온도 측정 및 가스
   유량 측정
③ 열선어댑터(Heater wire adaptor): 흡기, 호기 회로 내부 열선에 열을 가해
   가스 온도를 증가시켜 응축수 발생을 예방함. 흡입가스 온도는 흡기 회로
   를 지나면서 약 3℃ 증가됨
④ 제어장치(Control system)
   ❶ 무음 버튼: 2분간 음소거, 길게 누르면 기도탐색자, 가습기통탐색자의
      측정 온도가 차례로 온도 창에 보여짐
   ❷ 장치 상태 표시: 기도 또는 가습기통탐색자, 열선어댑터, 증류수 공급
      이상 감지 시 점등
   ❸ 온도 알람: 침습 모드에서 35.5℃ 미만 또는, 41℃ 초과 시 알람 및 점등
   ❹ 온도 창: 기도 또는 가습기통탐색자의 측정 온도 중 낮은 온도가 보여짐
      정상 작동 상태라면 가습기통탐색자의 온도인 약 37℃(침습 모드) 또는
      31℃(비침습 모드)가 보여지게 됨
   ❺ 전원 버튼
   ❻ 모드 전환 버튼
   ❼ 가열 판: 가습기통 내부의 멸균증류수에 열을 가해 수증기 발생시킴

(3) 온도 설정: 모드 전환 버튼을 길게 누르면 모드가 전환됨.

① 침습 모드: 흡입가스 온도가 가습기통탐색자에서 37℃, 기도탐색자에서 40℃ 되도록 조절됨

② 비침습 모드: 흡입가스 온도가 가습기통탐색자에서 31℃, 기도탐색자에서 34℃ 되도록 조절됨

(4) 모니터링

① 기계환기기 회로내 응축수 여부를 확인한다.

회로 내부의 온도가 가습기통에서 나가는 가스의 온도 보다 낮으면 회로 내에 수분이 응축된다. 응축수는 감염성 물질로 분류되며 무균적으로 제거해야 한다.

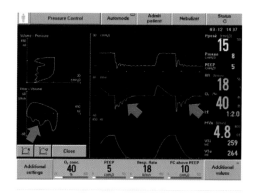

그림 16-2. 응축수가 있을 때 보이는 그래프 양상

② 가습기통에 멸균증류수가 채워져 있는지 확인한다.

가습기통의 멸균증류수는 자동 주입 시스템(auto-feed system)으로 채워지므로 주입 라인을 멸균증류수 백에 연결하고 소진 시 새 멸균증류수 백으로 교체한다.

그림 16-3. 멸균증류수 공급 형태

3) 열수분교환필터(Heat and moisture exchanger, HME)

(1) 호기 동안 기도로부터 배출된 열과 습도를 응축장치(condenser)에 보전한 후 다음 흡기 시 활용하는 가온, 가습장치로 기도에 22-32 mg/L의 수분을 공급할 수 있다.

(2) 적응증: 단기간(96시간 이내) 인공호흡기 적용 또는 이송 시

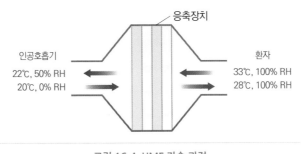

그림 16-4. HME 가습 과정

(3) 부적응증

① 가래가 진하거나 혈액이 섞인 경우

② 환자 체온이 32℃ 미만인 경우

③ 분시환기량이 10 L/min 이상인 경우

④ 일회환기량이 작은 경우

⑤ 호기유량이 흡기유량의 70% 미만인 경우(예: NIV with large mask leak)

⑥ 에어로졸 치료 시

(4) 장치 선택 시 고려사항

① 30 mg/L 이상의 수분 공급이 가능한 제품으로 호기 수분의 70% 이상을 보전할 수 있어야 한다.

② 탄성이 적고, 가벼우며, 사강이 적고, 유량에 대한 저항이 낮은 장치를 고르도록 한다.

③ 여러 제조사의 제품의 성능을 비교하여 선택한다.

표 16-1. HME 제품

품명	Pall, Ultipor breathing system filter	Intersurgical Clear-Therm® 3	Humid-Vent® Filter Compact
수분	Water loss 8 mg/L up to Vt 800 mL	Moisture return 32 mg/L at Vt 500 mL	Moisture output 30 mg/L at Vt 1000 mL
교체 주기	48시간	24시간	24시간
사강	85 mL	60 mL	35 mL
무게	47 g	30 g	31 g
저항	2 cmH$_2$O at 60 L/min	2.6 cmH$_2$O at 60L/min	1.8 cmH$_2$O at 60 L/min
BFE*	>99.999%	>99.99%	>99.9999%
VFE**	>99.999%	>99.99%	>99.999%

* BFE: bacterial filtration efficiency, **VFE: viral filtration efficiency

(5) 적용 위치: 흡기, 호기 가스가 모두 지나는 위치인 인공호흡기 회로 Y-piece 앞에 연결한다.

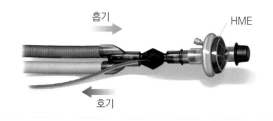

그림 16-4. HME 적용 위치

(6) 모니터링

① 가래 점도가 높아지지 않는지 확인하고 필요시 가열가습기로 교체한다.

② 제조사의 교체 주기에 따라 교체(24시간 또는 48시간)하며 폐쇄 시 즉시 교환한다.

3. 기계환기 중 분무요법

호흡기 약물을 분무화하여 기관지로 투여하는 것은 전신적 투여 보다 몇 가지 장점이 있다. 약물을 작용 부위에 직접 투여함으로써 적은 용량으로도 효과를 얻을 수 있으며 작용 시간이 빠르고 전신 흡수가 적어 부작용이 적다. 기계환기 시 적용 가능한 분무 요법 장치에는 저용량분무기(small volume nebulizes, SVN)와 정량식 흡입기(metered-dose inhalers, MDI)가 있다. 두 장치의 효과는 비슷하며 환기 시 설정 값, 회로, 분무 요법 장치 등 여러 가지 요인들의 영향으로 분무제의 약제 전달률은 1.5-15%로 변이가 크다.

1) 저용량분무기(Small volume nebulizer, SVN)

저용량분무기는 10 mL 이하의 액상 약물을 압축 공기나 초음파를 이용하여 연무 상태의 미세입자로 만들어 호흡기계로 투여하는 약물전달 장치이다. 임상에서 많이 사용하는 방식은 pneumatic (jet) nebulizer, ultrasonic nebulizer, vibrating mesh nebulizer가 있다(표 16-2. 저용량 분무 장치).

2) 정량식 흡입기(Metered-dose inhaler, MDI)

정량식 흡입기는 약물을 조그만 소형 금속 용기에 압축 가스와 함께 넣고 밀봉한 것이다. 사용자가 개폐기를 누를 때마다 일정한 용량이 분무되는 약제 형태로 1회 분사 시 일정한 용량의 약물을 투약할 수 있다. 정량식 흡입기는 기계환기기의 순환 구조, 기도압, 일회호흡량 전달 등에 미치는 영향이 적기 때문에 선호된다.

(1) 구성 및 적용 위치

정량식 흡입기는 흡기 회로에 스페이서를 연결하여 투약한다.

정량식 흡입기   스페이서

그림 16-5. 정량식 흡입기 적용 위치

(2) 투약 과정

① 처방을 확인한다(예: SVN으로서 salbutamol 2.5 mg은 MDI로서 salbutamol 4 puffs와 유사한 용량임).
② MDI를 흔들고 체온 정도의 온도로 따뜻하게 한다.
③ HME가 장착되어 있다면 제거한다(HME는 약물 투약 후 다시 적용한다.).
④ 흡기 회로 앞쪽에 연결된 스페이서에 MDI를 연결한다.
⑤ 흡기 시작에 맞춰 MDI를 눌러 약물이 분사되도록 한다.
⑥ 자발호흡 모드 적용 중 환자의 협조가 가능하다면 MDI 공급 후 4–10초간 호흡을 멈추도록 한다.
⑦ 약물 주입 간격을 최소 20–30초로 하며 처방된 양을 모두 제공한다.
⑧ 약물의 효과와 부작용을 관찰한다.

(3) 주의사항

① 정량식 흡입기 약물 중 스페이서와 호환되지 않는 것이 있으므로 투약 가능 여부를 확인해야 한다.

표 16-2. 저용량 분무 장치

분무 장치	Pneumatic (Jet) nebulizer	Ultrasonic nebulizer	Vibrating mesh nebulizer (Aeroneb micropump nebulizer)
			– AEROGEN Pro – AEROGEN solo
물품명	Small volume nebulizer	Servo ultra nebulizer	AEROGEN Pro/Solo
분무 방식	가장 초창기에 개발된 분무기로 베르누이원리를 이용한 공기 압력 방식 – 유량 설정: 6–8 L/min	물속에서 진동판의 크리스탈이 빠른 속도로 진동할 때 수면에서 에어로졸 입자가 분출	액체로 된 흡입제를 여러 개의 작은 구멍이 있는 메쉬로 통과시켜 에어로졸 입자로 분출
세부 물품	– Micromist nebulizer set – Medical air flowmeter or compressed pump	– Ultrasonic nebulizer set – Medical cup – Control cable – Nebulizer software	– AEROGEN nebulizer set – Controller or nebulizer software
최대 약물 용량	6 mL	10 mL	Pro 10 mL/Solo 6 mL
분무 입자 크기	2.1 μm (1–5 μm)	4 μm	3 μm
적용 위치	Y–piece로부터 15 cm(인공기도로부터 30 cm) 떨어지도록 흡기 회로에 연결	Y–piece로부터 15 cm (인공기도로부터 30 cm) 떨어지도록 흡기 회로에 연결	– AEROGEN Pro: 흡기 회로 – AEROGEN solo: 가습기 통 진입 전
주의사항	– 지속적인 추가 유량 공급 시 환자의 호흡일이 증가될 수 있으며, 흡기 유발의 어려움, 호기 시 저항 증가의 문제가 발생할 수 있음(G5, C3, V300, VN500은 인공호흡기에 내장된 분무 기능을 이용하므로 이러한 문제는 없다)	– 적용 중 기기 몸체의 수평 상태 유지 필요 – 분무요법 약제 중 Pulmicort (현탁액 제제) 사용불가(약효 소실됨)	– 약물 주입 시 주사용 바늘 사용 금지 – 약물로 인해 내부 막힘 현상이 발생할 수 있으므로 약물 분무가 약해지면 교체할 것

17. 증례

1. 병력

(1) 내원 하루 전 기침과 객담, 인후통 및 호흡곤란으로 인근 병원 응급실 방문하여 항생제와 기관제 확장제로 치료를 받음

(2) 내원 2시간 전 다시 발열이 생기고 호흡곤란이 악화되어 응급실 통해서 일반 병실로 입원함

(3) BP 95/60 mmHg, HR 110/min, RR 25/min, BT 37.5℃, drowsy mentality

(4) 청진 시 수포음이 양측 폐야에서 들림

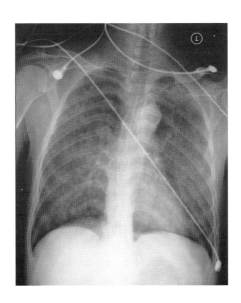

2. 입원 후 초기 기계환기 설정

이 환자가 호흡곤란으로 기관지삽관을 하였다. 초기 기계환기 어떻게 설정할 것인가?

(1) Height: 175 cm, Weight: 80 kg (Ideal BWt ≒70 kg → TV ≒ 420 mL)

(2) Pressure control ventilation: inspiratory pressure 20 cmH$_2$O, FiO$_2$ 1.0, RR=15, I:E=1:2, PEEP 10 cmH$_2$O

(3) 환자-기계환기기 비동조가 발생하여 신경근육이완제 일회 정주하였고 이어서 진통제와 진정제 지속 주입 시작하였다

(4) 초기 설정을 하고 30분 뒤 동맥혈가스분석을 시행하였다:

pH = 7.37, PaCO$_2$ = 43 mmHg, PaO$_2$ = 150 mmHg, HCO$_3^-$ = 24 mEq/L, SaO$_2$ = 100%

(5) 이 결과값을 보고 흡입산소를 60%까지 낮추고 30분 뒤 동맥혈가스분석을 시행하였다:

pH = 7.34, PaCO$_2$ = 44 mmHg, PaO$_2$ = 62 mmHg, HCO$_3^-$ = 23 mEq/L, SaO$_2$ = 92%

(6) 안정적인 상태로 판단하여 이 설정을 유지하였다

3. 저산소증 발생 시 기계환기 변경

(1) 2시간 뒤 pulse oximeter 산소포화도가 82%로 감소되어 기계환기기 흡입 산소를 90%로 올리고 동맥혈가스분석을 시행하였다

(2) 신경근육이완제 지속 주입을 시작하였다

(3) Pressure control ventilation: inspiratory pressure 20 cmH$_2$O, FiO$_2$ 0.9, RR = 15, I:E = 1:2, PEEP 10 cmH$_2$O:

pH = 7.34, PaCO$_2$ = 44 mmHg, PaO$_2$ = 50 mmHg, HCO$_3^-$ = 23 mEq/L, SaO$_2$ =88%

(4) PEEP을 15 cmH$_2$O로 올리고, 폐보호환기를 위해서 inspiratory pressure는 15 cmH$_2$O로 낮추고, 혈중이산화탄소 상승이 예상되어 RR=30, I:E=1:1로 변경하였다. 근이완제 정주를 유지하였다. 2시간 뒤 동맥혈가스분석을 시행하였다:

pH = 7.30, PaCO$_2$ = 48 mmHg, PaO$_2$ = 90 mmHg, HCO$_3^-$ = 23 mEq/L, SaO$_2$ = 99%

(5) 산소 분압이 호전을 보여서 이 상태에서 유지하였다

4. 저산소증 재발 시 치료

(1) 다음날 아침 다시 산소포화도가 85%로 감소되었다

(2) Pressure control ventilation: inspiratory pressure 15 cmH$_2$O, FiO$_2$ 1.0, RR = 30,
　I:E = 1:1, PEEP 15 cmH$_2$O:
　pH = 7.26, PaCO$_2$ = 51 mmHg, PaO$_2$ = 64 mmHg, HCO$_3$$^-$ = 23 mEq/L, SaO$_2$ = 90%

(3) 고농도산소하에서도 저산소증이 개선되지 않는 상황이어서 복와위 치료
　로 전환하였다

(4) 복와위 치료 2시간 뒤 동맥혈가스분석을 시행하였다:
　Pressure control ventilation: inspiratory pressure 15 cmH$_2$O, FiO$_2$ 0.8, RR = 30,
　I:E = 1:1, PEEP 15 cmH$_2$O:
　pH = 7.35, PaCO$_2$ = 42 mmHg, PaO$_2$ = 94 mmHg, HCO$_3$$^-$ = 23 mEq/L, SaO$_2$ = 99%

(5) 환자는 상태가 호전되어 복와위 48시간 뒤에 다시 앙와위 자세로 바꾸었다

(6) 신경근육이완제는 중단하였고 환자는 점차 호전되어 기계환기 이탈을 진
　행하였다

COPD: 호흡곤란으로 내원한 62세 남자 환자

- 내원 3년 전 기침, 호흡곤란으로 입원하여 만성 폐쇄성폐질환 진단받고 기관지확장제 복용 중임
- 내원 2년 전 호흡곤란 심해져 재택산소치료(home oxygen therapy)를 시작함. 이후 반복되는 급성 악화와 고탄산혈증으로 1달 전부터 수면 시에 재택인공호흡기를 적용 중임(설정: IPAP 16 cmH_2O, EPAP 4 cmH_2O, O_2 2 L/min)
- 내원 2주 전부터 자꾸 졸리는 증상이 발생하고 내원 당일 기력 저하와 의식 저하 증상이 생겨 응급실 방문함

- BP 131/87 mmHg, PR 113회/min, RR 26회/min, 의식상태 drowsy
- SpO_2 75% 측정되어 Reservior mask 15 L/min 적용 후 ABGA 시행: pH 7.179, $PaCO_2$ >115 mmHg, PaO_2 206.1 mmHg, HCO_3^- 54.7 mEq/L, SaO_2 99.0%

(1) 이 환자에게 다음 단계로 어떤 조치를 시행할 것인가?

- BiPAP 적용: ST mode IPAP 12 cmH_2O, EPAP 4 cmH_2O, RR 22회/min, O_2 6 L/min
- 환자 혼돈 상태 보이면서 BiPAP에 협조되지 않고 tidal volume 130-200 mL로 측정됨
- 30분 뒤 ABGA: pH 7.161, $PaCO_2$ >115 mmHg, PaO_2 94.0 mmHg, HCO_3^- 48.3 mEq/L, SaO_2 94.0%

(2) 다음 단계로 시행할 조치는?

- 기관삽관을 시행함(Height 180 cm, Weight 67 kg)
- Ventilator setting: PCV mode, inspiratory pressure 20 cmH_2O, inspiratory time 0.9 sec, RR 18회/min, PEEP 5 cmH_2O, FiO_2 50%
- 모니터링: tidal volume 485 mL, peak inspiratory pressure 27 cmH_2O, minute volume 8.73 L
- 1시간 뒤 ABGA: pH 7.351, $PaCO_2$ 65 mmHg, PaO_2 94.2 mmHg, HCO_3^- 35.2 mEq/L, SaO_2 96.6%

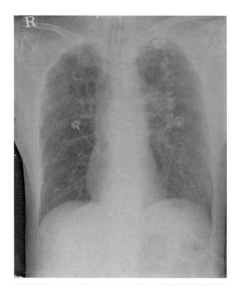

기관삽관 직후 흉부 X-선 사진

- 기관삽관 후 2일째 환자 상태 안정되어 사용 중인 진통제와 진정제를 감량하고 ventilator setting 조절함

- Ventilator setting: PCV mode, inspiratory pressure 20 cmH_2O, inspiratory time 1.00 sec, RR 18회/min, PEEP 4 cmH_2O, FiO_2 35%
- 모니터링: tidal volume 445 mL, peak inspiratory pressure 25 cmH_2O, minute volume 8.3 L
- ABGA: pH 7.470, $PaCO_2$ 49 mmHg, PaO_2 140.2 mmHg, HCO_3^- 34.9 mEq/L, SaO_2 98.9% → ventilator setting 조절: inspiratory pressure 16 cmH_2O, inspiratory time 0.92 secm RR 16회/min, PEEP 4 cmH_2O, FiO_2 30%

1시간 뒤 호흡수 28회/min, 맥박 수 120회/min, RASS +1이었으며 MV 4.4L로 줄어듦: pH 7.340, $PaCO_2$ 68.9 mmHg, PaO_2 113.9 mmHg, HCO_3^- 36.3 mEq/L, SaO_2 97.8%

(3) 다음 조치는?

- 진통제와 진정제 용량을 조절하여 RASS −1에 도달함
- Ventilator setting: inspiratory pressure 18 cmH$_2$0, inspiratory time 0.92 sec
  RR 18회/min. PEEP 4 cmH$_2$0, FiO$_2$ 30%
- 모니터링: tidal volume 369 mL, peak inspiratory pressure 23 cmH$_2$0,
  minute volume 6.8L
- ABGA: pH 7.480, PaCO$_2$ 41 mmHg, PaO$_2$ 129.8 mmHg, HCO$_3^-$ 29.8 mEq/L,
  SaO$_2$ 98.8 %

- 기관삽관 후 3일째 환자 상태 안정되어 사용 중인 진통제와 진정제를 다시
  감량하고 weaning 준비함

- 진통제와 진정제 용량을 조절하여 RASS 0 측정됨
- ventilator setting: inspiratory pressure 12 cmH$_2$0, inspiratory time 0.94 sec
  RR 18회/min, PEEP 4 cmH$_2$0, FiO$_2$ 26%
- 모니터링: tidal volume 439 mL, peak inspiratory pressure 16 cmH$_2$0,
  minute volume 7 L
- ABGA: pH 7.400, PaCO$_2$ 52.4 mmHg, PaO$_2$ 66.5 mmHg, HCO$_3^-$ 31.7 mEq/L,
  SaO$_2$ 92.9%

- T−piece 30분 시도 시 의식 명료하고 호흡부전 소견 없어 고탄산혈증에 대
  해서는 BiPAP 적용하기로 하고 발관함

부록

이동형 기계환기기
Portable ventilator

병원 내에서 환자의 이송은 환자들을 위험에 노출시키게 되며 이송과 관련된 문제들이 많게는 68%까지 생긴다. 높은 수준의 기계환기 보조가 요구되는 중환자실 환자들의 안전한 이송을 위해서는 이동형 기계환기기를 사용해야 한다.

1. 적응증과 부적응증

1) 적응증 : 높은 수준의 기계환기 보조가 요구되는 환자
단, 이송 시 위험과 얻을 수 있는 이점의 평가가 필요

2) 부적응증
(1) 이송 중 환자가 혈역학적으로 안정된 상태를 유지할 수 없는 경우
(2) 이송 중 기도 유지가 어려운 경우
(3) 이송 중 적절한 가스 교환을 유지할 수 없는 경우
(4) 이송에 필요한 인력이 충분히 확보되지 않은 경우
(5) 이송 중 효과적으로 환자상태를 모니터링 할 수 없는 경우

2. Pneupac® VR1

1) 구조

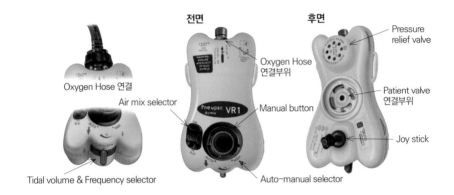

2) 설정

(1) 준비 물품

Pneupac® VR1 본체, patient valve, non-rebreathing valve, 22 mm OD adapter, breathing circuit, oxygen hose, catheter mount, PEEP valve and exhaust collector(필요시), portable O_2 tank

(2) 연결 방법(환자로부터의 순서)

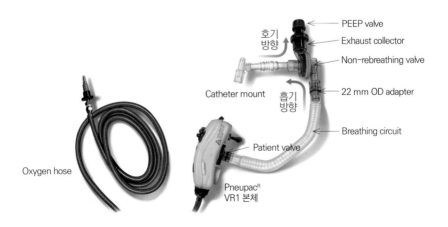

환자 → catheter mount → non−rebreathing valve → (필요시 PEEP valve and ex-haust collector) → 22 mm OD adapter → breathing circuit → patient valve → pneu-pac® VR1 본체 → oxygen hose → portable O₂ tank

※ HME 추가 적용 시 catheter mount와 non−rebreathing valve 사이에 연결한다.

(3) 설정 방법

① 10 kg 이상의 환자에게 사용 가능
② Mode: auto−manual selector의 다이얼을 돌려 auto mode와 manual mode 중 선택
   − Automatic mode: 설정된 일회호흡량, 호흡수에 따라 I:E ratio 1:2로 유량 공급
   − Manual mode: manual 버튼이나 joy stick을 조작하여 설정된 일회호흡량을 공급
      ※ Automatic mode는 CMV 방식으로 구동되므로 자발호흡이 있는 환자에게는 부적절하다.
③ 일회호흡량과 호흡수: tidal volume & frequency selector를 통해 7단계로 조절 가능하다.

	1단계	2단계	3단계	4단계	5단계	6단계	7단계
일회호흡량	150 mL	300 mL	450 mL	600 mL	750 mL	900 mL	1,050 mL
호흡수	25회/분	20회/분	15회/분	12회/분	11회/분	10회/분	10회/분

④ FiO₂: air mix selector를 통해 50%와 100% 중 선택
⑤ 적용 중 MR 검사가 가능하며, MR이 가능한 oxygen hose (non−conductive)로 연결한다.

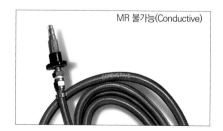
MR 불가능(Conductive)

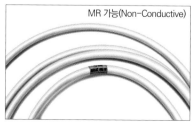
MR 가능(Non-Conductive)

⑥ 압력 조절기가 장착된 portable O₂ tank에 oxygen hose를 연결한다.

⑦ 환자에게 적용하기 전 작동 여부를 확인 후 적용한다.

⑧ 기도 압력이 40 cmH₂O 이상 상승 시 pressure relief valve가 개방되며 알람이 울린다.

3. HAMILTON-C1

1) 기기 준비

(1) 준비 물품

C1 본체, 비가열 방식 회로(가열 방식 회로 사용 가능), flow sensor, 열수분 교환 필터(HMEF), catheter mount, portable O₂ tank

(2) 연결 방법

본체 → 비가열 방식 회로 → flow sensor → HMEF → catheter mount → 환자

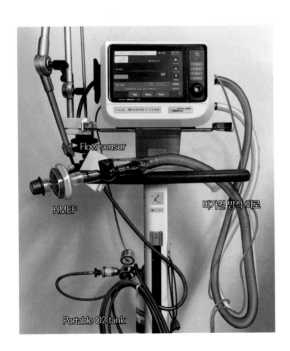

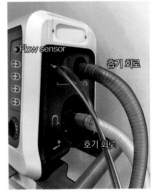

(3) 사전 점검

Tightness test, flow sensor calibration, 사용 전 수동 점검 과정을 차례로 시행한다(부록—기계 환기기의 관리(HAMILTON-G5 사전 점검 과정 참조).

(4) 배터리 사용 시간 확인

기계환기기 오른쪽 하단에 배터리 심볼이 있으며 배터리 완충 시 초록색 불로 나타나고 4시간 사용 가능하다. 소모될수록 주황색 불이 확장된다.

(5) 산소 공급 시스템 설정

• 고압 방식 산소 공급(high pressure oxygen, HPO): 일반적으로 사용
  ① 본체에 oxygen hose 연결
  ② HPO mode 설정: Tools → Utilities → Gas source → HPO mode
  ③ Portable O₂ tank에 압력 조절기 연결
  ④ 산소 잔량 확인
  ⑤ 압력 조절기에 oxygen hose 연결
  (주의: 고압 산소 공급 방식을 사용할 경우 기계환기기의 산소 어댑터를 제거하고 사용해야 한다.)

• 저압 방식 산소 공급(low pressure oxygen, LPO)
  ① 본체에 산소 어댑터 연결

② LPO mode 설정: Tools → Utilities → Gas source → LPO mode

③ Portable O_2 tank에 저유량 산소 조절기 연결

④ 산소 잔량 확인

⑤ 저유량 산소 조절기와 본체의 산소 어댑터에 O_2 line 연결

⑥ 산소는 저유량 산소 조절기(단위, L/min)를 통해 설정한다.

2) 설정 및 적용

(1) 사용 중인 mode, setting parameter 값을 동일하게 C1에 설정한 후 환자에게 적용한다.

(2) 환자 감시요소 확인 및 ABGA 확인 후 필요시 재설정한다.

(3) 산소 소모량을 예측하여 portable O_2 tank를 준비한다.

(아래의 이동용 산소 소모 시간 측정표 참조)

(4) MR 촬영 시 C1은 MR 촬영이 불가하므로 pneupac® VR1 또는 MR 전용 기계 환기기(예: HAMILTON-MR1, IMPACT - Eagle II TMMR 등)를 준비한다.

※ HAMILTON-MR1으로 MR 촬영 시 4.8 m 회로가 필요하며 사전점검 및 설정 방법은 HAMILTON-C1과 동일하다.

기계환기기 적용 시 이동용 산소 소모 시간 측정표
1. O_2 tank 용량: 4.6 L 기준
2. FiO_2, MV 변화에 따른 O_2 소모 시간 측정(분)

O_2 잔량	인공 호흡기 설정	50%			100%		
		5 L/min (250 mL ×20회)	10 L/min (500 mL ×20회)	15 L/min (500 mL ×30회)	5 L/min (250 mL ×20회)	10 L/min (500 mL ×20회)	15 L/min (500 mL ×30회)
120 bar	550 L	289	145	96	110	55	36
80 bar	370 L	194	97	64	74	37	24
40 bar	180 L	94	47	31	36	18	12
20 bar	90 L	47	23	15	18	9	6
O_2 분당소모량(계산)		1.9	3.8	5.7	5	10	15

* 유지 시간 계산공식
1. 이동용 산소 잔량 = O_2 tank 용량(L)×O_2 tank pressure gauge의 눈금(bar)
2. 유지 시간 = 이동용 산소 잔량/환자의 O_2 분당소모량

기계환기기 설정 실습하기

A사

1. 용적조절환기 설정하기

1) 모드 선택

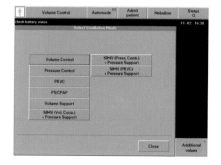

2) 유량 패턴 선택

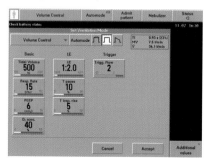

유량패턴은 감속패턴으로 하면 압력조절모드의 유량 패턴처럼 작동하여 Tpause가 자동으로 0%로 설정됨

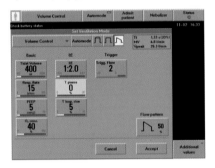

3) 목표 용적과 호흡수 설정

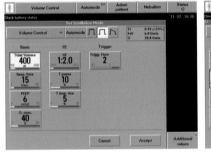
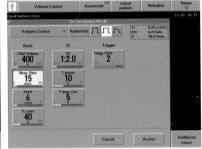

4) 호기말양압과 흡입산소분율 설정

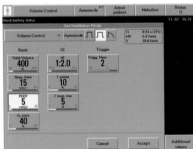
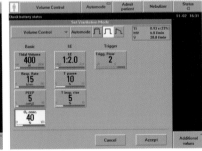

5) 흡기호기비, pause time, rise time 설정

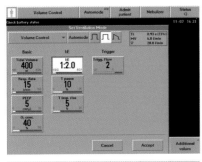

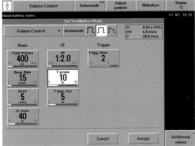

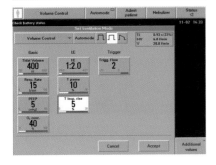

6) 유발역치 설정(유량유발이 압력유발보다 선호됨, 유량유발 설정 시 숫자가 클수록 더 낮은 유량을 감지)

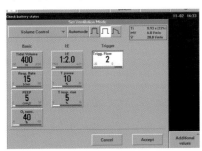

2. 압력조절환기 설정하기

1) 모드 선택

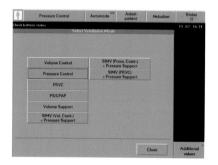

2) 목표 기도압과 호흡수 설정

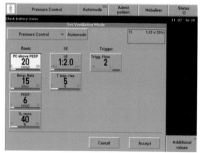 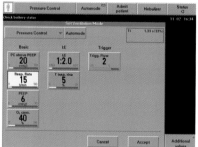

3) 호기말양압과 흡입산소분율 설정

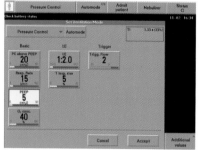 

4) 흡기호기비, rise time 설정

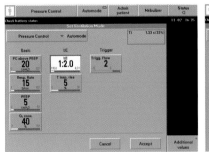 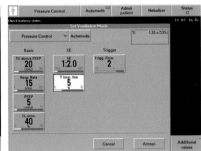

5) 유발역치 설정(유량유발이 압력유발보다 선호됨, 유량유발 설정 시 숫자가 클수록 더 낮은 유량을 감지)

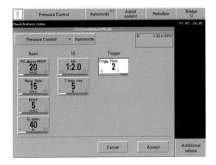

3. 압력보조환기

1) 모드 선택

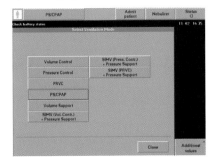

2) 목표 보조 압력과 호기말양압 설정

3) 흡입산소분율 설정

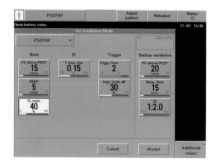

4) 흡기 시 rise time 설정

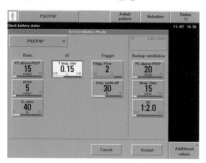

5) 유발역치와 cycle off % 설정

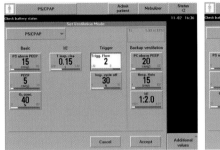 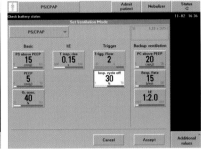

6) Backup ventilation 설정

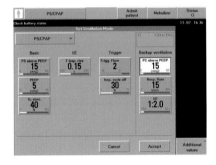

B사

1. 시작 전 환자의 몸무게를 입력

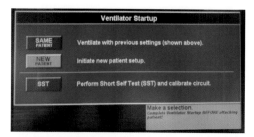

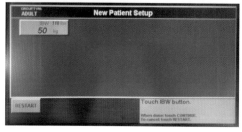

2. 환기 타입 설정(침습 기계환기 대 비침습 기계환기)

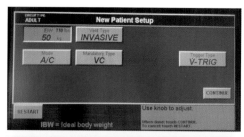

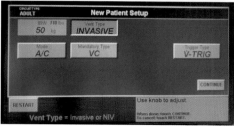

3. 침습 기계환기기 모드 설정: 모드 설정 및 유발 타입(압력 대 유량) 결정

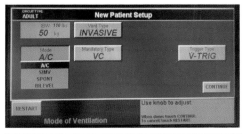

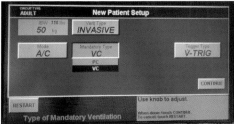

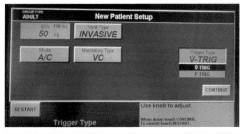

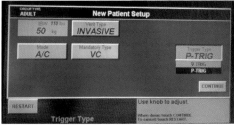

4. 용적조절환기 설정하기

1) 호흡수

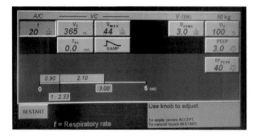

2) 목표용적

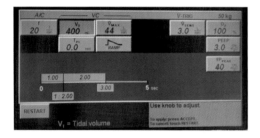

3)유량 속도 설정(흡기호기비에 영향을 줌)

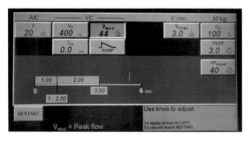

4) 유발역치

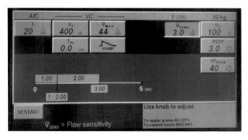

5) 흡입산소분율

6) 호기말양압

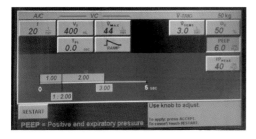

7) 유량패턴 설정

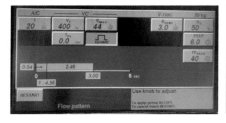
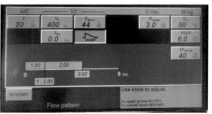

Plateau time (T$_{PL}$) 설정을 위해서는 유량패턴은 square type으로 해야함

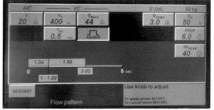

5. 압력조절환기 설정하기: 모드와 유발 타입 설정

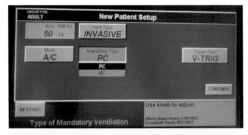

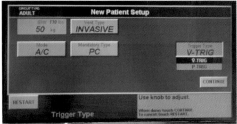

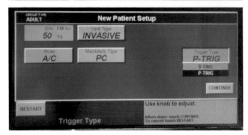

1) 호흡수 설정

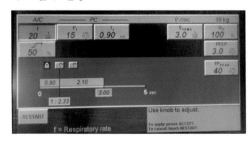

2) 목표압력 설정

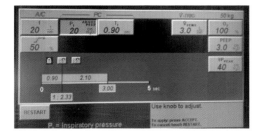

3) 흡기 시간 설정(흡기호기비 자동 재설정됨)

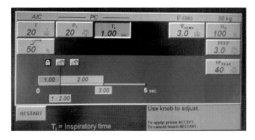

4) 유발역치 설정

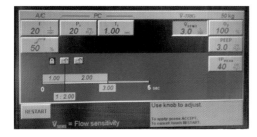

5) 흡입산소분율

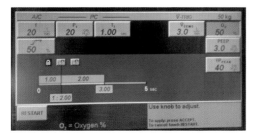

6) 호기말양압 설정

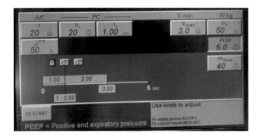

7) Rise time 설정

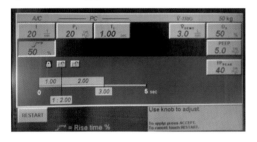

6. 압력보조환기 설정하기

1) 보조환기모드에서 압력보조환기모드 선택 후 유발 타입 선택

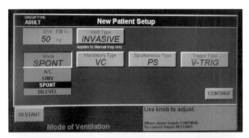

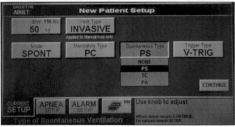

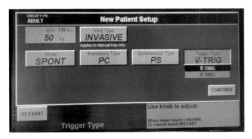

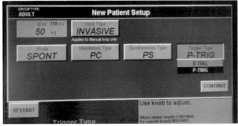

2) 목표 압력보조 설정

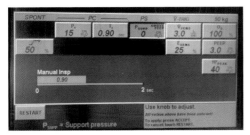

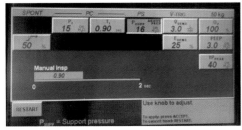

3) 유발역치 설정

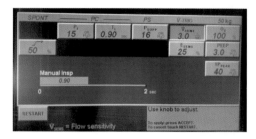

4) 흡입산소분율

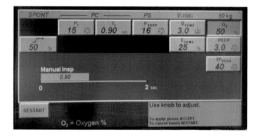

5) 호기말양압 설정

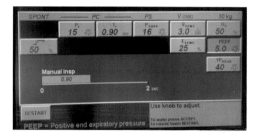

6) Spontaneous expiratory sensitivity percentage 설정: 최대흡기속도의 몇 %
에서 호기로 전환하는지를 결정하는 지표로 inspiratory cycle off와 같은 개념임

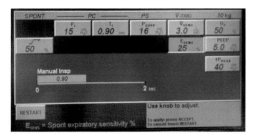

7) 흡기 동안 최대흡기압에 도달하는 시간인 rise time 설정

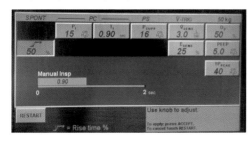

8) 뒷받침환기(Apnea ventilation) 설정

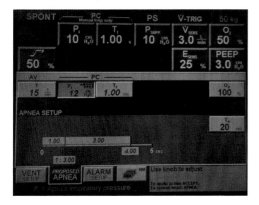

색인